DER BLÜTENJÄGER

CATHERINE SHEPHERD

1. Auflage 2019
Copyright © 2019 Kafel Verlag, Inh. Catherine Shepherd, Franz-Radziwill-Weg 12, 26389 Wilhelmshaven

Lektorat: Gisa Marehn
Korrektorat: SW Korrekturen e.U. / Mirjam Samira Volgmann

Covergestaltung: Alex Saskalidis
Covermotiv: © MelnikPave / shutterstock.com
© pruscha / istockphoto.com
© Andrey Kuzmin - stock.adobe.com
© ptyszku - stock.adobe.com

Druck: Amazon Distribution GmbH, Amazonstraße 1, 04347 Leipzig

www.catherine-shepherd.com
kontakt@catherine-shepherd.com

ISBN: 978-3-944676-23-4

TITEL VON CATHERINE SHEPHERD

Zons-Thriller:

Laura Kern-Thriller:

Julia Schwarz-Thriller:

1. Mooresschwärze (Kafel Verlag Oktober 2016)
2. Nachtspiel (Kafel Verlag November 2017)
3. Winterkalt (Kafel Verlag November 2018)

Übersetzungen:

1. Fatal Puzzle - Zons Crime (Titel der deutschen Originalausgabe: Der Puzzlemörder von Zons, AmazonCrossing Januar 2015)
2. The Reaper of Zons - Zons Crime (Titel der deutschen Originalausgabe: Erntezeit, AmazonCrossing Februar 2016)

Der Wald steht schwarz und schweiget ...

Matthias Claudius

PROLOG

Ich bin schön, denke ich und betrachte mich im Spiegel. Eigentlich meine ich das Kleid. Es glitzert und umschmeichelt meine Hüften. Es betont die Rundungen an den richtigen Stellen und macht mich schlanker, als ich tatsächlich bin. Es war Liebe auf den ersten Blick. Ich habe dieses Kleid in einem Schaufenster entdeckt und wusste sofort, dass es mir gehört. Über den Preis rede ich lieber nicht. Mein Konto ist hoffnungslos überzogen. Aber ich konnte einfach nicht anders. Ich drehe mich im Kreis und kann gar nicht aufhören, mich anzusehen. Ich lächle, ja, ich strahle regelrecht.

Hätte ich in diesem Augenblick gewusst, dass ich nie wieder so glücklich sein würde, ich wäre niemals ausgegangen. Doch niemand weiß, wann das Ende naht. Wir wissen die kostbaren Momente im Leben oft nicht genug zu schätzen. Wir denken an die Vergangenheit oder träumen von einer besseren Zukunft, und dabei vergessen wir das Hier und Jetzt. Die Realität. Das Glück ist flüchtig, wie alle Gefühle. Man kann es nicht festhalten, und manchmal genügt eine winzige falsche Entscheidung, reicht der Bruchteil einer Sekunde aus, um es für immer zu verscheuchen.

Nur wenige Stunden später pocht mein Herz so schnell, dass mir beinahe schwindlig wird. Ich schaue an mir hinunter. An meinem wunderschönen Kleid. Es ist voller Flecken. Es glitzert nicht mehr. Selbst wenn das Mondlicht direkt durch die dunklen Wipfel der hohen Bäume scheint und mich mit kalten Fingern streift, wirkt es stumpf und traurig. Ich habe keine Zeit nachzudenken, verstecke mich lautlos hinter einem dicken Baumstamm.

Immer wieder sehe ich jenen Moment vor mir, in dem alles schieflief. In dem ich einen fatalen Fehler beging. Eine Katastrophe ins Rollen brachte, die mich am Ende das Leben kosten könnte. Ein flüchtiges Lächeln zum falschen Zeitpunkt.

Ich kam von der Toilette, noch völlig überhitzt vom Tanzen. Im Spiegel hatte ich meine geröteten Wangen gesehen. Es sah sexy aus, fand ich. Der Abend verlief genau so, wie ich es erhofft hatte. Jede Menge bewundernder Blicke, die mir nur so zuflogen. Kein Wunder, Valentina und ich hatten ja auch auf dem Podest getanzt. Hoch über den Köpfen der übrigen Gäste. Gut sichtbar.

Dann sah ich ihn. Groß, dunkelhaarig, gut aussehend. Er musterte mich lächelnd. Und ich? Ich lächelte zurück.

Wäre ich einfach wieder auf die Tanzfläche gegangen, hätte er vielleicht nicht blitzschnell mein Handgelenk festgehalten und mich durch die Menschenmenge hinausgezogen. Ich war zu überrascht, um zu protestieren.

Erst am Hinterausgang setzte mein Verstand wieder ein. Aber da war es zu spät. Ich spürte einen Stich am Oberschenkel und mir wurde plötzlich schwindlig. Ich lehnte mich gegen ihn. Willenlos, während seine kräftigen

Arme sich um meine Taille legten und mich über die Straße führten.

»Wohin bringen Sie mich?«, fragte ich und bemerkte die Dunkelheit in seinen Augen.

»Zur Jagd«, flüsterte er und strich mir eine Strähne aus der Stirn.

Das waren die einzigen Worte, die ich von ihm gehört habe. Danach schwanden mir die Sinne.

Irgendwann kam ich mitten im Wald wieder zu mir. Hier stehe ich, hinter dem Stamm der alten Eiche, und zittere am ganzen Leib. Meine High Heels sinken in den Boden. Die Erde ist schlammig und feucht. Es ist Nacht. Ein Vogel kreischt. Etwas knackt direkt hinter mir. Ich höre Schritte.

Und renne los.

Doch ich komme nicht weit. Der Absatz meines rechten Schuhs verfängt sich im Wurzelgeflecht. Dornen krallen sich in meine nackten Beine und reißen die Haut auf. Eine Hand legt sich auf meine Schulter, und ich erstarre.

»Lauf!«, sagt er, und ich gehorche im selben Augenblick.

Ich stolpere vorwärts. Der Schuh bleibt zurück, den anderen schleudere ich von mir. Barfuß zwänge ich mich zwischen einigen Büschen hindurch, die rauen Äste ruinieren mein Kleid endgültig. Ich höre, wie der Stoff reißt. Tränen schießen mir in die Augen. Die Luft wird knapp. Die Anstrengung zehrt an meinen Kräften. Ich kann nicht mehr. Ein Zweig peitscht mir ins Gesicht und zertrümmert mir beinahe das Nasenbein. Es brennt höllisch. Blitze erhellen mein Blickfeld. Die Bäume stehen da wie riesige Monster. Sie verstellen mir den Weg. Ich weiß nicht mehr, wohin.

»Hilfe«, kreische ich so laut es geht. Meine eigene Stimme hört sich fremd an. Panisch blicke ich mich um. Doch im Dunkel des Waldes sehe ich meinen Verfolger nicht. Atemlos stoppe ich hinter einem Baum. Meine Fußsohlen brennen unerträglich. Ich habe so große Angst, dass ich keinen klaren Gedanken mehr fassen kann. Ich fühle mich wie ein gejagtes Tier, das kopflos im Zickzack läuft und nicht die geringste Überlebenschance hat. Was soll ich nur tun?

Plötzlich knackt wieder etwas. Er ist ganz in der Nähe. Mein Magen krampft sich zusammen. Die Tränen vernebeln mir die Sicht. Ich husche zum nächsten Baum, klettere leise einige Äste hinauf. Vielleicht habe ich eine Chance. Er könnte vorbeilaufen. Ich ziehe mich weiter hoch, beiße mir auf die Unterlippe, bis das Blut kommt. Nur nicht loslassen. Bloß keinen Laut machen.

Knack.

Er ist unter mir. Ich kann seine schwarze Gestalt im Mondlicht erahnen. Er schleicht um den Baum. Er sucht nach mir.

Knack.

Der Ast, an dem ich hänge, biegt sich. Bitte, bitte brich jetzt nicht. Ich presse die Zähne aufeinander und versuche ruhig zu atmen. Meine Finger rutschen. Es ist so anstrengend. Bloß nicht loslassen.

Knack.

Verflucht. Der Ast gibt noch ein Stückchen nach. Er wird nicht mehr lange halten. Geh, rufe ich in Gedanken, geh weiter! Aber die schwarze Gestalt steht genau unter mir. Sie rührt sich nicht.

Ich kämpfe. Die Kraft in meinen Händen lässt nach. Ich rutsche Millimeter für Millimeter. Der Ast biegt sich immer stärker unter meinem Gewicht. Er ächzt so laut, dass ich Angst habe, er hört es. Ich starre angsterfüllt hinab.

Er geht weg. Ich höre die leiser werdenden Schritte. Ich kann es nicht glauben. Zur Sicherheit klammere ich mich weitere qualvolle Sekunden an den Ast und stiere in die Dunkelheit. Er ist nicht mehr da. Ich atme auf und gleite vorsichtig am Stamm hinunter auf einen dickeren Ast. Ich lausche in die Nacht hinein. Die Blätter rauschen im leichten Sommerwind. Mein Herz donnert gegen die Rippen. Ich warte noch eine Weile ab, dann löse ich mich und klettere vom Baum. Wohin ist er verschwunden? Ich weiß es nicht. Aber ich entschließe mich, in die Richtung zu gehen, aus der ich gekommen sein muss. Vermutlich ist es der kürzeste Weg zurück in die Stadt oder zumindest zu einer Straße, auf der ich Hilfe bekommen kann. Meine Orientierung ist nicht gerade die beste. Trotzdem laufe ich beherzt los. Immer der Nase nach. Der Wald kann nicht unendlich sein. Ich hetze durch Sträucher und Unterholz, ignoriere meine schmerzenden Fußsohlen und die Schrammen überall auf der Haut. Wie durch ein Wunder funktioniere ich und renne ohne Pause, obwohl ich völlig entkräftet bin. Mein Überlebenswille treibt mich voran. Ich will nicht sterben. Nicht heute. Nicht morgen. Ich bin jung. Ich will leben.

Meine Mühen scheinen sich zu lohnen. Scheinwerfer leuchten zwischen den Bäumen auf. Ein Motor brummt in geringer Entfernung vorbei. Ich keuche vor Anstrengung und Angst. Und vor Hoffnung, denn ich habe die Straße erreicht. Der feuchte Asphalt fließt wie ein dunkles Band durch die Nacht.

»Hilfe«, krächze ich und laufe schneller. Vielleicht noch zwanzig Meter, dann habe ich es geschafft. Meine

Augen fixieren die rettende Straße, ein Auto nähert sich von Weitem, doch in dem Moment knallt ein Schuss durch die Luft. Ich spüre einen heftigen Schmerz. Die Wucht der Kugel reißt mich zu Boden. Ich lande mit dem Gesicht im Schmutz. Warme Flüssigkeit breitet sich unter mir aus. Ich kann nicht mehr atmen, aber ich höre seine Schritte.

1

»Laura Kern«, meldete sie sich über das Mikrofon an ihrem Kopfhörer und verlangsamte ein wenig ihren Lauf.

Sie war mitten in der Nacht aufgewacht, weil das Monster sie in ihren Träumen heimgesucht hatte – wie schon so oft. Es ließ sich dann nicht einfach vertreiben. Was hatte sie in den letzten Jahren nicht alles ausprobiert. Lesen. Musik hören. Den Fernseher einschalten oder eine kalte Dusche nehmen. Es gab nur ein Rezept, das half: laufen.

Also hatte sie sich angezogen und war zu ihrer üblichen Joggingrunde aufgebrochen. Der Rhythmus ihrer Schritte beruhigte sie. Er sandte das Ungeheuer wieder an den dunklen Ort, von dem es gekommen war. Irgendwo ganz hinten in ihrem Kopf. In den letzten Winkel. Dort hatte sie es eingesperrt. Für immer. Doch in der Nacht, wenn sie schlief, kam es manchmal hervor. Es griff nach ihr mit langen, kalten Fingern und es zog sie in der Zeit zurück wie an einem Bindfaden. So lange, bis sie wieder elf Jahre alt war. Dorthin, wo dieser Mann sie gefangen gehalten hatte. In ihr neues Zuhause, wie er es nannte.

»Hallo?«, rief sie und schob die düsteren Gedanken entschlossen von sich. »Können Sie mich hören?«

»Laura? Ja, ich höre dich.« Die tiefe, samtige Männerstimme mit leichtem amerikanischem Akzent brachte sie auf der Stelle zum Stehen.

»Taylor?«, fragte sie verwirrt und zog das Handy aus der Tasche. Kein gutes Zeichen, wenn er um fünf Uhr in der Nacht anrief.

»Wo steckst du? Ich bin vor deiner Tür.«

»Im Park. Ich konnte nicht schlafen und bin joggen. Ist was passiert?« Sie machte auf dem Absatz kehrt und rannte nach Hause. Ihre Wohnung lag knappe fünfzehn Minuten entfernt.

»Kann man so sagen. Eine Frau wurde tot aufgefunden. Jemand hat sie erschossen. Sie trägt ein Abendkleid und das Kaliber der Waffe scheint dem des letzten Mordfalls zu entsprechen. Zwei tote Frauen in Party-Outfit innerhalb von nur zehn Tagen, das sieht nach einem Fall für das Landeskriminalamt aus.«

In Lauras Kopf ratterte es. »Du meinst, es steckt derselbe Täter dahinter?« Sie beschleunigte ihre Laufschritte.

»Mach dir am besten ein eigenes Bild. Deshalb bin ich hier, ich wollte dich abholen.« Er hielt kurz inne, bevor er sagte: »Ich hab dich vermisst.«

Sie lächelte, obwohl der schnelle Lauf ihr den Schweiß auf die Stirn trieb. Ich dich auch, dachte sie, behielt die Worte jedoch für sich.

»Was hast du eine ganze Woche ohne mich gemacht?«, fragte sie stattdessen schmollend. Sieben Tage hatte sie nichts von ihm gehört. Taylor hatte lediglich eine knappe

Nachricht an ihr Handy geschickt und war dann abgetaucht. Nicht dass sie nicht ohne ihn auskommen könnte. Aber die Tatsache, dass er es so lange allein aushielt, gefiel ihr nicht.

»Es war ein Training. Der Chef wollte nicht, dass wir uns durchs Internet oder Telefonieren ablenken lassen. Du weißt ja, wie Christoph Althaus drauf ist. Es tut mir leid, dass ich mich nicht mehr gemeldet habe.« Wieder machte er eine Pause und Laura hörte ihn seufzen. »Es war wirklich stressig und ich habe es einfach nicht geschafft. Dafür bin ich jetzt ein fast perfekter Profiler. Du kannst mir nichts mehr verheimlichen.«

Sie stellte sich das schelmische Grinsen vor, das gerade auf seinem Gesicht liegen musste. Obwohl der letzte Satz als Scherz gemeint war, zuckte sie innerlich zusammen. Sie dachte an das Monster. An den Mann, der sie damals entführt hatte. Daran, dass sie für ihn tanzen musste und ihm völlig ausgeliefert war. An ihre Flucht durch die schmalen Rohre des Pumpwerkes, in dem er sie gefangen gehalten hatte. An die anderen Mädchen, deren abgebrochene Fingernägel sie in den Mauerfugen ihres Gefängnisses entdeckt hatte. Mädchen, die nicht mehr am Leben waren. Um nichts in der Welt wollte Laura, dass Taylor davon erfuhr. Sie trug dieses dunkle Geheimnis inzwischen seit beinahe zwanzig Jahren mit sich herum, und sie war noch immer nicht bereit, es jemandem anzuvertrauen.

»Nicht so schlimm. Max und ich hatten auch wahnsinnig viel um die Ohren«, log sie und bemühte sich, ihre Enttäuschung nicht durchklingen zu lassen. Ein Anruf oder wenigstens ein paar Textnachrichten zwischendurch hätten sie gefreut. Doch Taylor wäre nicht Taylor, wenn er ihr hinterherliefe. Er gab ihr Freiraum und bedrängte sie nicht. Gleichzeitig nahm er sich selbst die Freiheit, zu tun und zu lassen, was er wollte. Ihr Partner Max hatte sie oft genug vor Taylor gewarnt. Aber sie konnte einfach nicht die Finger von ihm lassen.

Laura näherte sich ihrer Wohnung und sah Taylor vor der Haustür stehen. Lässig lehnte er am Türrahmen. Unter dem T-Shirt zeichneten sich seine Muskeln ab. Sein müdes Gesicht begann zu strahlen, als sie näher kam. Er blickte sie aus seinen dunklen, fast schwarzen Augen an.

»Gib schon zu, ein kleines bisschen hast du mich auch vermisst, oder?« Er grinste genau so, wie sie es sich eben vorgestellt hatte.

»Möglich«, hauchte sie und küsste ihn auf den Mund.

Taylor zog sie an sich.

»Also doch«, murmelte er irgendwann. Er hielt sie weiter fest, sodass sie sich regelrecht aus seiner Umarmung befreien musste.

»Du wolltest mir einen Fundort zeigen«, sagte sie und machte einen Schritt auf sein Auto zu, das vor der Haustür parkte.

Taylor zögerte, in seinen Augen funkelte es.

»Erst die Arbeit, dann das Vergnügen«, sagte Laura und ging zur Beifahrertür. Sie musste die Tote sehen. Alles andere hatte Zeit. Laura hätte sich sowieso niemals fallen lassen können, während da draußen im Wald eine Leiche lag, deren Tod es aufzuklären galt.

»Dachte ich mir.« Taylor klang ein wenig frustriert, öffnete ihr jedoch galant die Autotür. »Wir müssen in den Spandauer Forst. Ein Jäger hat die Tote am Straßenrand gefunden«, erklärte er, lief um den Wagen herum und stieg ein.

Sie benötigten knapp dreißig Minuten. Um diese Uhrzeit waren Berlins Straßen beinahe wie leer gefegt. Die Sonne ging gerade auf und erhellte die Stadt mit warmem orangenem Licht. Je weiter sie in den Norden kamen, desto dünner wurde die Wohnbebauung. Hochhäuser verschwanden, dafür tauchten kleinere Gebäude auf. Es wurde immer grüner, die Bäume immer höher, und plötzlich befanden sie sich im Wald. Es war fast kaum zu glauben, dass sie noch im Stadtgebiet von Berlin waren. Der Spandauer Forst war eines der über die Hauptstadt verteilten Waldgebiete. Mit einer Fläche von mehr als tausend Hektar war er sogar der größte Wald. Taylor fuhr langsam die schmale Straße entlang, bis ein blaues Licht den Tatort ankündigte. Er bog in einen kleinen Waldweg ab und steuerte auf die flatternden Absperrbänder zu. Er stoppte und eine junge Polizistin trat ans Auto. Taylor ließ die Seitenscheibe ein Stück herunter.

»Können Sie bitte weiter da vorne parken? Die Spurensicherung muss hier durch. Gleich kommt auch noch die Hundestaffel.« Die Frau lief knallrot an. Entweder es war ihr unangenehm, sie wegzuschicken, oder es lag an Taylor. Laura musterte die Polizistin und glaubte, in ihrem Blick so etwas wie Interesse an Taylor zu erkennen. Für den Bruchteil einer Sekunde fragte Laura sich, was er eigentlich genau in der letzten Woche getan hatte. Eine dunkle Wolke vernebelte ihr den Verstand. Hastig schob sie ihre Eifersucht beiseite. Das wollte sie nicht. Sie wollte nicht an Taylor zweifeln.

»Kein Problem«, erwiderte Taylor und schenkte der Polizistin nicht die geringste Beachtung. Stattdessen blickte er Laura an und streckte den Finger nach ihrem Kinn aus.

»Sicher, dass wir nicht bei dir zu Hause im Bett liegen sollten?« Er grinste, und Laura schob seine Hand weg. Sie sprang aus dem Auto und stieg über das Absperrband, während Taylor im Wagen zurückblieb, um zu telefonieren. Eine ganze Horde an Polizisten hatte das abgegrenzte Waldstück erobert. Uniformierte sicherten das Gelände. Mitarbeiter in ziviler Kleidung, vermutlich von der Mordkommission, liefen mit ernsten Gesichtern herum und soeben traf die Spurensicherung ein. Männer und Frauen in weißen Overalls verteilten sich weitläufig. Aus der anderen Richtung hielt Christoph Althaus auf Laura zu. Er wirkte noch genauso dynamisch wie bei ihrer letzten Begegnung. Sein kurzes blondes Haar war zerzaust und auf seinem markanten Gesicht lag ein trauriger Ausdruck.

»Kern. Da sind Sie ja.« Der Leiter der Polizeidirektion und Taylors Vorgesetzter streckte ihr die Hand zum Gruß entgegen. »Ich habe gerade mit Ihrem Chef Joachim Beckstein telefoniert. Zweifacher Mord ist eine Nummer zu groß für uns. Der Fall gehört Ihnen. Wir haben die Geschosshülse gefunden. Kaliber .308 Winchester, wie bei dem Mord vor zehn Tagen.«

»In Ordnung, dann übernehmen wir«, erwiderte Laura. »Bei dem Geschoss handelt es sich allerdings um ein Standardkaliber. Wie wollen Sie da auf ein und denselben Täter schließen?« Laura kannte sich ganz gut mit Waffen aus. Diese Patrone passte in viele handelsübliche Jagdgewehre und wurde sehr häufig verwendet. Auch die Bundeswehr setzte sie in Sturm-, aber auch Maschinengewehren ein.

Christoph Althaus hob abwehrend die Hände. »Sie haben natürlich vollkommen recht. Die Ballistiker werden noch herausfinden, ob die Patronen tatsächlich aus demselben Gewehr abgefeuert wurden. Doch sehen Sie sich das Opfer an. Die Ähnlichkeiten zum letzten Mord sind nicht zu übersehen.« Er führte Laura an der Straße entlang und blieb nach ein paar Metern stehen. Mit einer knappen Kopfbewegung deutete er auf den Leichenfund.

Laura drängte sich an ihm vorbei und lief die Böschung hinunter. Zwischen niedrigen Sträuchern und Brennnesseln erblickte sie dunkelbraune, fast schwarze Haare, die wirr am Hinterkopf der leblosen Frau klebten. Blätter und kleinere Zweige hatten sich im Haar verfangen. Das Gesicht war nicht zu erkennen. Die Tote trug ein kurzes, helles Abendkleid, das völlig verdreckt und zerrissen war. Es war bis zum Po hochgerutscht. Ihre nackten Arme und Beine waren von Kratzern übersät. Neben ihrem Kopf lag ein blaues Veilchen.

»Sieht so aus, als wäre der Tod sehr schnell eingetreten«, sagte Laura mehr zu sich selbst als zu Althaus.

»Wie kommen Sie darauf?«, fragte er.

Bevor Laura antworten konnte, ertönte eine tiefe Stimme.

»Da hat sie vermutlich recht.«

Laura fuhr herum und entdeckte Taylor, der plötzlich an Althaus' Seite stand. Sie hatte ihn gar nicht bemerkt.

»Die Kugel hat sie offenbar direkt ins Herz getroffen.« Taylor hockte sich neben die Tote und deutete auf die Einschusswunde am Rücken. »Ich bin natürlich kein Rechtsmediziner. Doktor Herzberger kann uns sicher mehr dazu sagen.«

»Was macht denn das Veilchen auf dem Boden? Wächst das hier?« Laura blickte sich um, konnte aber keine weiteren Exemplare entdecken. Sie hob die Blume auf und steckte sie vorsichtig in eine Asservatentüte.

»Bei der ersten Toten lag ein Vergissmeinnicht«, merkte Taylor nachdenklich an. »Langsam frage ich mich, ob diese Blumen etwas zu bedeuten haben. Wir sollten das überprüfen.«

Laura nickte. »Haben Sie schon Fotos anfertigen

lassen? Ich möchte die Tote gerne umdrehen, um ihr Gesicht zu sehen.«

»Nur zu«, erwiderte Christoph Althaus und trat einen Schritt zurück. »Wie gesagt, der Fall gehört Ihnen. Ich muss weitermachen, jede Menge Arbeit wartet. Taylor wird Sie noch unterstützen, bis Ihre eigene Mannschaft vor Ort ist.« Er verabschiedete sich und verschwand hinter den Bäumen in Richtung der geparkten Autos.

Laura winkte einen Mitarbeiter der Spurensicherung heran. »Machen Sie bitte Fotos, sobald wir sie umgedreht haben.« Der Mann brachte sich in Position, während Laura Gummihandschuhe überzog. Dann packte sie die linke Schulter der toten Frau. Taylor umfasste gleichzeitig das Becken und den linken Oberschenkel, und gemeinsam drehten sie die Tote vorsichtig ein Stück. Ein paar ihrer Haarsträhnen fielen zur Seite.

»Stopp mal«, unterbrach Laura und runzelte die Stirn. Unter dem wirren Haargeflecht lag etwas. Es sah aus wie Papier oder Pappe. Behutsam zog sie das Papierstück mit der freien Hand hervor. Eine junge Frau mit strahlend blauen Augen lächelte sie von einem Foto an. Laura schluckte.

»Ist das die Tote?«, stieß sie aus und betrachtete das Foto eingehend. Eine Frau tanzte ausgelassen auf einer Bühne. Die Arme nach oben ausgestreckt, die Hüften schwingend, die langen Haare flogen durch die Luft. Unterhalb der Tanzfläche erkannte Laura die verschwommene Silhouette eines Mannes. Er balancierte ein Tablett mit Getränken. Laura ließ das Bild in eine Asservatentüte fallen und zeigte es Taylor.

»Sieht nach einer Diskothek aus. Wir sollten sie jetzt umdrehen und prüfen, ob sie tatsächlich die Frau auf dem Foto ist.«

Sie gaben dem leblosen Körper einen kräftigen Ruck. Der Leichnam landete auf dem Rücken und starrte Laura aus denselben Augen an, die sie eben noch von dem Foto angestrahlt hatten.

»Sie ist es«, murmelte sie und wartete, bis die Spurensicherung ihre Aufnahmen gemacht hatte. Anschließend wischte sie vorsichtig die Erde vom Gesicht der Toten. Zahlreiche Kratzer kamen zum Vorschein. Die Unterlippe war aufgeplatzt. Laura erhob sich und nahm die nackten Füße in Augenschein. Tiefe, hässliche Risse gruben sich in die zarte Haut der Fußsohlen ein. Einige der schmutzigen Fußnägel waren abgebrochen.

»Merkwürdig«, sagte Laura. »Ob der Täter sie fotografiert hat? Und wo sind ihre Schuhe? Was macht eine Frau im Abendkleid nachts im Wald? Was ist das nur für ein kranker Täter, wenn es nicht sogar mehrere sind?« Sie blickte Taylor an, dessen dunkle Augen sie nachdenklich ansahen.

»Weißt du, was mir auffällt?«, erwiderte er und deutete auf einen Finger an der linken Hand. »Sie trägt genau so einen Ring wie das erste Opfer.«

2

Zwanzig Jahre zuvor

Er schluchzte so sehr, dass seine Lippen kaum die Worte zu formen vermochten, die ihm auf der Zunge lagen. Seit zwei Tagen weinte er beinahe ununterbrochen. Immer wieder kochten die Tränen in ihm hoch und ergossen sich als heißes Rinnsal über seine Wangen. Er wischte sie mit dem Handrücken weg. Jungs weinen doch nicht. Schon gar nicht in seinem Alter. Er musste sich zusammennehmen. Das wusste er. Schließlich war er bereits acht Jahre alt. Trotzdem fiel es ihm schwer, seine Gefühle zu beherrschen. Wenn sein Vater ihn so sehen könnte, würde er ihn im Schuppen einsperren. Natürlich erst, nachdem er ihm eine ordentliche Tracht Prügel verpasst hatte. Also schniefte er ein letztes Mal in das Taschentuch, das die Psychologin ihm gegeben hatte, und setzte sich dann kerzengerade auf. Das Leder des Sofas klebte an seiner Haut. Er verzog das Gesicht, als es sich mit einem leichten Ziehen löste.

»Geht es wieder?« Frau Niemeyer blickte ihn mitfühlend an.

Er nickte hastig und stopfte das Tuch in seine Hosentasche.

»Kannst du mir noch einmal sagen, was Emma an dem Abend anhatte?« Frau Niemeyer beugte sich aus ihrem Sessel zu ihm vor und strich ihm über das Haar. »Du kannst mir vertrauen«, flüsterte sie leise.

Er sah sie an und ergründete das Smaragdgrün ihrer Augen. Konnte er ihr glauben? Frau Niemeyer war sehr nett, das wusste er seit gestern, als er sie zum ersten Mal getroffen hatte. Außerdem roch sie so gut, dass ihm ganz schwindlig wurde.

Frau Niemeyer lehnte sich wieder zurück und nickte ihm aufmunternd zu. Er seufzte und knabberte an seiner Unterlippe. Dann fiel ihm ihre Frage wieder ein. Was hatte Emma angehabt? Er musste nicht lange nachdenken.

»Ein silbernes Kleid mit Pailletten. Es glitzerte wie eine Schatztruhe voller Edelsteine. Emma hat es am Morgen zum Geburtstag bekommen und es den ganzen Tag angelassen. Sie war hin und weg.« Er verzog das Gesicht zu einer Grimasse. »Sie hat sich stundenlang vor dem Spiegel gedreht. Typisch Mädchen.«

Frau Niemeyer grinste verschwörerisch. Sie wusste, was er meinte. Verlegen senkte er den Blick. Manchmal hatte er das Gefühl, sie könne seine Gedanken lesen. Unmittelbar schoss ihm die Hitze in die Wangen. Sie sollte auf keinen Fall etwas merken.

»Und wie war die Geburtstagsfeier? Emma ist sechs geworden, richtig?«

Er nickte. »Ja. Sie kommt in einem Monat in die Schule.« Er stockte, denn plötzlich fiel ihm ein, dass sie nicht zur Schule gehen würde. Sie würde nirgendwo mehr hingehen. Er würde sie nie wiedersehen. Ein Kloß verstopfte ihm den Hals und er schluckte schwer. Schon wieder musste er weinen. Verflixt.

»Du darfst ruhig traurig sein«, säuselte Frau Niemeyer sofort und reichte ihm ein neues Taschentuch. Auch ihre Hand roch nach Vanille.

»Erzähl mir von dem Abend. Du und deine Schwester, ihr wart noch wach?«

»Es war ja Emmas Geburtstag. Tante Carina und Onkel Peter waren da. Unsere Großeltern und ein paar Nachbarn. Wir durften aufbleiben. Draußen war es noch warm, also haben wir im Garten gespielt.« In seinem Kopf flogen die Bilder dieser Erinnerung vorbei. Er lächelte, als er seine kleine Schwester mit ihren langen dunklen Locken und dem bunten Blumenkranz im Haar herumtollen sah.

»Komm«, rief sie und rannte zum Tor im hinteren Teil des Gartens. Es war nie verschlossen. Sie öffnete es und flitzte über die Wiese.

»Emma, wo willst du hin?« Er folgte ihr mit rasendem Herzen, denn sein Vater hatte ihnen verboten, den Garten in der Dunkelheit zu verlassen. Und es war bereits dunkel. Ängstlich blickte er nach oben und sah den Mond, der sich als silberne Sichel vom schwarzen Himmel abhob. Emma antwortete nicht. Sie lief einfach weiter. Er legte einen Zahn zu. Wenigstens schimmerte ihr Kleid in der Nacht. Er konnte sie gut sehen. Mitten auf der Wiese blieb sie plötzlich stehen.

»Weißt du noch, was du mir versprochen hast?«, fragte sie mit leuchtenden Augen.

Er nickte zögerlich. Auch das hatte sein Vater eigentlich nicht erlaubt, doch er hatte Emma sein Wort gegeben.

»Aber nur, bis wir wieder zu Hause sind«, forderte er und zog das Taschenmesser aus der Hosentasche.

»Danke«, stieß sie freudestrahlend aus und griff danach, als wäre es eine teure Halskette. Doch er wusste, dass sie nicht nur auf diesen Mädchenkram stand. Zum Glück. Er war ihr großer Bruder und ihr Vorbild. Sie wollte sein wie er und nicht Papas Püppchen.

»Zieh die Klinge vorsichtig heraus. Sie ist scharf«, warnte er und beobachtete seine Schwester genau. Sie war geschickt. Normalerweise. Ausgerechnet jetzt klappte das Messer unvermittelt auf und verletzte sie am Zeigefinger.

»Autsch«, jammerte sie und leckte das rote Blut ab.

»Gib es her.« Er wollte das Messer wiederhaben, doch sie umklammerte es fest.

»Nein. Du hast es mir versprochen. Ist nicht so schlimm.« Sie drehte sich um, ging in die Hocke und schnitt ein paar hohe Grashalme ab.

»Für dich!« Triumphierend kitzelte sie seine Nasenspitze mit den weichen Halmen. Dann sprang sie auf und rannte in das Getreidefeld. Viel schneller dieses Mal. Er hatte Mühe, hinterherzukommen. Die Halme auf dem Feld wurden höher. So hoch, dass er sie aus den Augen verlor.

»Emma?«, rief er und geriet in Panik. Er musste sie zurückbringen. Sein Vater würde toben, wenn er bemerkte, dass sie sich aus dem Garten geschlichen hatten. Ganz zu schweigen davon, was passieren würde, falls er ohne Emma heimkehrte.

Sie lachte. »Hier bin ich.«

Er stürmte in ihre Richtung. Das Feld wurde von ein paar Bäumen abgelöst. Ruckzuck befand er sich im Wald. In dem Wald, den sie allein nicht betreten durften. Auch seine Mutter bestand darauf.

»Emma, wo bist du? Wir müssen nach Hause.«

Die Antwort war ein helles Lachen.

Er schwitzte inzwischen. Sein T-Shirt klebte ihm am Körper. Die Riemen seiner Sandalen schnürten seine Füße schmerzhaft ein. Jeder Schritt tat weh. An seiner Ferse hatte sich eine Blase gebildet.

»Es reicht jetzt, Emma. Komm hervor oder ich gehe ohne dich nach Hause.«

Es kam keine Antwort.

»Emma?«

Stille.

Er rief ihren Namen noch einmal. Seine Stimme flog zwischen den Bäumen hindurch und verebbte irgendwo in der Ferne. Emma schwieg. Dann knallte etwas. Die Erde begann sich zu drehen. Immer schneller und schneller. Ihm wurde schwindlig und er fiel auf die Knie, die Hände fest an die Ohren gepresst. Es hörte nicht mehr auf und plötzlich war alles voller Blut. Überall. Er schrie aus voller Kehle.

»Komm zu dir!«, sagte eine Frau.

Doch er konnte die Augen nicht öffnen. Die Bilder zogen ihn zurück in den Wald. Er legte sich hin. Ganz flach auf den Boden und versuchte nicht mehr hinzusehen.

3

»Herrgott noch mal, Laura«, fluchte Max und blickte sie zornig von der Seite an. Sie saßen in ihrem Dienstwagen an der Fundstelle der Leiche. »Er war weg. Eine ganze Woche lang. Und dann ruft er an, mitten in der Nacht, und du springst.«

Laura spürte, wie die Magensäure in ihrem Bauch hochzusprudeln drohte. Sie ballte die Fäuste.

»Es geht um einen Mordfall«, erwiderte sie und stellte entsetzt fest, dass ihre Stimme zitterte. Es war nicht der erste Anfall von Eifersucht, den sie von ihrem Kollegen erlebte. Er schaffte es immer wieder, sie wütend zu machen. Max wusste genau, welchen Knopf er drücken musste, damit sie sich schlecht fühlte.

»Okay. Ich habe dich aus Rücksicht nicht um fünf Uhr aus dem Bett geholt. Es ging nicht darum, dir Informationen vorzuenthalten. Verdammt noch mal, Max, das weißt du doch?«, schob sie zähneknirschend hinterher.

»Laura, ich will wirklich nur dein Bestes. Du ...« Er stockte und schüttelte dann langsam den Kopf. »Du bedeutest mir sehr viel, und ich will nicht, dass er dir wehtut.«

Laura seufzte. Wie oft hatte sie inzwischen diesen Satz zu hören bekommen? Sie wusste, dass Max es immer gut meinte. Er war ein netter Kerl. Aber er wollte nicht, dass sie mit Taylor enger zusammenkam. In der letzten Woche hatten sie sich prächtig verstanden. Kaum war Taylor wieder im Spiel, drehte Max am Rad.

»Du bist nicht für mich verantwortlich. Ich kann auf mich selbst aufpassen, Max.«

»Das weiß ich«, knurrte er. »Trotzdem. Es ist doch komisch, dass er einfach so untertaucht. Findest du nicht?«

Etwas in ihrem Innern regte sich. Ein feiner Stich. Aber sie schob das Gefühl beiseite. Sie wollte Taylor nicht misstrauen und dadurch das ohnehin noch schwache Band zwischen ihnen zerschneiden.

»Wir wohnen nicht zusammen. Er kann tun und lassen, was er will«, zischte sie in einem Tonfall, bei dem Max zusammenzuckte. Er wandte sich unwillkürlich von ihr ab.

»Wie du meinst«, sagte er beleidigt und legte das Foto eines Ringes auf ihre Seite des Armaturenbrettes. Max war vor ungefähr einer halben Stunde zu ihr gestoßen, vollbepackt mit Unterlagen über den Mord vor zehn Tagen. Inzwischen stand die Sonne hoch am Himmel. Es war kurz nach zehn und die Temperatur lag bei zwanzig Grad.

»Die beiden Ringe, die die Frauen an der linken Hand trugen, sind jedenfalls identisch. Silber, schmal und mit einem Schmuckstein versehen, der allerdings aus Glas besteht. Dasselbe gilt für das Silber, es ist nicht echt. Wobei der Ring von Opfer Nummer zwei noch ins Labor muss.«

Laura betrachtete das Foto. »Links trägt man doch den

Verlobungsring, oder?« Sie musterte Max' rechten Ringfinger. Ein goldener Ring verriet seinen Status als Ehemann.

»Ja«, stimmte er ihr zu. »Die Kollegen versuchen gerade herauszufinden, wo diese Ringe gekauft wurden. Es scheint jedoch ziemlich hoffnungslos zu sein.«

Laura nickte gedankenverloren. »Ich kann mir nicht vorstellen, dass sie zufällig denselben Ring tragen. Entweder haben sie sich gekannt oder der Ring stammt vom Täter. Doch was will er uns damit sagen? Dass die Frauen ihm gehören?«

Sie öffnete die Akte und starrte auf das Foto, das beim ersten Opfer gefunden worden war. Es war der Täter, der sie fotografiert hat, schoss es ihr durch den Kopf. Wie sollte es sonst an den Fundort geraten sein? Außerdem wies das Fotopapier jeweils dieselbe Größe und Qualität auf. Zudem zeigte es das Opfer in ähnlicher Situation, eine attraktive Frau auf der Tanzfläche einer Diskothek namens Moonlight in der Schönhauser Allee. So viel hatte die Kripo bisher ermittelt. Juliane Klopfer, so hieß die Frau, war vor zehn Tagen nach einem Diskothekenbesuch ermordet worden. Die Auffindesituation der Leiche glich der des zweiten Opfers. Sie hatte mit dem Gesicht auf dem Waldboden gelegen, in der Nähe der Straße, die durch den Spandauer Forst führte. Sie war ebenfalls von hinten erschossen worden. Die Kugel hatte sie ins Herz getroffen und sofort getötet. Auch optisch ähnelten sich die Opfer stark. Beide waren Anfang zwanzig, groß, schlank und hatten lange dunkle Haare. Es hätten beinahe Schwestern sein können. Nur das Abendkleid von Juliane Klopfer war nicht hell, sondern schwarz. Neben ihrem Kopf wurde eine hellblaue Blume gefunden: ein Vergissmeinnicht.

»Ich kann mir auch nicht vorstellen, dass es sich bei den Ringen um einen Zufall handelt«, erwiderte Max und holte Laura aus ihren Gedanken. Sie brauchte eine Sekunde, bis sie begriff, dass er gerade ihre Frage beantwortete. »Trotzdem muss der Ring nicht unbedingt vom Täter stammen. Vielleicht waren die beiden Frauen im selben Verein oder dieser Ring liegt momentan total im Trend. Wie du schon sagtest, könnten sie sich gekannt haben. Womöglich ist es ein Freundschaftsring oder so. Aber falls du richtigliegst und der Ring tatsächlich vom Täter stammt, würde ich davon ausgehen, dass er seinen Besitzanspruch markiert. Wie ein Hund sein Revier.«

Laura sah ihn an. »Sieh dir die beiden Leichenfunde an. Dieselben Verletzungen, beide liegen auf dem Bauch. Die Ringe, die Blumen, die Fotos. Das hat meines Erachtens der Täter arrangiert. Hast du die Blumen gesehen? Was haben denn Vergissmeinnicht und blaue Veilchen gemeinsam und warum legt er diese Fotos zu ihren Leichen?« Sie schob die Aufnahme neben die erste auf das Armaturenbrett. »Weshalb zeigt er sie uns lebendig?«

Max zuckte mit den Achseln. »Keine Ahnung. Ich denke, es ist ein kranker Mistkerl, oder vielleicht sind es auch mehrere.«

»Es muss ihm etwas bedeuten, sie uns tanzend zu zeigen«, murmelte Laura und blätterte weiter durch die Akte. Die Disco in der Schönhauser Allee konnte von der Kripo mithilfe des Fotos ermittelt werden. Die Entfernung zwischen dem Spandauer Forst und dem Moonlight betrug mehr als dreißig Minuten mit dem Auto.

Laura hob den Kopf, denn von draußen ertönte lautes Hundegebell. Sie hatten die letzte halbe Stunde im Auto verbracht, weil die Hundestaffel den Fundort zunächst ohne Störungen erkunden wollte. Andreas Hartmann, ein stämmiger Polizist mit Bierbauch, klopfte gegen ihre

Seitenscheibe. Neben ihm tänzelte ein kräftiger Schäfer-
hund an der kurz gehaltenen Leine.

»Wir wären so weit und wollen jetzt tiefer in den Wald
vordringen. Sie können mitkommen. Wir hoffen, dass wir
noch die Schuhe oder Ähnliches entdecken und den Weg
des Opfers rekonstruieren können.«

Laura sprang sofort aus dem Wagen. Max folgte ihr.
Der Hundeführer hielt Laura eine Karte des Waldgebietes
mit drei roten Markierungen vor die Nase.

»An diesen Stellen haben wir bereits Stofffetzen vom
Kleid der Toten gefunden.«

Laura blickte auf und betrachtete den dichten Wald,
der sich rechts und links der Straße erhob und undurch-
dringlich erschien. »Können Sie mir die Stellen zeigen?«

»Folgen Sie mir.« Andreas Hartmann hüpfte erstaun-
lich wendig die Böschung hinunter. Sein Hund zog ihn
eifrig hinter sich her. Das Gelände fiel ungefähr einen
Meter ab. Laura rief sich die Daten der ermordeten Juliane
Klopfer ins Gedächtnis. Bei ihr hatte die Kriminalpolizei
keine Hundestaffel eingesetzt. Der Fall war zunächst als
Jagdunfall eingestuft worden. Aus irgendwelchen
Gründen musste sich die junge Frau im Wald verirrt
haben und vor die Flinte eines Jägers geraten sein. Julianes
Freund, der anfänglich unter Verdacht stand, konnte nachweisen, dass er sich zum Todeszeitpunkt schon in seiner
Wohnung befunden hatte. Die Überwachungskamera der
benachbarten Tankstelle hatte ihn und seinen Wagen
aufgenommen. Die Obduktion des Leichnams hatte ergeben, dass Juliane Klopfer mit Propofol, einem schnell
wirkenden Anästhetikum, betäubt worden war. Die Suche
nach dem Täter war im Sande verlaufen. Laura schien
inzwischen klar, warum. Da wusste jemand genau, was er
tat. Schließlich traf niemand ohne Übung mitten ins Herz,

schon gar nicht bei Nacht und bei einem Ziel, das sich bewegte. Und erst recht nicht zweimal hintereinander.

Der Hundeführer stoppte vor einem Dornenbusch. Sein Hund hechelte. Die kräftige Mittagssonne machte ihm trotz des schützenden Blätterdaches zu schaffen.

»Hier hing der erste Stofffetzen«, verkündete er und deutete auf eine gelbe Markierung an einem Ast auf Bauchhöhe. Wenige Meter weiter ging er in die Hocke. »Hier unten hatte sich der nächste verfangen. Die Beweismittel sind schon auf dem Weg ins Labor. Die Spurensicherung hat Fotos gemacht, falls Sie diese ansehen möchten. Hier drüben im Busch hing der dritte Fetzen. In dieser Richtung setzen wir jetzt die Hunde an.«

Laura starrte auf den Busch, als wenn sie zwischen den Blättern eine Antwort auf die tausenden Fragen finden würde, die ihr gerade durch den Kopf rauschten.

Andreas Hartmann holte erneut die Karte aus seiner Tasche und markierte ein weitläufiges Gebiet. »Wir werden diesen gesamten Bereich absuchen. Vielleicht können wir die Route des Opfers nachvollziehen.«

»Wie weit ist das?«, fragte Max und hielt sich von dem Hund fern. Über seinen Unterarm zogen sich feine Narben, die Zeugen eines Hundebisses, den er sich während der letzten Ermittlungen eingefangen hatte.

»Zwei, drei Kilometer. Viel weiter dürfte die Frau barfuß und im Dunkeln nicht gekommen sein.« Der Hundeführer hob die Hand und gab das Zeichen zum Start. Er löste die Leine seines Hundes gleichzeitig mit seinen Kollegen. Die drei Schäferhunde nahmen die Fährte auf und preschten durch das Unterholz davon. Andreas Hartmann flog mit erstaunlicher Wendigkeit hinterher. Laura folgte ihm. Ein Zweig schlug ihr ins Gesicht. Sie hielt schützend den Arm hoch. Max lief neben ihr und drückte ein paar Zweige zur Seite. In der Ferne fingen die Hunde an zu bellen. Die Hundeführer beschleunigten ihr Tempo. Lauras Hose verfing sich in den Dornen eines Brombeerstrauchs. Sie schimpfte leise, als ihre Jeans aufriss. Unwillkürlich sah sie die beiden Frauen durch den Wald rennen. Sie stellte sich vor, wie sie in ihren kurzen Kleidchen, mit nackten Armen und Beinen durch das Dickicht hetzten. Mitten in der Nacht. Ihre Angst und ihre Schmerzen mussten unermesslich groß gewesen sein. Laura spürte die brennenden Stiche durch die Hose hindurch.

Sie kämpften sich durch den Wald und holten endlich die Hunde ein.

»Hier ist nichts. Keine Ahnung, weshalb sie angeschlagen haben.« Andreas Hartmann umrundete eine dicke Eiche und suchte den Boden und den Stamm ab. Dann schüttelte er den Kopf. »Wir gehen weiter.«

Die Hunde jagten auf sein Zeichen davon. Laura blieb nachdenklich unter dem Baum stehen. Ein kühler Luftzug hielt sie fest. Es war beinahe wie ein Flüstern. Ohne zu wissen, warum, blickte sie nach oben.

»Stopp«, brüllte sie. Hoch über ihr in den Zweigen hing etwas. Ein Gewebefetzen, vielleicht ebenfalls vom Abendkleid der erschossenen Frau.

Hartmann ließ die Hunde weiterlaufen, kam selbst jedoch sofort zurück. Laura deutete auf den Ast über ihnen. Der Stofffetzen baumelte in drei oder vier Metern Höhe. Der Hundeführer zog einen Greifarm aus seinem Rucksack und beförderte damit den Fund herunter.

»Ist definitiv vom Kleid des Opfers, ist dasselbe Muster«, murmelte er und schaute hinauf. »Was hat sie denn auf dem Baum gemacht?«

»Ich denke, sie hat sich versteckt«, erwiderte Laura. Auf

ihrem Körper hatte sich trotz der Sommerwärme eine Gänsehaut ausgebreitet. Sie sah die Frau vor sich, wie sie auf dem Foto ausgesehen hatte. Sie klammerte sich an einen Ast und blickte panisch nach unten.

»Die Spurensicherung soll sich das genauer ansehen«, sagte Laura. Max griff sofort zu seinem Handy und gab die neue Information durch, während der Hundeführer den Baum markierte und weitläufig absperrte.

»Lassen Sie uns weitergehen«, schlug Laura vor. Weiter entfernt hatten die Hunde abermals angeschlagen. Sie kämpften sich durch das Dickicht und erreichten nach einer Weile einen unbefestigten Weg. Die Schäferhunde saßen brav nebeneinander am Rand. Aus den Gesichtern der anderen beiden Hundeführer konnte Laura die Antwort auf ihre Frage bereits ablesen, bevor sie diese überhaupt gestellt hatte.

»Tut uns leid. Dieser Weg ist mit Reifenspuren und Fußabdrücken übersät. Ab hier verliert sich die Spur.«

4

»Was genau macht Sie so wütend?« Susanne Niemeyer betrachtete den Patienten, der vor ihr auf der Couch lag, nachdenklich. Was er berichtete, passte nicht ins Bild. Er wirkte kontrolliert und nicht im Mindesten aufgebracht.

»Die Art, wie sie mich anschaut«, murmelte Karsten Grabow und starrte einen imaginären Punkt an der Decke des Behandlungszimmers an. »Es ist so ...« Er machte eine kurze Pause und richtete sich auf. »... so abwertend. Ich sehe in ihrem Blick, dass sie mich verachtet.«

Susanne Niemeyer kritzelte etwas auf ihren Notizblock, obwohl sie das Gespräch aufzeichnete. Das tat sie immer, sobald sie merkte, dass sie angelogen wurde. Es verschaffte ihr Zeit. Und dieser Mann dort vor ihr log. Sie fragte sich, warum er sie überhaupt aufgesucht hatte. Niemand schien ihn geschickt zu haben. Offenbar noch nicht einmal die Frau, die anscheinend tagtäglich von ihm malträtiert wurde. Sie konnte ihm nicht helfen, wenn er nicht aufrichtig und offen mit ihr sprach. Das machte keinen Sinn. Sie bohrte die Spitze ihres Kugelschreibers in das weiße Papier.

»Nun, sofern ich es richtig verstanden habe, hatten Sie mit dem Streit begonnen. Sie beschimpften Ihre Freundin, weil das Essen verbrannt schmeckte.«

Der große Mann mit den babyblauen Augen sah sie hilflos an. »Ich war doch nur ehrlich.«

Susanne nickte. »Ich wollte mit meiner Anmerkung lediglich zum Ausdruck bringen, dass Ihre Freundin Sie möglicherweise gar nicht abwertend angesehen hat, sondern verletzt oder auch enttäuscht. Sie hat sich bestimmt Mühe in der Küche gegeben. Vielleicht sollten Sie bedenken, dass Sie ihre Reaktion unter Umständen falsch gedeutet haben könnten.«

Ihr Patient lehnte sich wieder zurück und dachte nach. Er runzelte die Stirn und biss sich auf die Unterlippe.

»Sie gibt mir des Öfteren zu verstehen, dass ich nicht viel tauge«, erwiderte er nach einer Weile. »Eigentlich andauernd. Ich nenne Ihnen nur ein Beispiel. Ich liefere Getränke aus und bin ständig unterwegs. Kreuz und quer in ganz Berlin. Komme ich später als angekündigt nach Hause, unterstellt sie mir, ich hätte mich absichtlich nicht beeilt. Erst letzte Woche bin ich dann zwei Stunden früher als geplant zurück gewesen, extra ihretwegen. Können Sie sich vorstellen, wie sie reagiert hat?« Er sah sie durchdringend an. In seinen Augen blitzte Wut auf.

Susanne Niemeyer zögerte mit einer Antwort. Sie war Psychologin und keine Hellseherin. Karsten Grabow musste diese Frage schon selbst beantworten.

»Jedenfalls nicht so, wie Sie es erwartet haben«, sagte sie nach einer Weile diplomatisch.

Er nickte so heftig, dass seine Haare für einen Moment durch die Luft wirbelten. »Sie hat sich beschwert. Eine

Freundin war noch zu Besuch. Sie wollte sie nicht wegschicken. Ich wurde wie ein Schuljunge auf mein Zimmer verwiesen, und das in meinem eigenen Haus.« Grabows Gesicht schwoll rot an. Jetzt fiel seine Maske, die ihn bis eben noch als eher schüchternen und zurückhaltenden Menschen gezeigt hatte. Susanne erkannte blanke Wut. Ein wenig überrascht schlug sie die Beine übereinander und musterte seine Handknochen, die weiß hervortraten.

»Entschuldigen Sie bitte.« Keuchend richtete er sich auf.

Doch von einer Sekunde auf die andere verwandelte er sich wieder zurück. Susanne war baff. Was für ein Theaterschaustück spielte er ihr heute vor? Sie seufzte im Stillen und sehnte sich nach ihrer alten Anstellung, die sie vor etlichen Jahren aufgegeben hatte. Die psychotherapeutische Arbeit mit Kindern hatte sie immer erfüllt. Kinder waren jung, voller Leben und abgesehen von häufigeren impulsiven Wutausbrüchen sprachen sie meist die Wahrheit. Traumatische Ereignisse konnten ihnen zusetzen. Trotzdem verfügten sie über eine unbändige Lebenskraft, die es ihr als Therapeutin erlaubte, ihre jungen Gehirne neu zu formen. Kinder besaßen die Gabe, das Gute in den Dingen zu sehen, auch wenn alles um sie herum zerstört war. Das hatte ihr stets Kraft für die Therapiearbeit gegeben. Sie hatte es geliebt, die kleinen Geschöpfe wieder ins Licht zu führen und die Dunkelheit aus ihren Köpfen zu vertreiben.

Aber die Arbeit mit Kindern hatte sie letztendlich zu stark belastet. Susanne wusste zwar, dass sie schwanger werden konnte. Doch mit ihrem Mann hatte es überhaupt nicht funktioniert. Sie hatte drei Fehlgeburten erlitten. Drei tote Seelen, denen das Geschenk des Lebens nicht ermöglicht wurde. Dabei hatte sie ihre Herzen schlagen gehört. Ihre Bewegungen gespürt. Sie hatte sie geliebt, und doch war ihr eigener Körper nicht in der Lage gewesen, die winzigen Wesen am Leben zu erhalten. Manchmal fühlte sie sich wie eine Mörderin. War sie das nicht? Spätestens nach der zweiten Fehlgeburt hätte sie wissen müssen, dass dieser Versuch nur zu einem führt: zum Tod. Es lag an den Samenzellen ihres Mannes. Sie hatten sie untersuchen lassen. Trotzdem wollte Susanne unbedingt ein Kind mit ihm. Erst nach der dritten Fehlgeburt hörten sie mit dem Versuch auf, ein gemeinsames Kind zu zeugen. Susanne erinnerte sich heute noch an die Bilder der Nacht im Krankenhaus. Auch Jahre später verfolgte sie dieser Albtraum. Doch sie war professionell. Hatte lange an sich gearbeitet und letztendlich den Schmerz verarbeitet. Sie hatte akzeptiert, dass ihre Ehe kinderlos bleiben würde.

Aber von diesem Tag an fiel ihr die therapeutische Arbeit mit Kindern immer schwerer. Sie konnte sich nicht mehr mit ihnen beschäftigen, ohne mit ihrem eigenen Schicksal zu hadern. Deshalb hatte sie in dem psychotherapeutischen Institut gekündigt und eine eigene Praxis eröffnet. Darum durfte sie sich nun mit diesem Mann herumschlagen, der in seiner spärlichen Freizeit nichts Besseres zu tun hatte, als seine Freundin zu erniedrigen und zu schlagen.

Würde sie ihm helfen können? Sie blickte in seine hellblauen kalten Augen.

Nein. Wahrscheinlich nicht.

5

Simon Fischers Nasenspitze war höchstens fünfzehn Zentimeter von seinem Computerbildschirm entfernt. Er arbeitete hoch konzentriert. Laura sah stumm zu, wie seine Finger in Höchstgeschwindigkeit über die Tastatur flogen und ein Bild nach dem anderen auf den Monitor zauberten. Sie hatten den Tag damit zugebracht, den Mord an Juliane Klopfer genauestens zu studieren. Die zweite Tote befand sich inzwischen in der Rechtsmedizin. Noch immer hatten sie keine Ahnung, um wen es sich bei ihr handelte. Sämtliche Versuche, ihre Identität zu ermitteln, waren im Sande verlaufen, denn auch in der Vermisstendatenbank fand sich kein einziger passender Hinweis.

Simon Fischer mühte sich seit dem frühen Morgen am Computer ab.

»Ich habe vor ein paar Jahren mit ehemaligen Kollegen ein Programm entwickelt, das im Internet nach Duplikaten von Fotos sucht und deren Ursprung zurückverfolgen kann. Sie müssen sich das vorstellen wie eine Gesichtserkennung, nur dass es dabei um Räume, Bilder oder Kunstwerke geht. Eigentlich ging es mir dabei um den Schutz von Urheberrechten, aber für unseren Zweck ist es ebenfalls dienlich.« Er grinste Laura über die Schulter an. »Der Suchdurchlauf dauert vermutlich eine Weile. Zeit für einen Kaffee.« Der Computerspezialist aus Abteilung sieben des Landeskriminalamtes sprang aus seinem Drehstuhl auf und rückte die Brille den Nasenrücken hinauf. Seine blauen Augen musterten zuerst Laura und dann Max, der aus dem Fenster starrte. Max war immer noch sauer auf sie, weil sie mit ihm nicht mehr über Taylor sprechen wollte.

»Kann es sein, dass zwischen Ihnen beiden irgendwie schlechte Stimmung herrscht?« Simon blinzelte und schob seinen schmächtigen Körper an Laura vorbei. Er hastete hinaus in die Küche, bevor sie etwas erwidern konnte. Für einen Computerfreak schien er erstaunlich sensibel. Simon Fischer war ein Ausnahmetalent. Bereits mit fünfzehn hatte er sich in die Netzwerke verschiedener Ministerien gehackt, um auf diverse Sicherheitslücken aufmerksam zu machen. Er arbeitete noch nicht lange in Abteilung sieben, aber schon jetzt konnte sich Laura keine Ermittlung mehr ohne ihn vorstellen.

Max verdrehte die Augen. »Der Kerl geht mir auf die Nerven«, knurrte er und warf Laura einen durchdringenden Blick zu. »Tut mir leid wegen gestern.«

»Schon gut«, erwiderte Laura lächelnd.

Simon Fischers Computer piepste. Vier Fotos erschienen auf dem Monitor.

»Das ging ja doch schneller, als ich dachte«, sagte Simon Fischer, der mit drei Kaffeetassen auf einem Tablett zurückkehrte. »Wir haben einen Treffer.« Er stellte die Getränke ab und rieb sich die Hände.

»Hier haben wir es. Ich habe zuerst den Hintergrund von der Aufnahme des Opfers isoliert, ihn mit einem Bildbearbeitungsprogramm überarbeitet und ihn dann mit Fotos im Netz verglichen.« Simon zeigte auf ein Bild. »Hier sehen Sie dieselbe Diskothek. Es ist zwar ein anderer Ausschnitt, aber es handelt sich definitiv um das Darko in Berlin Mitte in der Nähe der Gedächtniskirche. Der Klub hat mehrere Etagen. Wenn ich das richtig erkenne, wurde das Opfer in der dritten Etage fotografiert.« Simon Fischers Mauszeiger fuhr über eines der Fotos und zoomte es heran. »Hier ist es. Ich drucke es am besten einmal aus.«

»Scheint ein ziemlich großer Klub zu sein«, bemerkte Laura und deutete auf die anderen Fotos der Disco. »Wie viele Leute passen denn da rein?«

»Schätzungsweise zwischen drei- und fünfhundert«, erwiderte Simon und vergrößerte das Bild eines Mannes. »Dieser Kellner hier hatte Dienst. Möglicherweise kann er sich an die Frau erinnern.«

»Das ist super«, Laura freute sich. Im Stillen hatte sie schon befürchtet, sie würden in der Menge von Gästen keinen einzigen potenziellen Zeugen finden. Aber der Kellner stand fast genau vor dem Opfer unterhalb der Tanzfläche. Simon Fischer hatte das Bild bearbeitet. Aus der verschwommenen Silhouette war ein scharfes Profil geworden. Es sah so aus, als schaute er die junge Frau an. Vielleicht kannte er sie sogar. Der Drucker surrte und spuckte das Foto des Mannes aus. Laura schnappte sich das Bild.

»Ich habe übrigens noch etwas herausgefunden«, erklärte Simon Fischer und schwang sich auf seinem Drehstuhl herum. »Der Täter hat einen mobilen Fotodrucker benutzt.«

»Einen was?« Laura nahm die Kaffeetasse und trank einen kräftigen Schluck.

»Das sind kleine Geräte, die in jede Hosentasche passen und die man an sein Smartphone anschließen kann. Gibt es schon für unter hundert Euro. Ist quasi die moderne Form der Sofortbildkamera mit besserer Qualität.«

»Ich verstehe«, murmelte sie und griff zu einem Stift und einem Blatt Papier. »Bisher wissen wir, dass die Frauen eine Diskothek besucht haben. Die erste Tote, Juliane Klopfer, wurde zuletzt im Moonlight in der Schönhauser Allee gesehen, das zweite Opfer hat der Täter im Darko nahe der Gedächtniskirche fotografiert. Beide Orte liegen gut dreißig Minuten auseinander. Wir wissen vom ersten Opfer, dass es aus der Diskothek verschwand und am nächsten Morgen erschossen aufgefunden wurde. Der Täter hatte also wahrscheinlich keine Zeit, die Bilder irgendwo drucken zu lassen.« Laura blickte Simon Fischer an. »Er hätte die Fotos allerdings auch Tage oder Wochen zuvor schießen können. Vielleicht hat er sie beobachtet?«

Simon Fischer zuckte mit den Achseln. »Möglich. Die Fotos, die uns vorliegen, hat er jedenfalls in der Nacht ihrer Ermordung angefertigt.« Er tippte auf der Tastatur herum und beförderte die Rückseite der Aufnahme von Juliane Klopfer zutage. »Sehen Sie? Der mobile Drucker codiert die ausgedruckten Seiten. Das Datum ist meines Erachtens echt. Das Bild wurde in derselben Nacht gedruckt, in der das Opfer getötet wurde.« Er kratzte sich nachdenklich am Kopf. »Das Foto kann er theoretisch auch viel früher aufgenommen haben. Aber das glaube ich nicht, denn die Opfer wurden in denselben Kleidern aufgefunden, die auf den Fotos zu sehen sind.«

Max blätterte in Juliane Klopfers Akte. »Das stimmt.

Trotzdem ist die Kripo diesem Punkt überhaupt nicht nachgegangen«, stellte er fest. »Okay. Wir müssen also prüfen, wann die Frauen tatsächlich fotografiert wurden. Am besten, wir befragen Juliane Klopfers Freund. Der wird sich ja hoffentlich erinnern, wie oft sie in dieser Diskothek waren und ob seine Freundin dieses Kleid häufiger anhatte. Ich vermute aber auch, dass die Fotos in der Tatnacht geschossen wurden.«

Laura nickte. »Juliane Klopfer wurde mit Propofol betäubt. Ich gehe davon aus, dass die Rechtsmedizin dieses Narkosemittel auch bei unserem zweiten Opfer finden wird. Er macht also zuerst ein Foto von seinem Opfer, dann entführt er es. Vielleicht bringt er die Frauen auch dazu, freiwillig mitzugehen. Dagegen spricht allerdings die Betäubung. Anschließend fährt er mit ihnen in den Wald, wartet, bis sie wieder zu sich kommen, und erschießt sie.«

Simon Fischer grinste. »Besser auf den Punkt hätte man es nicht bringen können. Ich habe übrigens eine Funkzellenauswertung gemacht. Leider gibt es kein Telefon, das zu den relevanten Zeitpunkten sowohl in der Umgebung der Diskotheken als auch im Spandauer Forst eingeloggt war.«

Laura seufzte, das wäre zu schön gewesen. Doch so leicht ließen sich heutzutage weder Opfer noch Täter aufspüren. Das Handy des Opfers wurde häufig sofort entsorgt. Die meisten Täter nutzten Prepaidhandys, über die sie nicht identifiziert werden konnten, und wenn nicht, schalteten sie zumindest ihr Telefon aus.

»Wir sollten uns darauf konzentrieren, zunächst die Identität des zweiten Opfers herauszufinden. Vielleicht existiert eine Verbindung zu Juliane Klopfer, die uns auf die Spur des Täters bringt.« Sie griff in die Hosentasche und warf Max den Autoschlüssel zu. »Partytime. Du fährst. Wir statten dem Darko einen Besuch ab.«

Keine zehn Minuten später stieg Laura zwei schmale Stufen zu einer Glastür hinauf und klingelte. Ein Glatzkopf mit breitem Kreuz steckte die Nase zur Tür heraus, musterte sie kurz und schüttelte den Kopf.

»Ihr seid ein bisschen früh dran. Wir machen erst in zwei Stunden auf«, erklärte er mit russischem Akzent und versperrte die Tür. Doch Laura ließ sich davon nicht beeindrucken. Sie trat dicht an den Mann heran und hielt ihm ihren Dienstausweis vor die Nase.

»Wir müssen mit Ihrem Chef sprechen.«

Der Glatzkopf runzelte die Stirn. Ganz langsam glitt sein Blick über Lauras Ausweis, wobei seine Lippen stumm die gelesenen Worte formten. Im Kopf des Riesen schien es zu rattern, plötzlich begriff er.

»Sie sind von den Bullen?«

Laura nickte anerkennend. »Richtig, und jetzt bringen Sie uns auf direktem Weg zu Ihrem Boss. Bitte.«

Die Augen des Glatzkopfs weiteten sich, er drehte sich um und stieß die Tür zum Klub auf. Er stolperte eine schmale, dreckige Treppe hinauf. Laura und Max folgten ihm hintereinander.

»Die Büros sind in der fünften Etage«, brummte der Glatzkopf und schnaufte, während er die Stufen hinaufstieg. Als sie oben angekommen waren, führte er sie durch einen fensterlosen Flur zum anderen Ende des Gebäudes. Laura mochte diese Diskothek nicht. So viel stand fest.

»Guten Tag, womit kann ich Ihnen helfen?« Ein hochgeschossener, kräftiger Mann mit dunklen zurückgegelten Haaren begrüßte sie im Türrahmen und musterte sie mit ausdrucksloser Miene. »Mein Name ist Alexander Woikow.« Er trat zur Seite und ließ sie ein.

»Nehmen Sie doch bitte Platz. Möchten Sie etwas trinken?« Er deutete auf eine durchgesessene Couch.

Laura und Max schüttelten gleichzeitig den Kopf und setzten sich.

Alexander Woikow verzog das Gesicht und zuckte mit den Achseln. »Ich hoffe, der Grund für das Erscheinen der Polizei in meinen bescheidenen Räumlichkeiten ist nichts Ernstes?« Er lächelte verkrampft.

»Wir ermitteln in einem Mordfall und müssen deshalb dringend mit einem Ihrer Mitarbeiter sprechen. Er ist womöglich ein wichtiger Zeuge.« Laura gab Woikow das Foto des Kellners. »Können Sie uns sagen, wer dieser Mann ist und wie wir ihn am besten erreichen?«

»Das ist Tom Eckert. Er arbeitet seit Jahren bei uns. Tagsüber studiert er.« Woikow rieb sich das Kinn. »Mir fällt aber nicht mehr ein, was. Kleinen Moment, bitte.« Er erhob sich, schlenderte hinüber zu seinem Schreibtisch, der vor dem kleinen Dachfenster stand, und rief jemanden an.

»Er soll auf der Stelle in mein Büro kommen.« Woikow legte auf und zog eine Zigarette aus einer Schachtel auf seinem Schreibtisch.

»Darf ich?« Er zündete sie an, ohne auf eine Antwort von Laura oder Max zu warten.

Es dauerte nicht lange, und es klopfte an der Tür. Ein braun gebrannter und durchtrainierter junger Mann erschien auf der Schwelle. Laura erkannte ihn gleich. Er war definitiv der Kellner auf dem Foto von Opfer Nummer zwei.

»Hi, Alexander. Du hast mich gerufen?«, fragte er und musterte Laura von oben bis unten. »Wow, soll die bei uns anfangen?« Er grinste so unverschämt, dass Laura ihm am liebsten einen Kinnhaken verpasst hätte.

»Überlege dir gut, was du sagst, Freundchen«, fuhr Max sofort dazwischen. Er sprang hoch und baute sich vor Tom Eckert auf. »Mein Name ist Max Hartung, Landeskriminalamt. Das ist meine Partnerin Laura Kern. Wir hätten einige dringende Fragen an Sie.« Tom Eckert wurde blass. Sein Blick wanderte zu seinen Fußspitzen.

»Tut mir leid«, murmelte er kleinlaut und trippelte ein paar Schritte rückwärts. »Worum geht es denn?«

»Setz dich erst einmal, Tom. Die Herrschaften ermitteln in einem Mordfall.« Woikow wedelte mit dem Zeigefinger durch die Luft und deutete auf einen freien Sessel. Tom Eckert plumpste mit offenem Mund und ohne ein weiteres Wort hinein.

Max hielt Woikow und Eckert das Foto vor die Nase, auf dem Eckert mit dem zweiten Opfer zu sehen war.

»Kennen Sie diese Frau?«

»Nein«, murmelte Woikow, während Tom Eckert immer noch auf das Bild starrte und dann zögernd den Kopf schüttelte. »Nein. Ich denke, die habe ich noch nie gesehen. Ich kann mich nicht ...«

»Sie stehen doch aber direkt vor ihr«, fiel Laura ihm ins Wort. »Sie sehen sie an.«

Eckert warf Laura einen kurzen Blick zu und zuckte mit der Schulter. »Tut mir leid. Wir haben Hunderte Gäste am Wochenende hier. Es wimmelt nur so von jungen Frauen. Ich kann mich wirklich nicht entsinnen.«

»Schauen Sie noch einmal genau hin. Sind Sie sicher?«

»Ja. Ich kenne sie nicht.« Eckert studierte das Bild erneut. »Sie ist sehr hübsch. Ich glaube nicht, dass sie öfter hier ist. Dann wäre sie mir bestimmt ins Auge gefallen.«

»Wer hat Sonntagnacht noch alles gekellnert?«, fragte Laura an Woikow gewandt. »Ich möchte jeden Einzelnen nach dieser Frau befragen. Wir müssen herausfinden, wer sie ist.«

»Warten Sie. Ich frage Igor. Er hat ein sehr gutes Gedächtnis.« Woikow tippte abermals auf seinem Telefon herum. Kurz darauf erschien der Türsteher im Büro.

»Igor. Komm her und sage mir, ob du die Kleine auf dem Foto kennst.«

Der Glatzkopf betrachtete das Foto. »Die war mit ihrer Freundin hier. Die beiden haben die ganze Zeit gekichert.« Er pochte auf das Foto. »Ihre Freundin war heiß.«

»Kennen Sie ihren Namen?«, wollte Max wissen.

Der Glatzkopf seufzte. »Nein. Sie hat ihn mir nicht verraten, genauso wenig wie ihre Nummer.« Er grinste anzüglich. »Keine Sorge, so heiß war sie nun auch wieder nicht. Ich habe sie vorher jedenfalls noch nie hier gesehen. Keine von beiden.«

»Okay. Ich brauche eine Liste aller Mitarbeiter, die Sonntagnacht gearbeitet haben. Können Sie uns den Raum zeigen, in dem dieses Foto gemacht wurde?« Laura erhob sich und ging zur Tür.

Woikow schnipste mit dem Finger. »Tom. Du bringst die Herrschaften in die dritte Etage. Ich lasse in der Zwischenzeit eine Liste mit sämtlichen Kontaktdaten anfertigen.«

»Danke«, sagte Laura und begab sich zur Tür.

»Wir müssen ins dritte Stockwerk«, erklärte Tom Eckert und stolperte Laura und Max hinterher.

Laura blieb in der vierten Etage abrupt stehen und deutete nach oben an die Decke im Treppenhaus. »Wo sind in diesem Gebäude Kameras angebracht?«

»Soweit ich weiß, im Treppenhaus und in jeder Etage über dem Eingangsbereich zu den Räumlichkeiten«, erwiderte Eckert und schob sich an Laura vorbei.

»Sagen Sie Ihrem Boss, dass wir alle Aufnahmen benötigen.«

Eckert nickte, sprang die letzten Stufen hinunter und öffnete eine dunkle, fleckige Tür zu einem weiten, niedrigen Raum. »Hier werden hauptsächlich die aktuellen Charts hoch und runter gespielt. Deshalb ist auf dieser Etage das Publikum besonders jung.«

Laura rümpfte die Nase. Sie passierten einen Vorhang, der vor Dreck starrte. Es gab kein einziges Fenster. Das künstliche Licht der LED-Strahler enttarnte den Saal als völlig heruntergekommen. Besudelte Wände, abgeplatzter Lack am Mobiliar. Die Luft roch süßlich nach irgendeinem Raumparfüm. Es war schwer, sich vorzustellen, dass die Discostrahler an der Decke die Atmosphäre innerhalb weniger Sekunden verändern sollten. Doch Laura wusste es von den Fotos. Das bunte glitzernde Licht verdeckte all die Schäden, die im Laufe der Zeit entstanden waren.

Sie ging auf die Tanzfläche zu. Oben auf dem Podest hatte die junge Frau noch vor Kurzem getanzt und sich amüsiert. Laura drehte sich und positionierte sich ungefähr dort, wo der Täter gestanden haben musste, als er sie fotografierte. Wie hatte er sie geschnappt? Er konnte sie schließlich nicht einfach von der Tanzfläche gezerrt und betäubt haben.

»Wo befinden sich die Toiletten?«, fragte Laura und schritt den Raum ab.

»Die sind im Erdgeschoss. Warum?«

Laura blickte sich noch einmal kurz um und bewegte sich dann zum Ausgang. »Ich möchte sie sehen. Sind da ebenfalls Kameras angebracht?« Sie sah nach oben zu der unauffälligen Kamera an der Decke über dem Eingang. Leider war sie so installiert, dass sie nur die Tür und einen Teil des Treppenhauses erfasste. Das Innere des Raumes wurde durch den Vorhang verdeckt. Sie stieg die Treppe hinunter und stoppte im Erdgeschoss vor den Toiletten, die sich in einem Nebengang befanden. Ihr Blick fiel auf eine Tür am Ende des Ganges. Plötzlich hatte sie eine Ahnung, wie der Täter sein Opfer aus der Diskothek geschafft haben könnte.

6

Zwanzig Jahre zuvor

»Wir haben die Fingerabdrücke des Jungen auf der Waffe gefunden. Da gibt es keinen Zweifel.«

»Aber das hat doch nichts zu bedeuten. Sein Vater könnte ihm das Gewehr gezeigt haben. Die Abdrücke müssen nicht von jenem Abend stammen.«

Er presste sein Ohr gegen das Türblatt und lauschte. Frau Niemeyer verteidigte ihn. Das tat gut.

»Er hatte die Waffe zuletzt in den Händen. Das haben unsere Experten bestätigt. Sein Vater hat ihn natürlich nicht mit dem Gewehr spielen lassen.«

Frau Niemeyer seufzte. »Was wollen Sie? Der Junge ist acht Jahre alt, vollkommen verstört, und er kann sich im Übrigen immer noch nicht erinnern.«

Der Mann stieß ein gehässiges Lachen aus. »Klar kann er das nicht. Er weiß ja, was ihm blüht, sobald er es tut. Der Junge ist schlau. Er lügt. Entweder er war es oder sein Vater.«

»So ein Blödsinn. Er ist kein Lügner. Er ist traumatisiert. Alle Kinder erfinden Geschichten. Das ist völlig normal. Lieber Herr Wesermann, Sie glauben doch nicht ernsthaft, dass dieser Junge etwas mit dem Tod seiner kleinen Schwester zu tun hat.«

»Ich glaube an Fakten, und in diesem Fall sind sie leider eindeutig, Frau Niemeyer. Sie sind eine Expertin und sollten sich nicht von ein paar Kindertränen blenden lassen. Holen Sie die Wahrheit aus ihm heraus. Ich will genau wissen, was passiert ist.«

Eine Tür knallte zu und er hastete zurück auf die Couch. Frau Niemeyer kam herein und musterte ihn aufmerksam. Über ihrem Gesicht hing ein dunkler Schatten. Doch er löste sich langsam auf. Sie lächelte.

»Tut mir leid, dass du warten musstest. Hast du dich sehr gelangweilt?«

Er schüttelte heftig den Kopf. Das entsprach absolut der Wahrheit. Allerdings hatte er inzwischen immer größere Angst vor Herrn Wesermann. Der Kriminalkommissar hatte es auf ihn abgesehen. Er wusste es. Er sah es in seinen Augen. Sie blickten kalt und wütend.

»Ich vermisse Emma«, hauchte er und senkte den Blick, um die Tränen zu verbergen, die ihm bei dem Gedanken an seine kleine Schwester in die Augen schossen.

»Schon gut, mein Kleiner.« Frau Niemeyer nahm ihn in den Arm. Sie fühlte sich warm und weich an. Fast wie seine Mutter. Sogar ein bisschen besser.

Er kuschelte sich an sie. So fest er konnte. Sie beschützte ihn und bei ihr fühlte er sich sicher. Zu Hause hielt er es zurzeit kaum aus. Seine Mutter weinte die ganze Zeit. Sie hockte auf dem Bett und kam gar nicht mehr aus dem Schlafzimmer. Sein Vater ignorierte ihn, weil er seinetwegen Ärger hatte. Der Schrank mit den Gewehren war nicht ordentlich abgeschlossen worden. Er gab ihm die Schuld. An allem. Zwar sagte Vater es nicht, doch seine Blicke sprachen Bände. Er schluchzte. Hätte er bloß auf ihn gehört. Wäre er nur nicht aus dem Garten gelaufen. Hätte er Emma aufgehalten, wäre überhaupt nichts passiert. Er konnte sich nicht daran erinnern, das Gewehr aus dem Schrank genommen zu haben. Aber vielleicht war er es trotzdem gewesen und hatte es nur vergessen.

»Lehn dich zurück und entspanne dich«, forderte Frau Niemeyer ihn auf und ging an ihren Schreibtisch. »Erzähle mir von Emma. Was ist das Schönste, an das du dich erinnerst, wenn du an sie denkst?«

Er sank in die Kissen und sah augenblicklich Emmas Sommersprossen vor sich, ihre blauen Augen, die dunklen zerzausten Locken. Ihre kleine Hand, die sich weich in seine schmiegte. Ihren vertrauensvollen Blick. Ihre Liebe. Er setzte sich stocksteif auf und schüttelte den Kopf.

»Ich kann nicht«, stotterte er und bekam kaum noch Luft. Sein Brustkorb schien zu klein geworden. Er riss den Mund auf und schlug um sich. Sofort war Frau Niemeyer wieder bei ihm. Ganz ruhig nahm sie seine Hände herunter und wiegte ihn in den Armen.

»Ich weiß, es tut weh, sich zu erinnern. Das ist die Trauer, es tut sehr weh, jemanden zu verlieren. Diese Gefühle sind völlig in Ordnung. Du darfst um Emma weinen.«

Etwas in ihm löste sich. Er konnte wieder atmen und schnaufte ein paarmal tief durch. Dann ließ er sich in Frau Niemeyers Arme sinken.

»Wir haben zusammen auf dem Dachboden gespielt. Emma konnte die Leiter nicht alleine herunterziehen, aber ich wusste, wie es geht. Dort oben konnte uns niemand finden. Es war unser Geheimversteck.«

»Und was habt ihr gespielt?«

Er dachte nach. Sie waren häufig auf dem Boden gewesen, hatten in den vielen Kartons gestöbert und mit Kreide auf die alten Holzpfosten gemalt.

»Ich weiß nicht«, flüsterte er und schloss die Augen. »Wir haben oft Verstecken gespielt. Emma konnte schon zählen, obwohl sie noch nicht in der Schule war.«

»Und wo hast du dich am liebsten versteckt?«

Er verzog die Lippen und sah die große dunkle Holztruhe vor sich, deren Deckel so schwer war, dass er ihn kaum anheben konnte.

»In der Schatztruhe«, erklärte er. »Emma musste sich ganz schön anstrengen, um sie zu öffnen.«

Er grinste unwillkürlich und befand sich für den Moment in der schwarzen Kiste. Er linste durch ein winziges Loch nach draußen. Emma lief kopflos herum, suchte ihn mal hier, mal da.

»Wo bist du?«, rief sie.

Er wartete mucksmäuschenstill, bis er ihr Gesicht sah. Sie war den Tränen nahe.

»Hier«, flüsterte er und pochte an das Holz.

Emma lächelte und kam auf ihn zugerannt. Sie ruckelte am Metallbeschlag. Aber der Deckel rührte sich nicht. Sie war noch viel zu klein, um ihn anzuheben. Er freute sich und fühlte sich einen Augenblick lang unbesiegbar, doch dann tat Emma ihm leid. Er drückte sich mit dem Rücken gegen den Deckel und stemmte ihn langsam hoch. Emma schob ihre kleinen Finger durch den Spalt.

»Hab dich, hab dich«, kreischte sie aufgeregt und zerrte an seinem T-Shirt.

Er klappte den Deckel um und sprang aus der Truhe.

Emma tanzte fröhlich um ihn herum. Schlagartig stand sie still und sah ihn an.

»Danke«, sagte sie und klang auf einmal wie ein großes Mädchen.

»Wofür?«, fragte er und wunderte sich über ihren ernsten Blick.

»Dass du mir geholfen hast. Das war sehr nett von dir, und deswegen hab ich dich lieb.«

Plötzlich verspürte er einen Kloß im Hals.

»Lass uns wieder runtergehen«, stammelte er und schlug die Augen auf.

Emmas Gesicht verblasste. Er saß auf der Couch in Frau Niemeyers Zimmer.

»Verrätst du mir deine Gedanken?«, fragte sie leise.

Er nickte und dachte an Emma und daran, dass sie nicht mehr da war.

7

Laura ging auf die Tür zu und stieß sie auf. Ein Windzug streifte ihre Haare. Straßenlärm und von Abgasen geschwängerte Luft schlugen ihr entgegen. Sie machte einen Schritt in die schmale Gasse und starrte an den Müllcontainern vorbei auf die Hauptstraße, von der sie gekommen waren.

»Ist diese Tür immer offen?«, fragte sie und hielt nach Überwachungskameras Ausschau.

»Die Tür wird nur von frühmorgens an verschlossen. Wir müssen sie abends und nachts aus Feuerschutzgründen offen halten, solange wir Gäste oder Mitarbeiter im Haus haben.«

Laura entdeckte eine Kamera direkt über dem Ausgang. Perfekt. Es war ein Segen, dass alle Zugänge überwacht waren. So würden sie schnell herausfinden, wie und hoffentlich auch mit wem das Opfer die Disco verlassen hatte.

»Ich will die Aufnahmen dieser Überwachungskamera. Sofort.« Sie fixierte Tom Eckert. »Na los, informieren

Sie Ihren Boss. Wir haben nicht ewig Zeit und wir möchten die Daten gleich mitnehmen.«

»Okay, okay«, murmelte der Kellner und trottete zurück ins Gebäude. In diesem Moment klingelte Lauras Handy.

»Kern hier.«

»Simon Fischer. Ich habe Neuigkeiten. Mir hat die Funkzellenauswertung einfach keine Ruhe gelassen. Deshalb habe ich die Suche noch einmal auf alle infrage kommenden Hauptstraßen im Umkreis ausgeweitet, die von der Diskothek Richtung Spandauer Forst führen. Drei Handys waren am Abend im Darko und gegen Mitternacht auf einer Straße Richtung Nordwesten eingeloggt. Zwei davon gehören Männern. Eines einer Frau. Ich konnte das Handy der Frau orten, es befindet sich im Bereich der Straße und hat sich seit Mitternacht nicht weiterbewegt. Vielleicht finden Sie es.«

»Wie heißt die Frau?«, wollte Laura wissen.

»Der Vertrag läuft auf eine gewisse Melinda Bachmann. In der Vermisstendatei steht sie jedoch nicht. Ich bin gerade dabei, ein Foto von ihr aufzuspüren, hatte allerdings bisher keinen Erfolg.«

»Wie groß ist denn das Gebiet, in dem wir suchen müssten? Ist das überhaupt möglich?«

»Das Gebiet ist leider etwas größer. Ich würde entlang der Straße eine Strecke von ungefähr dreihundert Metern absuchen. Sie brauchen vermutlich ein Team.« Simon Fischer gab Laura die Koordinaten durch. Die Strecke war lang. Dort ein kleines Handy zu finden war ein schwieriges Unterfangen.

Sie legte auf und sagte zu Max:

»Wir machen für heute Schluss hier.«

Sie ließ sich noch die Aufnahmen der Überwachungskameras und eine Liste aller Mitarbeiter geben, die Sonntagnacht im Klub tätig gewesen waren. Max trommelte währenddessen schon ein Team zusammen.

Keine fünfzehn Minuten später stand Laura mit Max auf einem Gehweg in Berlin Spandau.

Sie runzelte die Stirn. »Du liebe Güte, wo sollen wir bloß anfangen?« Ihr Blick schweifte über die mehrspurige Straße mit breitem Grünstreifen.

»Vielleicht auf dem Grünstreifen in der Mitte«, schlug Max vor. »Ich hoffe, das Team trifft gleich ein.«

»Überlegen wir einmal«, murmelte Laura und schloss die Augen. Der Täter erspäht sein Opfer in der Disco. Er fotografiert die junge Frau. Entweder sie geht freiwillig mit ihm mit oder er lauert ihr auf. Sie fahren in seinem Auto in Richtung Wald. Irgendwann betäubt er sie. Sein eigenes Handy schaltet er aus, damit die Polizei ihn im Nachhinein nicht ausfindig machen kann. Doch was ist mit dem Handy seines Opfers? Er muss es loswerden. Also wirft er es möglicherweise unterwegs weg. Sie öffnete die Augen und stellte sich vor, nachts auf dieser Straße entlangzufahren. Sie registrierte einen Mülleimer. Genau in diesem Moment traf die Verstärkung ein. Sechs Männer und Frauen sprangen aus dem Einsatzwagen der Polizei. Eine Polizistin mit kurzen braunen Haaren steuerte direkt auf Max zu.

»Sind Sie Max Hartung?« Als Max nickte, lächelte sie und streckte ihm die Hand entgegen. »Karin Schöller. Wir sollen hier nach einem Handy suchen?« Sie reichte Laura zum Gruß die Hand und betrachtete dann mit hochgezogenen Augenbrauen die breite Straße. »Wo wollen wir denn anfangen? Geht es vielleicht ein bisschen präziser?«

»Wir beginnen mit den Mülleimern und dem Grünstreifen in der Mitte«, schlug Laura vor. »So wie ich das sehe, ist nur an jedem zweiten Laternenmast ein Abfallbehälter angebracht. Das sollte nicht allzu lange dauern.«

Karin Schöller warf ihr einen zweifelnden Blick zu, erwiderte jedoch nichts. Sie klatschte in die Hände und rief ihre Leute zusammen.

»Handschuhe überziehen, jeder übernimmt einen Mülleimer. Wir leeren die Dinger bis auf den Grund. Verstanden?« Schöller sah kritisch in die Runde. Ein junger Polizist verzog angewidert den Mund.

»Herr Nolten, haben Sie Einwände?«

Der junge Mann nickte zögerlich. »Wir könnten doch auch Metalldetektoren verwenden. Dann müssten wir nicht im Müll wühlen. Ich finde das echt eklig.«

Schöllers Augen verengten sich zu zwei schmalen Schlitzen. »Haben Sie mal darüber nachgedacht, womit diese Abfallbehälter festgeschraubt sind? Und die Straßenlaternen scheinen mir genauso aus Metall zu sein. Wenn sich außerdem nur eine einzige Getränkedose im Müll befindet, schlägt der Detektor an. Ist also kein guter Vorschlag, Nolten. Heben Sie sich Ihren Ekel für Ihr nächstes Saufgelage auf. Sie können ja immer noch nicht richtig aus den Augen gucken. Und stellen Sie sich gefälligst nicht so an!«

Nolten senkte den Blick. Sein Gesicht war mittlerweile rot angelaufen. Er nuschelte einige Worte, die Laura nicht verstand, und streifte sich Schutzhandschuhe über.

»Wir machen mit«, erklärte Laura und nahm sich ebenfalls ein Paar Handschuhe. Schöller nickte anerkennend und marschierte mit ihrer Truppe los.

Als Laura und Max den ersten Mülleimer erreichten, kamen ihnen etliche Wespen entgegengeflogen. Es stank erbärmlich.

»Ich hoffe, unser Einsatz lohnt sich«, murmelte Max

und verscheuchte eine Wespe, bevor er in den Abfalleimer griff. »Faule Banane, saure Milch in Pappkartons und etwas undefinierbar Weiches.« Er holte den Abfall einzeln heraus. »Igitt. Verschimmelter Pudding.« Er verzog das Gesicht.

»Warte mal«, sagte Laura und breitete eine Plastiktüte unter dem Eimer aus. »Ich habe irgendwann mal gesehen, wie die Stadtreinigung die Behälter leert.« Sie löste einen kleinen Riegel an der Unterseite. Der Boden klappte zur Seite und der Müll purzelte auf die Tüte.

»Super Idee«, stöhnte Max erleichtert auf und wischte den Pudding an seinen Fingern am Gras ab.

Laura nahm einen Stock zu Hilfe und durchwühlte den stinkenden Müll.

»Nichts«, stellte sie nach einer Weile fest und schloss den Boden des Müllbehälters.

»Das kann ja heiter werden.« Max rümpfte die Nase. »Ich habe jetzt schon das Gefühl, dass meine Klamotten stinken. Können wir nicht anders herausfinden, ob Melinda Bachmann überhaupt unser Opfer ist?«

Laura grinste. »Du Armer. Nach einer Dusche verwandelst du dich wieder in einen normalen Menschen. Versprochen. Wenn wir das Handy finden, können wir die letzten Telefonate einsehen. Wer weiß, vielleicht hatte die Frau vorher bereits Kontakt zum Täter.«

Max zog eine Augenbraue hoch und seufzte: »Ja, aber nur, falls es sich wirklich um ihr Handy handelt.« Er näherte sich widerstrebend dem nächsten Eimer. »Auf ein Neues.« Er ging in die Hocke und löste den Riegel am Boden. Dieses Mal fiel nicht viel heraus. Zerknülltes Papier, zwei leere Bierdosen und eine leere Colaflasche. Neben ihnen summte der Stadtverkehr. Ein Lkw düste vorbei und verpestete die Luft zusätzlich mit einer grauen Abgaswolke.

»Fehlanzeige«, murmelte Max und richtete sich auf.

»Wir haben etwas!« Karin Schöller winkte aufgeregt aus der Entfernung. Sie hatte mit zwei Kollegen den Grünstreifen durchkämmt.

Sofort lief Laura mit Max los.

Tatsächlich hielt Schöller ein silbernes Handy in der Hand.

»Ist es an?«, wollte Laura wissen.

»Ja, aber wir brauchen einen Code.« Schöller gab Laura das Telefon. »Auf dem Sperrbildschirm ist ein Foto. Kennen Sie diese Frau?«

Laura starrte auf das Display und nickte.

* * *

Simon Fischer benötigte keine zehn Minuten, um den Code zu knacken. In Lauras Fingerspitzen kribbelte es vor Aufregung.

»Zuletzt hat jemand mit einer Valentina telefoniert. Das Gespräch dauerte nur dreißig Sekunden. Das war am Sonntag um Viertel vor neun.« Simon tippte auf dem Smartphone herum und zauberte ein Foto in den Vordergrund. »So sieht sie aus.«

»Geben Sie mal her.« Laura betrachtete das Gesicht eingehend und wechselte zurück ins Hauptmenü.

»Was hast du vor?«, fragte Max und linste ihr über die Schulter.

»Ich rufe diese Valentina an«, erwiderte Laura und hielt das Handy ans Ohr. Es klingelte. Erst nach einer Weile hob jemand ab.

»Ist was passiert? Ich bin noch mit meiner Studiengruppe unterwegs. Wir sind morgen wieder zurück.«

»Sind Sie Valentina?«, fragte Laura.

Am anderen Ende der Leitung wurde es einen Moment still.

»Wer ist da?«

»Laura Kern, Landeskriminalamt Berlin. Spreche ich mit Valentina?«

Aus dem Hörer drang ein erstickter Laut. »Landeskriminalamt? Was ist denn los?«

»Könnten Sie mir bitte zunächst einmal Ihren vollständigen Namen und Ihre Adresse nennen?«, bat Laura und wiederholte die Angaben von Valentina Hübner, sodass Simon Fischer direkt nach ihr im Internet suchen konnte. Auf seinem Bildschirm erschien das Facebookprofil der Frau. Vierundzwanzig Jahre alt, mittelblondes lockiges Haar, dunkle Brille, schlank, Studentin der Chemie an einer Berliner Universität.

»Waren Sie am Sonntag mit Melinda Bachmann im Darko?«

»Ja. Bitte sagen Sie mir doch, was los ist. Was ist mit Melinda?« Die Stimme der Frau am anderen Ende der Leitung zitterte. Laura bereute augenblicklich ihren Anruf. Ein persönliches Gespräch wäre ganz bestimmt angebrachter gewesen, aber bisher hatten sie keinerlei Anhaltspunkte gehabt, wer Melindas Freundin überhaupt war.

»Hören Sie, vielleicht ist es besser, nicht am Telefon zu sprechen. Ein Streifenwagen kann Sie abholen.«

»Das geht nicht. Ich bin mit meiner Studiengruppe in Belgien an einer Partner-Universität, wo wir mit belgischen Studenten chemische Experimente durchführen.«

Laura seufzte. Sie durfte Valentina nicht länger im

Ungewissen lassen. Ihr musste sowieso klar sein, dass ihr Anruf nichts Gutes verhieß.

»Es tut mir sehr leid, Frau Hübner, vermutlich ist Melinda Bachmann einem Gewaltverbrechen zum Opfer gefallen. Wir haben ihr Handy gefunden, und Sie waren der letzte Kontakt, mit dem sie gesprochen hat.« Laura vernahm ein Poltern. Es klang so, als ob Valentina das Telefon hinuntergefallen wäre. Es dauerte eine Weile, bis sie die Stimme der jungen Frau wieder hörte.

»Das kann nicht sein«, schluchzte sie. »Was ist denn passiert?« Valentina weinte hemmungslos.

»Wir wissen es noch nicht genau. Können Sie uns sagen, wann Sie Ihre Freundin zuletzt gesehen haben?«

»Im Darko, am Sonntag. Melinda wollte noch bleiben, aber ich bin gegen halb zwölf los.« Sie unterbrach sich und schluchzte erneut. »Ich wollte halbwegs ausgeschlafen sein. Der Bus hat uns am nächsten Morgen um fünf Uhr abgeholt. Als ich ging, hat sie mit Alexander rumgehangen.«

Laura horchte auf. »Alexander?«

»Ja, dem Besitzer der Disco. Er hat sich wieder an Melinda rangeschmissen, wie jedes Mal, wenn wir dort waren. Sie hat vor ein paar Wochen mit ihm Schluss gemacht. Aber am Sonntag hat er uns alle Drinks spendiert, und da hat sie auch wieder ein bisschen mit ihm geflirtet.«

Laura traute ihren Ohren nicht. Alexander Woikow, Tom Eckert und dieser Türsteher hatten sie tatsächlich angelogen. Ihr Puls schoss in die Höhe.

8

Dieses Mal öffnete jemand anderes das Darko. Igor war nirgendwo zu sehen. Laura kam das gerade recht. Sie wollte Alexander Woikow überraschen. Ihr Puls hatte sich noch immer nicht beruhigt. Max war zu Hannah und seinen beiden Kindern gefahren. Es war kurz nach zehn, die Sonne seit einer halben Stunde untergegangen. Ihr Licht wurde durch Autoscheinwerfer, zahlreiche Laternen entlang der breiten Straßen und von hell leuchtenden Fenstern ersetzt. Laura schaute zurück auf die Straße zu dem hell leuchtenden Logo eines Fast-Food-Restaurants. Der Himmel wirkte wie ein dunkler Nebel. Die künstliche Beleuchtung fraß jegliches Sternenlicht auf.

Der Türsteher, mindestens so kräftig gebaut wie Igor, winkte sie hindurch. Das Darko war nicht wiederzuerkennen. Die heruntergekommenen Räume sahen jetzt aus wie ein strahlender, bunter Palast. Menschen schwirrten wie Bienen umher. Es war trotz der frühen Uhrzeit bereits ziemlich voll. Laura schlängelte sich durch eine Gruppe Teenager, die sie von Kopf bis Fuß musterten. Zwei

Mädchen von höchstens sechzehn Jahren kicherten unablässig. Laura kämpfte sich zur Treppe durch und stieg hinauf in die dritte Etage. Die Tanzfläche vibrierte auch hier schon. Eine junge Frau erinnerte Laura sofort an Melinda Bachmann. Ihr helles, mit Pailletten besticktes Kleid glitzerte im Licht der Discostrahler und zog die Blicke der Männer auf sich. Vielleicht lag das auch an der Kürze des Kleides oder den unglaublich langen Beinen. Laura wusste es nicht. Sie versteckte ihren Körper in einer Hose, die ihr bis über die Knöchel ging, und einer hochgeschlossenen Bluse. Die Düsen am Rand der Tanzfläche spien weißen Nebel aus und tauchten den Saal in eine unwirkliche Atmosphäre. Laura fragte sich, ob der Täter heute ebenfalls unterwegs war. Aufmerksam blickte sie sich um und betrachtete jeden Mann im Umkreis. Anschließend inspizierte sie die Frauen. Eine weibliche Täterin oder gar eine Tätergruppe durften sie zu diesem Zeitpunkt keinesfalls ausschließen, denn bislang wussten sie nichts über den oder die Täter. Sie kannten weder sein Geschlecht, noch hatten sie eine Ahnung, ob er überhaupt allein agierte.

Laura lief an der Tanzfläche vorbei und entdeckte Alexander Woikow mit zwei Blondinen im Arm auf einer runden Couch. Er grinste gönnerhaft und nahm einen großen Schluck aus seinem Whiskeyglas. Dann sah er Laura und ließ das Glas sinken.

»Alexander. Wie geht es dir?«, hauchte Laura gespielt und schenkte ihm einen Luftkuss. »Darling. Ich bin auf der Suche nach Melinda. Ist sie nicht hier?«

»Melinda?«, quietschte eine der Blondinen. »Die habe ich heute noch nicht gesehen.«

»Aber vorhin war sie hier«, log Laura, weil sie die Frau provozieren wollte, und hielt ihr das Foto von Melinda auf der Tanzfläche vor die Nase. Woikows Miene erstarrte zu Stein.

»Du hast gesagt, ihr seid nicht mehr zusammen.« Die Blondine löste sich ruckartig von Woikow und funkelte ihn vorwurfsvoll an. »Willst du mich verarschen?«

»Nein. Jeanette, beruhige dich.« Woikow berührte die Blondine an der Schulter, aber die schlug seine Hand weg.

»Ich habe es doch gewusst. Du bist dieser kleinen Nutte einfach verfallen.« Sie sprang auf und stürmte davon. Die andere Blondine rannte ohne ein Wort hinterher. Die beiden verschwanden im Getümmel.

Laura setzte sich neben Woikow auf die Ledercouch.

»Bei Gelegenheit geben Sie mir bitte die Namen Ihrer Freundinnen. Oder sollte ich besser sagen Ex-Freundinnen?« Sie lächelte Woikow eiskalt an. »Die beiden sind wichtige Zeugen, und vielleicht verraten Sie mir jetzt einmal, wieso Sie mich und meinen Partner angelogen haben? Wollen Sie mir immer noch weismachen, dass Sie Melinda Bachmann nicht kennen?«

Woikow schüttelte den Kopf und stöhnte: »Es ist nicht so, wie Sie denken.«

»Nein? Da bin ich aber auf Ihre Erklärung gespannt.«

»Was erwarten Sie? Das LKA stürmt meinen Laden und fragt mich nach meiner Ex. Da kann ich doch eins und eins zusammenzählen. Soweit ich weiß, muss ich mich nicht selbst belasten. Warum also hätte ich Ihnen von Melinda erzählen sollen?«

»Weil alles andere als Behinderung der Polizeiarbeit gewertet werden kann, und nun legen Sie gefälligst los. Ich will wissen, was da für eine Beziehung zwischen Ihnen bestand.« Laura betrachtete den aufgeblasenen Mann, der bereits auf die vierzig zugehen musste. Sein Gesicht war durchaus attraktiv. Trotzdem ließ seine Haut auf den

Konsum einer Menge Alkohol und Zigaretten schließen. Sie wirkte ein wenig aufgedunsen und leicht gerötet. Woikows Augen blickten stumpf und berechnend. Laura fragte sich, was eine bildhübsche Frau wie Melinda an ihm gefunden haben musste. Hatte sie sich wegen des Geldes mit ihm abgegeben? Das konnte Laura nicht glauben. Sie wussten zwar inzwischen, dass Melinda ihr Chemiestudium hingeschmissen hatte und auf der Suche nach einer Alternative war. Aber die schwierige Phase hätte sie auch allein meistern können. Schließlich hatte sie ihr Abitur in der Tasche. Sie war jung. Die Welt stand ihr offen.

»Wir waren ein paar Wochen zusammen und seit zwei Monaten ist es aus.« Woikow breitete die Arme aus. »Sie sehen doch, was hier los ist. Die Auswahl ist riesig.« Er grinste überheblich und nippte an seinem Whiskey.

»Und wer von Ihnen beiden hat die Beziehung beendet?«

Woikows linkes Auge zuckte. »Melinda«, erwiderte er anschließend und trank das Glas in einem Zug leer. »Reicht Ihnen das als Auskunft? Ich muss mich um meine Gäste kümmern.« Er richtete sich auf.

»Wo waren Sie Sonntagnacht?«, fragte Laura und drückte Woikow zurück in die Couch.

»Na, hier, wo denn sonst?« Woikow verzog die Lippen. »Fragen Sie meine Leute, die können das bezeugen.«

»Ich will genaue Angaben, und lügen Sie besser nicht, ansonsten verbringen Sie die Nacht im Polizeirevier«, zischte Laura. Sie hatte genug von diesem arroganten Fatzke.

»Okay, okay.« Woikow hob beschwichtigend die Hände. »Wir haben ungefähr bis Mitternacht hier auf dieser Couch gesessen. So wie wir beide jetzt. Dann ist sie gegangen.« Er deutete zur Tür, als wäre Melinda gerade eben erst hinausgelaufen. »Mehr weiß ich nicht. Ich habe ihr am Montagmorgen eine Textnachricht gesendet, aber sie hat nicht geantwortet. Da wir nicht mehr zusammen sind, habe ich mich nicht weiter darüber gewundert.«

»Kann ich mir Ihr Handy einmal ansehen?«

Woikow seufzte. »Eigentlich nicht. Das wissen Sie so gut wie ich. Okay, ich will mal nicht so sein.« Er holte ein protziges goldenes Smartphone aus der Hosentasche und tippte auf dem Display herum. »Hier sehen Sie meine Nachricht an Melinda.« Er hielt Laura das Telefon hin.

»Darf ich?«, fragte sie und nahm ihm das Handy ab. Sie scrollte nach oben, um frühere Chats zwischen den beiden zu lesen, doch Woikow hatte sie anscheinend gelöscht. Laura runzelte die Stirn. Ob er das gerade vor ihrer Nase getan hatte? Im Grunde genommen war es egal. Sie hatten Melinda Bachmanns Handy und alle ihre Nachrichten, auch jene, die sie mit Woikow ausgetauscht hatte. Die beiden hatten hin und wieder gechattet. Über belanglose Dinge, ein harmloser Flirt, es wirkte sehr oberflächlich.

»Danke«, sagte sie. »Wir müssten morgen im Revier eine offizielle Befragung durchführen. Ein Kollege wird sich mit Ihnen wegen eines Termins in Verbindung setzen.« Laura erhob sich und blickte sich nach dem Kellner um. Tom Eckert schien heute nicht zu arbeiten. Als Laura die Treppe hinunterging, stieß sie im Halbdunkel mit einem großen, durchtrainierten Mann zusammen.

»Taylor?«, fragte sie. »Was machst du denn hier?« Sie konnte die Antwort in seinen Augen ablesen.

»Max hat mich geschickt«, erwiderte er und grinste verlegen. »Ich wollte dich aber sowieso treffen.«

Das war so typisch für Max. Erst spielte er den Eifersüchtigen und dann informierte er Taylor. Als wenn sie nicht auf sich selbst aufpassen könnte.

»He, das stimmt. Ich wollte dich in erster Linie sehen. Ich wäre auch ohne Max gekommen.«

Laura blickte in Taylors dunkle Augen, die wie zwei tiefe Seen im Mondschein leuchteten. Sie schluckte ihren Ärger hinunter. »Ich bin auf der Suche nach einem der Kellner. Tom Eckert, großer, kräftiger Typ. Kurze blonde Haare, Vollbart, braun gebrannt. Hast du den zufällig hier irgendwo gesehen?«

Laura beobachtete, wie es hinter Taylors Stirn arbeitete. Er sah dabei so umwerfend aus, dass sie ihm am liebsten um den Hals gefallen wäre.

»Ich glaube, der ist gerade im Erdgeschoss. Ich habe dich dort zuerst an der Bar gesucht.«

Laura stürmte los. Sie wollte den Mann erwischen, bevor Woikow ihn vorwarnen konnte. Als sie unten ankam, entdeckte sie ihn neben der Bar mit dem Handy am Ohr. Eckert sah sich nervös um. Ihre Blicke trafen sich. Sofort ließ er das Telefon sinken und verzog sich hinter die Bar. Sie kämpfte sich durch die Menschenmassen, Männer und Frauen, mit Gläsern in den Händen und wippenden Hüften. Als sie endlich den Tresen erreichte, war Eckert verschwunden. Verdammt. Sie hielt nach Taylor Ausschau. Doch auch er schien mit einem Mal wie vom Erdboden verschluckt. Wütend drängte sie sich hinter den Tresen und verstellte einem Barkeeper den Weg.

»Wo ist Eckert?«, fragte sie und zeigte gleichzeitig ihren Dienstausweis.

Der Mann deutete mit dem Kopf auf eine schwarze Tür, die Laura vorher überhaupt nicht aufgefallen war. Sie öffnete sie und gelangte in einen schmalen Flur. Eine offene Tür zur Linken ließ den Blick auf ein Getränkelager frei. Laura lief weiter und entdeckte Eckert kurz vor den Toiletten. Er lehnte stocksteif an der Wand. Um seine Kehle hatte sich eine kräftige Hand gelegt. Taylor.

»Ich habe ihm den Weg abgeschnitten.« Taylor zwinkerte Laura zu.

»Danke.« Sie baute sich neben Tom Eckert auf. »Wann haben Sie Melinda Bachmann zuletzt gesehen?«

Eckert verdrehte die Augen und versuchte, sich aus Taylors Griff zu winden. »Hören Sie, ich brauche diesen Job. Fragen Sie Alexander.«

»Den habe ich bereits gesprochen, und jetzt sind Sie dran. Wir können unser Gespräch auch gerne im Polizeirevier fortführen, wenn Sie nicht sofort den Mund aufmachen.«

»Okay. Ich rede. Lassen Sie mich los«, fauchte der Kellner und schnaufte ein paarmal tief durch, nachdem Taylor ihn losgelassen hatte.

»Sie war mit ihrer Freundin Valentina hier. Ich hatte Anweisung, ihnen die Getränke kostenlos zu servieren. Valentina musste früh los wegen der Uni. Sie hat irgendetwas von einer Studienreise erzählt. Es war ziemlich laut, ich habe es deshalb nicht richtig verstanden. Jedenfalls war sie irgendwann weg und Melinda hat es sich mit Alexander auf dem Sofa bequem gemacht.« Er zog bedeutungsvoll die Augenbrauen in die Höhe. »Sie haben es fast miteinander getrieben. Alexander ist auch jetzt noch total scharf auf sie. Dabei ist sie eine echte Zicke.« Er hielt inne und korrigierte sich. »Also war, meine ich. Sie war eine echte Zicke. Hat sich immer wieder von ihm getrennt und später erneut was mit ihm angefangen. Keine Ahnung, was Alexander an ihr fand.« Er zog die Schultern hoch und machte eine abfällige Geste. »Als ich die beiden das nächste Mal, da war es Mitternacht, nach Getränken fragen wollte, haben sie sich heftig gestritten. Melinda ist weinend weggerannt und Alexander hat ihr Schimpfwörter hinterhergerufen. Mehr weiß ich nicht.«

»Sie haben nicht gesehen, wo Melinda hingelaufen ist und ob ihr jemand folgte?« Laura musterte Eckert durchdringend.

»Nein. Ich war die ganze Zeit auf dieser Etage. Es war ziemlich voll am Sonntag.«

»Und warum haben Sie mich und meinen Partner angelogen?«, wollte Laura wissen. Sie fragte sich inzwischen, wie Alexander Woikow es eigentlich geschafft hatte, seine Leute so schnell zu instruieren. Er hatte Tom Eckert in ihrer Anwesenheit zu sich ins Büro gerufen und vorher definitiv keine Gelegenheit gehabt, Eckert um eine Falschaussage zu bitten.

»Ich habe Ihnen doch gesagt, dass ich diesen Job brauche. Ich muss mein Studium finanzieren.«

»Dann hat Woikow Sie gebeten, zu lügen?«

Eckert zuckte mit der Schulter. »Nicht direkt. Ich habe es mir gedacht, als er mich zu sich gerufen hat. Er klang merkwürdig.«

Laura glaubte ihm kein Wort. Woikow hatte Eckert vorgewarnt. Das konnte sie spüren. Ihn und auch den Glatzkopf.

»Wo ist Igor?«

»Der hat heute Abend frei.«

»Stehen seine Kontaktdaten auf der Liste, die Sie mir gegeben haben?«

Eckert nickte.

Laura ließ ihn gehen. Als sie mit Taylor wieder auf der Straße stand, schaute er sie fragend an.

»Du hast etwas herausgefunden, stimmts?«, fragte er und legte ihr den Arm um die Schulter.

Sie seufzte. »Woikow konnte nicht wissen, wann Max und ich bei ihm auftauchen. Während wir bei ihm im Büro waren, konnte er seine Leute unmöglich darum bitten, ihn zu decken. Also muss er das schon vorher gemacht haben. Er hat also längst gewusst, dass Melinda Bachmann etwas zugestoßen ist.«

9

Zwanzig Jahre zuvor

»D u lehnst dich jetzt ganz entspannt zurück und schließt die Augen«, sagte Frau Niemeyer und setzte sich in den Stuhl neben ihm. »Ich zähle bis zehn, und dann stellst du dir vor, du bist wieder auf der Geburtstagsfeier.«

Er tat, was sie von ihm verlangte. Es ging ihm schlecht. Am Morgen war er mit Vater aneinandergeraten. Seine Fingerabdrücke waren an dem Gewehr. An dem Gewehr, mit dem Emma getötet worden war. Was hätte er dazu sagen sollen? Dass er wusste, wo sein Vater den Schlüssel für den Waffenschrank aufbewahrte? Dafür wäre er grün und blau geschlagen worden. Dieser Schrank war tabu. Genau wie sein Inhalt. Trotzdem hatte die Neugier gesiegt. Sein Vater versteckte den Schlüssel in der Küche. Im Regal ganz oben, in der einzigen Tasse, die dort stand. So einsam, dass sie jedem ins Auge fiel, der die Küche betrat und zum Regal aufsah. Außerdem fluchte sein Vater jedes

Mal, wenn er den Schlüssel holte oder zurücklegte. Er stellte sich auf die Zehenspitzen und reckte sich hinauf, bis die Knochen knackten. Er sollte besser das Holzbänkchen nehmen, aber dazu war sein Vater zu stolz.

Die Ohren taten ihm immer noch weh. Vater hatte ihn angebrüllt und geohrfeigt, gleich nachdem der Kriminalkommissar Dietmar Wesermann das Haus verlassen hatte. Der war nur gekommen, um ihm eins auszuwischen. Er wollte ihn bestimmt ins Gefängnis bringen, auch wenn Frau Niemeyer behauptete, das ginge nicht. Er war ja noch unter 14 Jahren. Trotzdem machte der Kommissar ihm Angst. Dieser Mann mochte ihn nicht. Er hatte keine Ahnung, warum, aber Wesermann hasste ihn von der ersten Sekunde an.

Sein Vater hatte ihn kurz danach hierher gebracht. Frau Niemeyer sollte ihn hypnotisieren. Das würde vermutlich nichts bringen, hatte sie ihn verteidigt.

Aber es hatte nichts genützt. Sein Vater flehte sie regelrecht an, und sie hatte sich breitschlagen lassen. Sie wollte es ganz behutsam angehen und vielleicht brachte es ja doch einen Therapieerfolg. Schon bei dem Gedanken daran, dass Vater hinter der Tür saß, möglicherweise sogar lauschte, krampfte sich sein Magen zusammen. Er hatte Emma geliebt. Allerdings schien niemand ihm zu glauben. Nicht einmal seine Mutter. Ihre rot geweinten Augen waren ein einziger Vorwurf. Mittlerweile ging er ihr aus dem Weg.

»Du stehst jetzt zwischen den Bäumen und siehst Emma. Sie läuft vor dir davon.«

Er nickte mechanisch und hielt die Lider geschlossen. Frau Niemeyer wollte er nicht auch noch enttäuschen. Sie war die Einzige, die ihm half. Die ihn verstand. Das mit dem Schlüssel zum Waffenschrank würde er ihr jedoch trotzdem nicht erzählen. Bei Erwachsenen wusste man nie. Von einer Sekunde zur nächsten wechselte ihre Stimmung. Und er wollte, dass Frau Niemeyer ihn weiter mochte. Alles andere hätte er nicht verkraftet. Nicht, seitdem Emma nicht mehr da war.

»Was siehst du?«, flüsterte Frau Niemeyer ganz dicht an seinem Ohr.

Er überlegte, was er sagen sollte. Denn eigentlich sah er nichts. Jedenfalls nicht diesen verfluchten Wald. Er sah Mutters kummervolles, bleiches Gesicht und seinen zornigen Vater, der ihn mit rotem Gesicht böse anfunkelte.

»Emma läuft weiter, obwohl ich sie rufe, weil wir umkehren müssen«, krächzte er.

»Wo genau bist du?«

»Im Wald. Da ist eine alte Eiche und da sind Birken. Sehr viele Birken. Ich sehe Emmas Kleid und den Blumenkranz in ihrem Haar.« Jetzt erinnerte er sich.

»Sie bleibt nicht stehen«, ergänzte er, und plötzlich befand er sich wirklich im Wald. Er rannte. Sein Atem ging schnell. Er blickte sich hektisch um. Irgendwo musste sie doch sein. Er sprang hinter die dicke Eiche, wo eben noch ein Zipfel von Emmas Kleid hervorgelugt hatte. Aber sie war weg. Sie war zu flink für ihn und es war schon zu dunkel. Er hetzte weiter und blieb an einem Ast hängen. Und dann sah er es.

Er schrie und fuhr hoch.

»Was hast du gesehen?«, fragte Frau Niemeyer und nahm ihn in den Arm.

»Ich weiß nicht«, schluchzte er mit donnerndem Herzen. Er wusste es selbst nicht mehr. Auf einmal war das Bild wieder verschwunden. Etwas hatte zwischen den

Bäumen gestanden. Etwas Böses. Etwas, das ihn beobachtete.

»Es hat mich angesehen«, wimmerte er, und in diesem
Moment riss sein Vater die Tür auf.

10

»Das kann ich nicht glauben«, murmelte Laura und blickte die Böschung hinunter. Die Vögel zwitscherten munter in den Baumwipfeln und schienen sich nicht an dem zu stören, was dort ungefähr zwanzig Meter tiefer zu ihren Füßen lag. Sie begrüßten den neuen Tag, als würden sie ewig leben. Laura wünschte sich, sie könnte so sein wie sie. Wie unbeschwert es sich doch lebte, wenn man nichts von der Endlichkeit seines Daseins wusste.

Max, der schon hinuntergesprungen war, hielt ihr die Hand hin. Laura war mit einem Satz unten.

»Ich schwöre dir, dahinter steckt Alexander Woikow. Mit dem stimmt was nicht.« Sie ging in die Hocke und schob ein paar Haarsträhnen der toten Frau zur Seite. »Verflucht. Es ist ein Serientäter. Jetzt sind es bereits drei Opfer.« Sie betrachtete die weiße Blüte einer Margerite neben dem blutleeren Gesicht und zog vorsichtig ein Foto unter dem Kopf hervor. »Wieder eine Blume, dieselbe Art von Aufnahme, derselbe Typ Frau, ähnliches Alter ...«

»Und vermutlich ein tödlicher Schuss mit demselben Kaliber von hinten ins Herz«, vollendete Max ihren Satz.

Laura seufzte und nickte stumm. Der Schock saß ihr tief in den Knochen. Eben noch hatte sie mit Taylor im Bett gelegen und sich glücklich gefühlt. Bis der Telefonanruf sie jäh aufgeschreckt hatte. Sie wusste in der Sekunde, als es klingelte, dass wieder etwas Schreckliches passiert war. Ihr Gewissen meldete sich zu Wort. Hätte sie doch bloß gleich in der Nacht die Videoaufnahmen der Überwachungskameras analysiert. Sie hätte mit Igor sprechen können oder besser, sie hätte Woikow verfolgen sollen. Stattdessen war sie mit Taylor im Bett gelandet. Sie fühlte ihn immer noch. Dieses warme Gefühl der Nähe. Sie durfte gar nicht daran denken, dass wahrscheinlich genau zur selben Zeit diese Frau in dem silbernen Abendkleid um ihr Leben gelaufen war. Allein durch den finsteren Wald. Orientierungslos. Hilflos. Völlig ausgeliefert. Verflucht. Laura wandte sich für einen Moment ab und machte Platz für Max. Sie schluckte. Es hatte keinen Sinn, sich zu zermürben. Das wusste sie. Der Tag war endlich und auch sie brauchte mal Pause. Ein eigenes Leben. Ein wenig Glück. Trotzdem, der Anblick der toten Frau zerriss sie innerlich.

»Der gleiche Ring«, sagte Max und richtete sich wieder auf. »Wenn das in dem Tempo weitergeht, dann haben wir ein Riesenproblem. Es sind bereits drei Frauen tot. Wir müssen den Mistkerl schnappen, bevor er erneut zuschlägt. Ich hole die Hundestaffel. Vielleicht entdecken wir dieses Mal eine Spur zum Täter.«

»Ich spreche mit Simon Fischer. Er muss eine neue Funkzellenauswertung machen. Wir brauchen außerdem dringend Zeugen. Womöglich ist jemandem ein Wagen aufgefallen.«

»Du meinst, wir sollen die Presse zu Hilfe rufen?« Max sah sie überrascht an. »Die Innenministerin wird davon nicht begeistert sein und unser Chef erst recht nicht.«

»Ich kläre das mit Beckstein. Noch mehr Tote wären das größere Desaster.«

Max nickte. »Dann teilen wir uns auf. Ich regele die Dinge vor Ort und du fährst ins Büro.«

* * *

Joachim Beckstein reagierte wie erwartet nicht sonderlich erfreut auf Lauras Vorschlag. Er saß an seinem Schreibtisch und rieb sich die Schläfen.

»Gibt es denn wirklich keine andere Möglichkeit, ein paar Zeugen aufzutreiben? Ich sehe schon die Großaufnahmen in der Zeitung vor mir. Wir werden die Fundorte der Leichen nicht lange verheimlichen können. Womöglich setzt dann noch der Sensationstourismus ein und wir finden vor lauter Fußspuren überhaupt keine Fährte mehr. Von etwaigen Nachahmungstätern, die sich vielleicht an das Muster hängen könnten, mal ganz abgesehen.« Er schüttelte den Kopf. »Der oder die Täter werden aufgeschreckt. Was, wenn sie sich komplett zurückziehen?«

Laura schob den Stadtplan über den Tisch. »Ich verstehe Ihre Bedenken, sehe jedoch keine andere Möglichkeit. Der Abstand zwischen den drei Tatorten und den nächstgelegenen Häusern ist einfach zu groß. Wir werden zuerst die Bewohner befragen. Doch wie hoch ist die Wahrscheinlichkeit, dass jemand etwas Relevantes gesehen hat? Die Straßen verzweigen sich bis zum Spandauer Forst mehrfach.« Sie seufzte. »Wir können es versuchen.«

»Was ist denn mit dieser Tankstelle?«, fragte Beckstein

und tippte mit dem Kugelschreiber auf den Stadtplan. »Ich weiß von früher, dass dort eine war. Wir sind mit den Kindern oft durch den Wald gewandert.«

Laura wunderte sich. Eine Tankstelle war ihr nicht aufgefallen. Aber das wäre natürlich eine Möglichkeit. »Ich überprüfe das«, versprach sie und erhob sich. »Ich habe eine Liste mit allen in diesem Gebiet zugelassenen Jägern angefordert. Eventuell finden wir so einen Zeugen.«

»Gute Idee. Was ist mit anderen Waffenbesitzern? Ich denke da beispielsweise an Sportschützen oder Sammler.«

»Es gibt Tausende Waffenbesitzer mit Wohnsitz in Berlin. Wir haben uns auf die nördlichen Waldgebiete beschränkt, aber es sind einfach zu viele. Uns fehlen die Anhaltspunkte, um die Suche weiter einzugrenzen. Wir haben ja noch nicht mal ein Täterprofil. Es könnten mehrere Täter sein oder sogar eine Frau. Frauen töten gerne aus der Distanz.«

Joachim Beckstein blickte Laura nachdenklich an. »Vielleicht sollten wir ein psychologisches Profil des Täters erstellen lassen. Die Vorgehensweise ist ja schon sehr spezifisch. Ein Psychologe könnte womöglich so einiges daraus ablesen. Es gibt da diese Frau, mit deren Hilfe letztens ein spektakulärer Fall der organisierten Kriminalität gelöst werden konnte. Der Kopf einer Bande wurde durch sie ausfindig gemacht. Sprechen Sie doch mal mit dieser Psychologin, ihr Name ist Susanne Niemeyer. Und stellen Sie ein Team zusammen. Wir können uns keine weiteren Verzögerungen leisten.«

Laura nickte und erhob sich. Auf dem Weg in ihr Büro machte sie bei Simon Fischer halt.

»Haben Sie schon die Überwachungsvideos aus dem Darko angesehen?«, fragte sie und setzte sich neben ihn, als er sie zu sich winkte.

»Ja. Und ich habe die Passage, in der Melinda Bachmann mit einem Mann die Diskothek verlässt.«

»Wirklich? Das muss ich mir sofort anschauen.« Lauras Puls beschleunigte sich auf der Stelle. Gebannt starrte sie auf Simon Fischers Bildschirm.

»Das ist die Kamera, die über dem Nebenausgang hängt«, erklärte er und startete die Aufnahme.

In der Nebenstraße standen fünf Raucher. Drei Frauen und zwei Männer. Ein Paar war darunter. Es turtelte ein wenig abseits. Die Frau war nur im Profil zu erkennen und schien ziemlich angetrunken. Sie schwankte auffällig und die Zigarette in ihrer Hand zitterte. Nach einer Weile traten eine Frau mit langen dunklen Haaren und ein Mann hinaus. Unglücklicherweise waren sie nur von hinten zu sehen. Aber am Kleid erkannte sie Melinda Bachmann. Laura warf einen Blick auf die Uhrzeit, die rechts oben eingeblendet war. Viertel nach zwölf. Melinda lehnte sich an den Mann, der sie eng umschlungen hielt. Sie wirkten wie ein Liebespaar. Melinda Bachmann legte den Kopf auf die Schulter des Mannes und er sprach etwas direkt in ihr Ohr. Laura kniff die Augen zusammen, um mehr von dem Mann zu erfassen. Doch schon war er mit Melinda aus dem Bild gelaufen. Außerdem war die Aufnahme unscharf.

»Gibt es das Video eigentlich auch in Farbe?«, fragte sie und betrachtete die kurzen Haare des Mannes.

Simon Fischer schüttelte den Kopf. »Leider nicht. Das ist eine Nachtaufnahme.«

»Ich kann den Mann kaum sehen. Das könnte jeder sein. Verdammt. Ohne Farbe erkennen wir nicht einmal, ob er Jeans trägt und wie sein Oberteil aussieht. Sieht aus wie ein stinknormales Hemd.« Sie überlegte, was Woikow getragen hatte. Die Statur könnte passen. Der Türsteher kam eher nicht infrage. Aber vielleicht der Kellner. Und tausend andere Männer.

»Ich kann seine Körpergröße genauer bestimmen. Wir werden aus dem Obduktionsbericht erfahren, wie groß Melinda Bachmann war, und anschließend könnte ich es ausmessen. Ich habe den Typen auf keiner weiteren Aufnahme entdeckt. Leider gibt es vor den Toiletten keine Kameras, nur im Treppenhaus. Sonst hätte ich den Weg rekonstruieren können und womöglich hätten wir ihn dann auch mal von vorne erwischt.«

»Was ist mit Melinda? Können wir nachvollziehen, wie sie von der dritten Etage nach unten zu den Toiletten kam?«

Simon Fischer seufzte. »Ich kann Ihnen zeigen, wie sie mit ihrer Freundin das Darko betreten hat. Die beiden sind sofort hoch in die dritte Etage.« Er klickte ein Video an, sodass Laura es sehen konnte. »Das Problem ist, dass die Kamera jeden, der die Räumlichkeiten wieder verlässt, nur von hinten aufnimmt. Ehrlich gesagt ist die Beleuchtung im Treppenhaus so schlecht, dass alle Frauen mit langen Haaren gleich aussehen. Aber ich denke, das hier könnte Melinda Bachmann sein.« Er stoppte das Video, als kurz nach Mitternacht eine schlanke junge Frau aus dem Saal stürmte und die Treppe hinunterrannte.

»Das könnte passen«, murmelte Laura. »Sie soll Streit mit Alexander Woikow gehabt haben und dann weggelaufen sein.«

»Ich frage mich nur, was sie in den nächsten zehn Minuten gemacht hat. Für das Treppenhaus braucht man nicht mehr als eine Minute, selbst wenn es voll ist.« Simon Fischer reckte sich und blickte Laura frustriert an. »Es ist wirklich schade, dass es so wenig Überwachungskameras gibt.«

Laura dachte nach. »Vielleicht war sie auf der Toilette«, erwiderte sie nach einer Weile. »Kann man eigentlich sehen, ob Woikow ihr die Treppe hinunter gefolgt ist?«

Simon Fischer schüttelte den Kopf und ließ die Sequenz weiterlaufen.

»Da sind etliche Männer unterwegs, mit und ohne Begleitung. Es ist unmöglich festzustellen.«

Laura tippte auf eine große, schlanke Gestalt. »Das könnte Woikow sein. Was hat er an? Ein Hemd?«

Simon Fischer vergrößerte die Aufnahme. »Schwer zu sagen. Könnte sein. Der könnte aber auch ein Poloshirt tragen.«

Laura seufzte. »Wir kommen also mit den Überwachungsvideos nicht weiter. Immerhin wissen wir jetzt, dass Melinda Bachmann mit einem Mann das Darko verlassen hat. Und dieser Mann könnte durchaus Alexander Woikow sein.« Sie suchte seine Handynummer in ihrem Telefon und schrieb sie auf einen Zettel. »Überprüfen Sie diese Nummer und finden Sie heraus, in welchen Funkzellen Woikow zu allen drei Mordzeitpunkten eingeloggt war.«

Laura sprang auf und ging in ihr Büro. Sie stellte eine Liste mit Mitarbeitern für ihr Ermittlungsteam zusammen und instruierte jeden einzelnen. Sie bildete drei Teams. Team eins sollte sich mit dem Umfeld vom ersten Opfer, Juliane Klopfer, befassen. Insbesondere Ihr Ex-Freund musste noch einmal gründlich befragt werden. Team zwei, zu dem auch Simon Fischer gehörte, sollte das Handy von Juliane Klopfer ausfindig machen und nachforschen, wann und wo sie zuletzt damit gewesen war. Sie benötigten eine Funkzellenanalyse für den Tatzeitpunkt, an dem das dritte Opfer getötet wurde. Vielleicht konnten sie sogar das Telefon orten. Für all das brauchten sie einen richterlichen Beschluss. Das konnte dauern. Team drei sollte die Liste der Jagdschein-Inhaber überprüfen und Zeugen suchen. Sämtliche Waffenbesitzer mussten auf Auffälligkeiten überprüft werden. Nachdem Laura alle Aufgaben verteilt hatte, schnappte sie sich Igor Koslows Adresse und machte sich auf den Weg. Den Türsteher würde sie sich als Nächstes vorknöpfen.

Der Mann wohnte nur zehn Gehminuten vom Darko entfernt in einer winzigen Dachgeschosswohnung. Laura hatte Glück: Als sie ankam, verließ gerade eine ältere Frau mit ihrem Hund das Haus. Laura schlüpfte hinein und nahm die sechs Treppen bis ganz nach oben. Igor Koslow öffnete mit einem mürrischen Zug um den Mund die Wohnungstür.

»Was wollen Sie?« Er machte keine Anstalten, sie hineinzubitten.

»Darf ich reinkommen?«, fragte Laura und drängte sich an dem muskelbepackten Körper vorbei. Die Wohnung bestand aus nur einem Zimmer mit einem schmalen Bett und einem fleckigen Sessel. Ein Fernseher flackerte auf dem Boden vor sich hin. Zudem schien es eine Küche und ein Bad, vielleicht auch nur eine Toilette zu geben.

»Wohnen Sie noch nicht lange hier oder ziehen Sie gerade um?«, wollte Laura wissen, als sie ein paar Umzugskartons in einer Ecke bemerkte.

»Ich bin vor einem halben Jahr nach Deutschland gekommen. Alexander hat mir den Job gegeben. Hören Sie, ich habe Ihnen gesagt, dass die Mädchen an dem Abend da waren. Ich habe nicht gelogen.« In Igors Augen stand Angst. Er wirkte wie ein großer, verletzter Teddybär.

»Ich verstehe, dass Sie auf Ihre Anstellung in der

Diskothek angewiesen sind. Aber Melinda Bachmann ist tot. Sie wollen doch auch, dass wir ihren Mörder finden?«

Igor nickte zögerlich. »Alexander hat mir verboten, mit Ihnen zu sprechen. Ich kann Ihnen nichts sagen.«

In Lauras Kopf ratterte es. Was durfte der Türsteher ihr denn nicht erzählen?

»Wir wissen, dass Melinda das Darko zusammen mit Woikow verlassen hat.« Laura versuchte es mit einem Bluff.

Aber es funktionierte nicht. Igor schüttelte den Kopf.

»Keine Ahnung. Ich war die ganze Nacht am Haupteingang und habe Besucher eingelassen. Melindas Freundin ist um halb zwölf gegangen. Sie hat sich von mir verabschiedet. Melinda und Alexander habe ich an diesem Abend nicht mehr gesehen.«

Laura probierte einen anderen Weg. »Was wissen Sie über die Beziehung zwischen Alexander Woikow und Melinda Bachmann?«

Igor zuckte mit der Schulter. »Ich habe sie ein paarmal gefahren, wenn sie ein Auto brauchte oder zu Alexander wollte.«

»Wie war denn Ihr Eindruck? Haben sich die beiden gut verstanden?«

Der Türsteher rollte mit den Augen und suchte nach Worten. Dann nickte er. »Ja. Sie ist ein sehr hübsches Mädchen. Alexander hat sie auf Händen getragen.«

Laura seufzte. »Warum haben Sie uns nicht sofort erzählt, dass Sie die beiden Frauen kennen und eine davon sogar mit Ihrem Chef liiert ist?«

Igor Koslow starrte unschlüssig seine Schuhspitzen an. »Weil Alexander mich am Montag darum gebeten hat. Er hat gesagt, es wäre aus zwischen ihnen und er wolle Melinda nie wiedersehen.«

11

Susanne Niemeyer fuhr nachdenklich mit dem Zeigefinger über die Spalte in ihrem Terminkalender. Sie war auf ihren nächsten Termin gespannt und schaute zur Uhr. Blieben noch zehn Minuten Zeit. Also tippte sie den Namen ihrer Besucherin in die Internetsuchmaschine ein und überflog neugierig die Einträge. Sie musterte ein Foto der jungen Frau, die Anfang dreißig schien und kluge braune Augen hatte. Susanne fragte sich, was sie von ihr wollte. Ihre Sekretärin hatte keinen Betreff in den Kalender eingetragen. Das war typisch. Sie vergaß ständig, danach zu fragen. Seit Jahren schon. Susanne Niemeyer seufzte und las etwas über mehrere scheintote Frauen, die vor gut einem Jahr in der Nähe eines Krankenhauses aufgefunden worden waren. Laura Kern hatte diesen Fall aufgeklärt. Ob sie von Albträumen verfolgt wurde? Das wäre nicht verwunderlich. Jeder, der tief in den Abgrund blickte, lief Gefahr, selbst hineingezogen zu werden.

An der Tür klopfte es und ihre Sekretärin steckte den Kopf herein.

»Der nächste Termin ist da«, verkündete sie und ließ eine junge Frau eintreten.

Susanne Niemeyer lächelte. »Wunderbar. Herzlich willkommen. Setzen Sie sich doch, Frau Kern. Was führt Sie zu mir?«

Die junge Frau mit den entschlossenen Gesichtszügen und blonden Locken redete nicht lange um den heißen Brei herum.

»Ich komme nicht als Patientin. Mein Chef Joachim Beckstein schickt mich zu Ihnen. Wir bräuchten Ihre Unterstützung bei der Aufklärung einer Mordserie.«

Susanne Niemeyer betrachtete Laura Kern interessiert. »Ich habe erst vor einigen Monaten für das LKA gearbeitet. Es ging um organisierte Kriminalität.«

Laura Kern nickte. »Das ist der Grund, warum wir gerne erneut mit Ihnen zusammenarbeiten möchten. Wir ermitteln derzeit in einer Reihe von Morden, bei denen das Täterprofil bisher sehr unscharf ist.«

»Um welche Art von Mordfällen geht es denn?« Susanne Niemeyer durchforstete ihr Gedächtnis nach aktuellen Fällen in Berlin, doch von einer Mordserie war ihr nichts bekannt. Mit der Eröffnung ihrer eigenen Praxis vor ein paar Jahren hatte sie sich auf Menschen mit Gewalt- und Missbrauchshintergrund konzentriert. Sie behandelte Männer, die ihre Partnerin schlugen, aber auch Straftäter, sowohl im Gefängnis als auch nach der Entlassung. So wie sie sich zu Beginn ihrer Laufbahn auf Traumatherapie für Kinder spezialisiert hatte, war sie in den letzten zehn Jahren zu einer Expertin für Gewalt und Missbrauch geworden. Ihre Kenntnisse im Umgang mit Kindern waren dabei sehr hilfreich, denn in den überwiegenden Fällen entwickelte sich eine Neigung zur Gewalt bereits in der Kindheit. Viele Täter stammten aus Verhältnissen, wo körperlicher, psychischer oder sexueller Missbrauch zum Alltag gehörten. Sie bauten eine Schutzwelt um sich herum auf, die sie von sämtlichen Grausamkeiten abschirmte. Gleichzeitig erwachten in ihnen jedoch häufig selbst Missbrauchs- und Gewaltfantasien, in denen sie dann eine aktive Rolle spielten. Irgendwann erwuchsen hieraus Verhaltensanteile, die sie ausleben mussten.

»Wir konnten die Presse bisher heraushalten.« Laura Kern lächelte, aber ihr Lächeln schien gequält. Zugleich strich sich die Ermittlerin flüchtig mit der Hand über das Schlüsselbein. So, als wenn sie unter der hochgeschlossenen Bluse etwas verbergen würde.

Laura Kern fuhr mit fester Stimme fort: »Drei Frauen wurden an verschiedenen Tagen nach einem Diskothekenbesuch erschossen. Uns liegt lediglich der Obduktionsbericht zum ersten Opfer vor, der zweite ist noch nicht endgültig und die dritte Obduktion steht aus. Soviel wir wissen, wurden die Frauen zunächst betäubt und in einen Wald gebracht. Der Schuss traf sie jeweils von hinten ins Herz und war sofort tödlich. Es gibt keine Hinweise auf sexuellen Missbrauch oder körperliche Gewalt. Optisch weisen die Opfer eine erstaunliche Ähnlichkeit auf. Die drei Frauen sind recht groß, schlank, Anfang zwanzig und haben lange braune Haare. Der Täter steckt ihnen einen Ring an den Finger und legt eine Blüte und ein Foto zur Leiche, auf dem sie noch gelebt haben.«

In Susanne Niemeyers Kopf ratterte es. Das waren eine Menge spezifischer Informationen.

»Die meisten Serientäter agieren sexuell motiviert«, erwiderte sie nachdenklich. »Wenn dies hier nicht der Fall ist, könnte es sich beim Täter theoretisch auch um eine Frau handeln.« Sie blickte Laura Kern neugierig an, doch diese schüttelte den Kopf.

»Vermutlich nicht. Wir konnten eines der Opfer auf einem Überwachungsvideo sehen. Die Frau verließ die Diskothek in männlicher Begleitung.«

Susanne nickte gedankenverloren. »Sie sagten, er hinterlässt einen Ring und ein Foto. Nimmt er auch etwas mit? Eine Haarsträhne, den Slip oder Ähnliches?«

»Bisher sieht es nicht so aus. Es sei denn, wir zählen die Handtaschen und Ausweispapiere als Trophäen. Was die Haarsträhnen angeht, da müssten wir den Obduktionsbericht abwarten. Die Unterwäsche wurde jedenfalls nicht angerührt.«

»Interessant, dass er dieses Foto dalässt. Darauf kann ich mir gar keinen Reim machen. Was will er damit ausdrücken? Dass sie tot für ihn schöner sind als lebendig? Oder führt er ein Ritual an ihnen durch? Die Blume könnte ein Hinweis dafür sein.« Susanne Niemeyer kritzelte eilig ihre Gedanken auf den Block, der vor ihr auf dem Schreibtisch lag. »Ich bräuchte Einsicht in die Ermittlungsakten. Dann könnte ich versuchen, ein Täterprofil zu erstellen. Auf den ersten Blick wundert mich, dass scheinbar keine sexuelle Motivation zugrunde liegt. Darüber muss ich nachdenken. Vielleicht handelt es sich um einen impotenten Täter und das Aufstecken des Ringes stellt eine Art Ersatzhandlung dar. In jedem Fall hat dieser Akt etwas Besitzergreifendes an sich.«

»Daran hatte ich auch schon gedacht«, erwiderte Laura Kern. »Es freut mich, dass Sie uns unterstützen wollen. Ein Kollege wird Ihnen die Akten kopieren und vorbeibringen. Sie müssten noch eine Vertraulichkeitserklärung unterschreiben und wir müssten uns über Ihre Vergütung verständigen. Es wäre schön, wenn Sie zu unserer nächsten Teamsitzung kommen könnten. Ort und Zeit schicke ich Ihnen.« Laura Kern sprang voller Energie von ihrem Sitz auf und streckte ihr die Hand zum Abschied entgegen.

Susanne Niemeyer saß noch eine Weile grübelnd hinter ihrem Schreibtisch und starrte der dynamischen Ermittlerin hinterher.

12

Laura saß in ihrem Wagen und dachte über das Gespräch mit der Psychologin nach. Sie hatte zwar registriert, dass keines der drei Opfer sexuell missbraucht worden war, aber intensiv nachgedacht hatte sie darüber bisher nicht. Gut, dass die Psychologin jetzt mit an Bord war. Laura hatte einen positiven Eindruck von der selbstbewussten Frau, um die fünfzig Jahre alt, die sehr ruhig und bodenständig schien. Ihr Sprechzimmer hatte Laura allerdings an ein Krankenhauszimmer erinnert. Alles war in Weiß gehalten, wirkte blass und freudlos. Vielleicht war der Raum absichtlich so gestaltet worden, um die Patienten möglichst wenig abzulenken.

Lauras Gedanken kreisten um eine etwaige Trophäe. Warum legte er eine Blüte und ein Foto zur Leiche und nahm sich selbst kein Erinnerungsstück mit? Oder übersahen sie womöglich etwas? Eine Handtasche oder irgendwelche Ausweisdokumente erschienen ihr zu unpersönlich. Sie seufzte und dachte an Alexander Woikow und daran, dass dieser Mann sie permanent anlog. Hatte er bereits gewusst, dass Melinda Bachmann tot war, bevor sie und Max ihn zum ersten Mal aufsuchten? Sie musste dieser Sache dringend nachgehen. Doch zunächst hatte sie etwas anderes vor. Laura bog an der nächsten Kreuzung nach links ab. Bisher lag ihr nur der Obduktionsbericht zum ersten Opfer, Juliane Klopfer, vor. Dr. Herzberger musste mittlerweile auch den Bericht von Melinda Bachmann fertiggestellt haben. Laura parkte das Auto direkt vor dem Institut für Rechtsmedizin der Berliner Charité.

»Guten Morgen, Frau Kern. Das trifft sich ja hervorragend. Ich wollte gerade zu Ihrem neuen Fund. Mein Assistent hat mit der Autopsie vor einer Stunde begonnen. Kommen Sie am besten gleich mit.«

Laura verschlug es für einen Moment die Sprache. Sie mochte keine Krankenhäuser und die Rechtsmedizin schon gar nicht. Der Geruch nach Desinfektionsmittel und die süßlich faulige Note von toten Körpern lösten einen panischen Fluchtinstinkt bei ihr aus.

Dr. Herzberger kannte sie inzwischen allzu gut, er hielt ihr ein Döschen hin.

»Nehmen Sie etwas hiervon.« Die Mentholsalbe würde den Gestank zumindest ein wenig übertünchen.

»Danke«, erwiderte Laura und folgte ihm mit weichen Knien. Der Obduktionsbericht von Melinda Bachmann hätte ihr ausgereicht. Doch sie hatte keine Wahl. Ihre Schuhsohlen quietschten auf dem fleckigen Bodenbelag, der dringend einer Erneuerung bedurfte. Überall zogen sich Spuren von den Rollen der Wagen über den Boden, mit denen die Leichen zwischen der Kühlhalle und den Obduktionssälen hin- und hertransportiert wurden. Rechts im Flur parkte genau so ein Wagen. Ein helles Tuch lag über einem Leichnam ausgebreitet, nur die blutleeren Füße lugten heraus. Laura verzichtete darauf, den

Namen des Verstorbenen vom Zettel am rechten großen Zeh abzulesen. Menschen, die hier landeten, waren zumeist nicht eines natürlichen Todes gestorben. Diese Vorstellung kombiniert mit dem Geruch genügte, um Laura einen weiteren Schauer über den Rücken zu jagen.

Dr. Herzberger drückte die stählerne Tür zum Obduktionssaal mit Schwung auf. Er freute sich, als er seinen Assistenten dicht über den Leichnam gebeugt vorfand.

»Konstantin, guten Morgen. Ich habe die leitende Ermittlerin, Laura Kern vom Landeskriminalamt, mitgebracht. Seien Sie so nett und bringen Sie uns auf den aktuellen Stand.«

Konstantin blickte kurz auf und nickte freundlich. Viel von ihm war nicht zu erkennen. Seine Haare steckten unter einer grünen Haube und mehr als die Hälfte seines Gesichts war vom Mundschutz bedeckt. Dass er lächelte, erkannte Laura nur an seinen Augen, die für einen Moment schmaler wurden, und an den feinen Krähenfüßen ringsum.

»Gerne«, erwiderte er, wobei seine Stimme etwas gedämpft klang. »Die äußere Leichenschau war unauffällig. Der Leichnam weist bis auf die Schusswunde keine tieferen Verletzungen auf. Auf der Haut finden sich jedoch an vielen Stellen oberflächliche Abschürfungen, und ich habe etliche Dornen an Armen und Beinen entfernt. Beides ist vermutlich auf einen schnellen Lauf, eine Flucht durch den Wald zurückzuführen. Jedenfalls war sie bis zu ihrem Tod keiner äußeren Gewalteinwirkung ausgesetzt.« Er hob den Zeigefinger und machte eine kurze Pause. »Nein, das ist nicht ganz korrekt, denn ich habe am Oberschenkel eine tiefere Einstichstelle lokalisiert. Dazu aber später mehr. Sie starb durch einen Fernschuss in den Rücken, der zu einer Verletzung der Brustorgane, insbesondere von Herz und Lunge, geführt hat. Durch die hydrodynamische Sprengwirkung wurde das Herz zerfetzt.« Konstantin warf Laura einen Blick zu und formte die Hände wie zu einem Gefäß. »Sobald ein Geschoss auf ein mit Flüssigkeit gefülltes Organ trifft, setzt eine explosionsartige Wirkung ein. In unserem Fall befand sich das Herz beim Auftreffen des Projektils in der Erschlaffungsphase, die Herzkammern enthielten daher reichlich Blut. Der Tod trat sehr zügig ein.«

Dr. Herzberger hob die Arme und unterbrach seinen Assistenten. »Hervorragend, Konstantin. Nur fachsimpeln Sie mir nicht zu viel vor unserem Besuch.« Er grinste. »Gibt es Unterschiede zu den ersten beiden Opfern, zum Beispiel, was die Schussverletzung betrifft?«

Konstantin schüttelte langsam den Kopf. »Der Schuss ist in allen drei Fällen extrem präzise gesetzt. Das Herz wurde jedes Mal verletzt. Beim ersten Opfer wurde es nicht so stark zerstört, aber der massive Blutverlust war ebenso schnell tödlich.«

»Das heißt, wir haben es mit einem geübten Schützen zu tun«, schlussfolgerte Laura. Beide Rechtsmediziner nickten.

»Ist Ihnen aufgefallen, ob der Täter etwas vom Opfer mitgenommen haben könnte? Ich denke da an eine Haarsträhne, ein Schmuckstück, irgendetwas Persönliches.«

Konstantin überlegte eine Weile. »Ich habe nichts bemerkt«, erwiderte er schließlich. »Ich kann mir die Haare dieses und des letzten Opfers noch einmal anschauen. Es wird sich allerdings nur schwer feststellen lassen. Es gibt keine derartigen Verletzungen der Kopfhaut. Auch im Fall von Juliane Klopfer wurde hierzu nichts vermerkt. Sie wurde von einem Kollegen obduziert.«

»Was ist denn mit den Handtaschen? Die drei toten Frauen wurden ohne Tasche, Portemonnaie oder Ausweis zu uns überführt«, warf Dr. Herzberger ein.

»Das stimmt«, entgegnete Laura und fragte sich abermals, ob eine Handtasche persönlich genug war, um als Trophäe zu gelten. Sie würde das mit der Psychologin besprechen.

»Hat die Laboruntersuchung Neues ergeben?«, wollte Dr. Herzberger wissen. »Soweit ich mich entsinne, wurde beim ersten Opfer Propofol nachgewiesen. Liegen die Daten zu Melinda Bachmann schon vor?«

»Die sind vorhin reingekommen. Sie wurde ebenfalls mit diesem Mittel betäubt. Und auch unser neues Opfer scheint eine Spritze bekommen zu haben. Genau hier wurde etwas injiziert.« Konstantin deutete auf einen winzigen roten Punkt am linken Oberschenkel. »Sehen Sie den Einstichwinkel? Die Nadel ist von schräg oben nach unten in das Gewebe eingedrungen.«

»Was hat das zu bedeuten?«, fragte Laura und runzelte die Stirn. Sie hatte Schwierigkeiten, sich auf die kleine Stelle zu konzentrieren. Ihr Blick wurde immer wieder von der offenen Körperhöhle angezogen.

Konstantin vollführte eine Handbewegung. »Die Spritze wurde höchstwahrscheinlich stehend gesetzt. Täter und Opfer haben gestanden.«

In Lauras Kopf lief sofort ein Film ab. Urplötzlich fand sie sich in dem dunklen Gang vor den Toiletten des Darko wieder. Hatte der Täter Melinda dort aufgelauert, sie betäubt und war dann mit ihr durch den Hintereingang verschwunden? Sie sah die junge Frau vor sich, wie sie den Kopf an die Schulter ihres Begleiters schmiegte. Sah so jemand aus, der verliebt war, oder jemand, der nicht mehr richtig laufen konnte, weil er mit Propofol ruhiggestellt worden war?

»Wie war das bei Melinda Bachmann? Wurde sie auch in den Oberschenkel gestochen?«

Konstantin nickte. »Exakt, und auch bei Juliane Klopfer wurde eine Einstichverletzung gefunden.« Er beugte sich wieder über den Leichnam und fuhr fort, die Eingeweide zu entnehmen.

Laura betrachtete ihre Schuhspitzen und wartete geduldig ab, bis die Bauchhöhle wieder geschlossen wurde. Konstantin und Dr. Herzberger arbeiteten hoch konzentriert. Als ihr Handy klingelte, hob sie dankbar ab und lief hinaus auf den Flur. Es war Max.

»Die Hunde haben irgendwann die Fährte wieder verloren. Wir haben ein paar Stofffetzen und Schuhe aufgespürt, sonst nichts. Leider. Wo bist du gerade?«

»Ich bin in der Rechtsmedizin. Wir haben es mit größter Wahrscheinlichkeit mit demselben Täter zu tun. Treffen wir uns in einer Stunde im Büro?«

»Tut mir leid, Laura. Hast du mal auf die Uhr gesehen? Es ist schon kurz nach sechs. Hannah bringt mich um, wenn ich zu spät komme. Sie hat heute Abend ihren Yoga-Kurs. Der ist ihr heilig.«

Laura seufzte. »Also gut. Dann sehen wir uns morgen.« Sie legte auf und ging zurück in den Obduktionssaal.

»Wir sind so weit fertig. Es stehen noch die Laborergebnisse aus. Aber es würde mich sehr wundern, wenn wir kein Propofol fänden. Ich melde mich, sollte etwas Unvorhergesehenes herauskommen, ansonsten erhalten Sie meinen Bericht.«

Laura bedankte sich. Als sie wieder in ihrem Auto saß, schwirrten die Gedanken unruhig durch ihren Kopf. Sie hatten so viele Informationen gesammelt, doch noch fügten sich diese nicht zu einem Bild zusammen. Sie stand vor einem riesigen Puzzle mit einem Haufen loser Teile. Sie steuerte ihren Wagen gedankenverloren durch die Straßen, bis sie scheinbar wie von selbst vor dem Gebäude des Landeskriminalamtes ankam und in die Tiefgarage fuhr.

Auf ihrem Schreibtisch lag eine Nachricht von Simon Fischer. Sein Programm hatte die Diskothek, in der das dritte Opfer fotografiert worden war, nicht ausfindig machen können. Laura stöhnte. Das war ein Rückschlag. Ohne einen Namen müssten sie weiter im Trüben fischen, insbesondere wenn Joachim Beckstein eine Einbindung der Presse weiterhin ausschloss. Laura konnte das zwar nachvollziehen, aber es brannte ihr einfach unter den Nägeln, den Täter festzusetzen. Sie befürchtete, dass er früher oder später erneut zuschlug, und das wollte sie mit allen Mitteln verhindern. Es war inzwischen beinahe zwanzig Uhr. Blieb noch genug Zeit, um einen Blick in die aktualisierte Vermisstendatei zu werfen. Sie grenzte die Suche auf Frauen zwischen achtzehn und dreißig Jahren ein. Die Datenbank spuckte eine Liste mit Namen aus, die sie gründlich durchging. Jede dieser Frauen hatte ein eigenes Schicksal. Meist kein Gutes. Warum auch immer ein Mensch aus seinem bisherigen Leben ausbrach, es hing oft mit großem Leid zusammen. Manche gingen freiwillig, um vielleicht einem gewalttätigen Mann zu entkommen. Andere flüchteten vor Schulden oder vor ihrer Vergangenheit. Immerhin hatten sie ihr Verschwinden selbst gewählt. Ganz im Gegensatz zu all den Frauen, die mit Gewalt aus dem Leben herausgerissen wurden. Die, aus welchen Gründen auch immer, ausgewählt wurden und die, wenn man sie nicht binnen weniger Tage fand, meist nicht mehr lebten. *Komm schon*, dachte Laura, *wo steckst du?*

Sie vergrößerte das Bild einer Brünetten, bei der es sich um das dritte Opfer handeln könnte. Sie war aber bereits vor zwei Wochen als vermisst gemeldet worden. Der Zeitraum war zu lang. Laura suchte weiter. Eine Blondine, deren Haare jedoch offensichtlich gefärbt waren, fiel ihr ins Auge. Doch als Laura entdeckte, dass sie ihr Geld als Prostituierte verdiente, klickte sie das Foto weg. Aus ihrer Erfahrung gehörten solche Frauen zur Risikogruppe. Sie fielen im Schnitt wesentlich häufiger Gewalttaten zum Opfer als Frauen mit anderen Berufen. Und ein Täter, der sich einmal aus dieser Zielgruppe bediente, schwenkte in der Regel nicht um. Es war leichter, sich Prostituierten zu nähern und sie in ein Auto zu bekommen. Dafür hätte er vermutlich kein Betäubungsmittel benötigt.

Laura durchforstete die Datei, bis ihr die Augen vor Müdigkeit brannten. Die neue Tote wurde scheinbar von niemandem vermisst. Als Laura sämtliche Einträge der letzten vierzehn Tage überprüft hatte, gab sie auf und widmete sich dem Foto, das sie bei dem Leichnam gefunden hatten. Sie vergrößerte es auf ihrem Computer und betrachtete den Hintergrund, den Simon Fischer keiner bestimmten Diskothek zuordnen konnte. Im Gegensatz zu Melinda Bachmann war die Frau fast allein auf dem Foto. Keine Freundin neben ihr, kein geschäftiger Kellner, der die erhitzten Tanzenden mit kühlen Getränken versorgte. Das Foto war unscharf. Auf der Tanzfläche schien sich im Moment der Aufnahme Nebel ausgebreitet zu haben. In dem milchigen Schleier hinter der Frau tanzten andere Menschen, deren Silhouetten mit dem Nebel verschmolzen. Während Laura auf das Foto starrte, kam ihr eine Idee.

Alexander Woikow wusste, dass Melinda Bachmann etwas zugestoßen war, warum sonst hatte er seine Mitarbeiter dazu gebracht, die Polizei zu belügen? Wenn er der Serientäter war, musste er diese Frau kennen. Doch falls es sich bei der Diskothek nicht um das Darko handelte, wo könnte er seinem Opfer dann aufgelauert haben? Laura sah sich im Internet einige Bilder von der Disco an, in der Juliane Klopfer fotografiert worden war. Es war definitiv nicht die, in der Opfer Nummer drei getanzt hatte. Laura sah es an der ebenerdigen Tanzfläche, es gab kein Podest. Die Discolichter waren anders angebracht. Und auch das Kleid, das die junge Frau trug, passte nicht zum Darko und nicht zum Moonlight. Es war irgendwie zu brav. Außerdem wirkte die Frau ein bisschen jünger als die ersten beiden Opfer.

Laura war nicht der Typ, der gerne tanzen ging. Weder heute noch als Teenager hatten sie Diskotheken gereizt. Wahrscheinlich lag das daran, dass ihr die allermeisten Kleidungsstücke nicht zusagten. Sie hasste tiefe Ausschnitte und kurze Röcke, die ihre Narben preisgaben und der Welt verrieten, dass auch sie ein Opfer gewesen war. Dass sie keine normale Frau war. Niemand mit unbeschwertem Lächeln und dem Glauben an das Gute. Sie kannte sich mit Berliner Diskotheken jedenfalls nicht aus. Sie könnte dieses Foto anstarren bis zum Sankt-Nimmerleins-Tag. Aus ihrem Kopf könnte keine Erinnerung herauspurzeln, weil es schlicht keine gab. Also tippte sie Alexander Woikows Namen in die Suchmaske ihres Internetbrowsers ein. Es erschienen zahlreiche Fotos, auf denen der fast vierzigjährige Mann mit jungen Mädchen posierte. Laura verabscheute diesen Typ Mann. Er erinnerte sie an die Begierde des Monsters, das sie als Elfjährige verschleppt hatte. *Tanz mit mir. Umarme mich.* Seine Stimme hallte durch ihren Kopf, so laut, dass sie für eine

Sekunde aufsah, um sicherzugehen, dass sie tatsächlich nichts gehört hatte. Alte Männer, die sich an junge Mädchen heranmachten. Und dann sah sie es. Sie hatte keine Ahnung, ob das, was sie da gerade entdeckt hatte, wirklich wichtig war. Doch einen Versuch war es allemal wert.

13

Fiona tanzte völlig berauscht. Der Alkohol raste durch ihre Blutbahnen und machte sie leicht wie eine Feder. Sie schwang den Kopf hin und her, ihre langen Haare flogen durch die Luft. Männer schauten sie wie hypnotisiert an. Fiona genoss die Aufmerksamkeit. Sie trug ein enges, kurzes Kleid mit sündhaft tiefem Ausschnitt. Ihre Brüste wippten im Rhythmus der Musik. Sie trug keinen BH. Sie mochte diese Dinger nicht, weil sie sie einschnürten wie ein Korsett.

»He, willst du einen Drink?«, raunte jemand in ihr Ohr, und sie drehte sich lächelnd um. Er war viel älter als sie, stellte sie ein wenig enttäuscht fest. Trotzdem sah er ziemlich gut aus. Seine Markenklamotten imponierten ihr genauso wie seine zurückgegelten stylishen Haare.

»Gerne«, wisperte sie und erntete einen Blick, der sie ganz schwindlig werden ließ. Sie sah ihm hinterher, als er in Richtung Bar verschwand. Dann schwang sie die Hüften wieder im Rhythmus der Musik und vergaß ihren neuen Verehrer für eine Weile. Sie schloss die Augen und verschmolz mit der Melodie und den bebenden Bässen, die aus den Lautsprechern dröhnten.

»Dein Drink.«

Fiona hielt sich unwillkürlich an seinem Arm fest und schwankte ein wenig. Den Drink hatte sie beinahe vergessen. Den Mann ebenfalls. Sie nahm ihm das Glas ab und trank einen kräftigen Schluck. Eigentlich hatte sie bereits mehr als genug Alkohol intus. Sie spürte, wie sie allmählich die Kontrolle verlor. Trotzdem konnte sie nicht aufhören. Dieses Prickeln und das Gefühl zu schweben waren so wundervoll. Sie wünschte sich, dass diese Nacht nie enden würde. Ihr Verehrer zog sie von der Tanzfläche. Sie landeten auf einer Lounge-Couch. Er duftete nach Holz und Mann. Plötzlich fühlte sie sich unheimlich von ihm angezogen. Sie grinste und fuhr langsam mit der Zunge über die Unterlippe.

»Danke für den Drink«, hauchte sie, und dann wurde ihr schwindelig. Sein Gesicht verdoppelte sich. Vier Augen starrten sie an. Zwei Münder, die immer näher kamen und umeinander kreisten. Sie sprang auf und schwankte zu den Toiletten. Auf einmal war ihr schrecklich übel. Die Welt hatte sich in einen Kreisel verwandelt, dessen Farben ineinander verschmolzen und auf einmal fort waren. So wie sie. Sie löste sich auf.

Das war es.

Alles, woran Fiona sich erinnern konnte, war dieser letzte Moment mit dem Mann auf der Couch. Sie spürte auch jetzt noch die Übelkeit im Magen und im Kopf. Einen heftigen Schwindel, der sie an den Boden fesselte. Sobald sie aufblickte, drohte ihr Mageninhalt hochzukommen. Fionas Gedanken drehten sich immer wieder um diesen Augenblick. Sie hatte keine Ahnung, was danach passiert war. Nur ganz dumpf schwebten Bilder und Stimmen an ihr vorbei. Eine entfernte Männerstimme, die ihr gut zuredete. Zumindest schloss sie das aus dem Tonfall, denn auch die Worte verstand sie nicht. Die Welt fühlte sich an, als wäre sie in Watte gewickelt. Alles schien so distanziert und düster. Erst allmählich kehrten ihre Sinne zurück und auch diese schreckliche Übelkeit. Sie hätte nicht so viel trinken dürfen. Doch der Kater gehörte momentan wohl eher zu ihren kleineren Problemen. Sie hatte keine Ahnung, wo sie war. Vorsichtig tastete sie sich über den kühlen Boden voran, der sich wie Beton anfühlte. Hart, kalt und ein wenig rau. Sie sog tief Luft ein und musste sofort husten, weil ihr der Staub in die Nase stieg. Sie verharrte einige Sekunden und machte dann mit der Wand weiter, an der sie vorher gelehnt hatte. Die fühlte sich wärmer an. Sie fuhr über die Fläche, die etliche Rillen aufwies. Eine Maserung. Das musste Holz sein.

»Hallo«, krächzte sie und verstummte auf der Stelle wieder. Ihre ausgedörrte Kehle brannte wie Feuer. Fiona schluckte schwer und bemerkte auf einmal in Augenhöhe einen Schlitz zwischen den schlecht zusammengenagelten Brettern. Sie ließen in unregelmäßigen Abständen Licht hindurch, sodass sie ihre Umgebung zumindest schemenhaft wahrnehmen konnte. Fiona kroch an den Spalt heran und blickte nach draußen. Es dämmerte bereits ein wenig. Sie sah eine grüne Wiese, eine rostige Schubkarre, einen Spaten und andere Gartenwerkzeuge. Hinter der Wiese begann ein Wald. Dichte grüne Tannen erhoben sich wie Wächter empor in den düsteren Himmel. Für einen Augenblick hatte Fiona den Eindruck, dass sie sie böse anblickten. Hastig schüttelte sie dieses Gefühl ab. Das waren alles die Nachwirkungen ihres Alkoholkonsums. Der letzte Drink hatte sie umgehauen. Sie hätte es besser wissen müssen. Es war nicht das erste Mal, dass sie einen Blackout gehabt hatte.

Vor ungefähr sechs Monaten war ihr so etwas schon einmal passiert. Damals, als sie noch mit Matt zusammen war. An dem Abend, als er sich von ihr trennte, hatte sie die halbe Bar leer getrunken. Einfach nur, um zu vergessen. Es war so demütigend gewesen, ihn mit seiner Neuen eng umschlungen tanzen zu sehen. Seit wann stand er überhaupt auf Blondinen? Drei Tage lang hatte sie anschließend mit Schwindel und Übelkeit gekämpft. Trotz dieser schlechten Erfahrung hatte sie ihren Alkoholkonsum auch danach nicht eingeschränkt. Ganz im Gegenteil. Der Rausch war wie eine Droge, die sie sanft in die Arme nahm und ihr zumindest zeitweise das Gefühl gab, etwas Besonderes zu sein.

Fiona starrte weiter durch den Schlitz. Was hatte sie dieses Mal bloß angestellt? Normalerweise schaffte sie es immer nach Hause. Sie fand ein Taxi, ein Fahrrad, jemanden, der sie mitnahm. Doch die letzte Nacht war anscheinend völlig aus dem Ruder gelaufen. In ihrem Suff war sie offensichtlich in einer Kleingartenanlage oder etwas Ähnlichem gelandet. Und sie musste zudem den kompletten Tag verschlafen haben, wenn es jetzt schon wieder dunkel wurde. Sie tastete nach ihrer Handtasche. Darin steckte ihr Handy. Fiona sah sich um. Der nackte Betonboden gab nicht viel her. Eine dünne Decke lag in einer Ecke. Daneben standen eine Flasche Wasser und ein Teller mit Brot. Sonst war da nichts. Keine Besen, Harken oder irgendetwas, das man üblicherweise in einem Schuppen aufbewahrte. Fiona erhob sich schwankend und blickte sich weiter um. Dieser verdammte Verschlag schien keine Tür zu haben. Aber irgendwie musste sie ja hereingekommen sein, und das auch noch betrunken. Es konnte doch nicht so schwer sein, wieder hinauszufinden. Verflixt, sie brauchte ihre Handtasche. Ihre Mutter machte sich bestimmt schon Sorgen. Sie musste sich melden. Normalerweise telefonierten sie jeden Morgen miteinander. Das gehörte zu ihrer Mutter-Tochter-Tradition. Sie redeten, tranken Kaffee und genossen das Gespräch. Meist war es sehr früh, die Hektik des Tages hatte noch nicht eingesetzt. Zugegeben, manchmal sprachen sie auch später. Insbesondere wenn Fiona am Abend vorher ausgegangen war.

Verflucht, wäre ihr nur nicht so furchtbar übel! Sie konnte einfach keinen klaren Gedanken fassen. Ihr Blick fiel abermals auf die Wasserflasche. Sie griff zu und leerte sie fast in einem Zug. Sie fühlte sich etwas besser. Endlich entdeckte sie auch die Tür. Sie war die ganze Zeit vor ihrer Nase gewesen. Fiona drückte die Klinke hinunter, aber es war abgeschlossen. Sie stemmte sich dagegen, doch die Tür gab keinen Zentimeter nach. Wütend trat sie gegen die Tür, die erstaunlich stabil schien. Sie versuchte es mit der Bretterwand, die jedoch genauso wenig nachgab. Wiederholt blickte sie sich um. Es wurde immer dunkler. Sie dachte an die Gartenwerkzeuge draußen vor der Tür. Wenn sie bloß einen Spaten oder eine Hacke hätte, dann wäre sie ganz schnell im Freien. Wieder fragte sie sich, was sie überhaupt hier tat. Die Antwort vernahm sie, als es an der Tür klopfte.

14

»Geh nicht ran«, bat Taylor und wanderte mit den Fingern über die empfindlichsten Stellen ihres Körpers. Laura lächelte und wand sich aus seinen Armen.

»Ich muss. Das ist vermutlich Simon Fischer«, murmelte sie bedauernd und griff nach ihrem Handy, das unablässig klingelte. Sie hatte am Abend zuvor noch länger im Internet recherchiert, nachdem ihr der Gedanke gekommen war, Woikow könnte noch weitere Diskotheken betreiben. Doch sie war nicht fündig geworden. Deshalb hatte sie eine Nachricht an Simon Fischer gesendet. Der Computerspezialist konnte ihr die Antwort höchstwahrscheinlich liefern. Gespannt hob Laura ab.

»Sie hatten genau den richtigen Riecher.« Simon plapperte wie gewohnt drauflos. »Woikow besitzt nicht nur das Darko, sondern auch noch eine kleinere Diskothek namens Fever. Ich bin sämtliche verfügbaren Innenaufnahmen durchgegangen. Kann sein, dass Opfer Nummer drei dort fotografiert wurde. Zwei, drei Fotos deuten darauf hin. Ich bin mir allerdings nicht ganz sicher, wir sollten das dringend überprüfen.«

»Das habe ich mir gedacht. Danke. Wir sehen uns gleich zur Einsatzbesprechung.« Laura legte auf und überlegte. Wenn sie eine Verbindung zwischen Woikow und dem dritten Opfer herstellen konnten, dann vielleicht auch zum ersten. Sie durfte Woikow jedoch auf keinen Fall aufschrecken. Der Mann log, dass sich die Balken bogen. Sie musste ihn überrumpeln, um der Wahrheit auf die Spur zu kommen. Sie wollte sich das Fever sofort ansehen. Aber was, wenn Woikow auch seine Mitarbeiter im Fever längst instruiert hatte? In diesem Fall nützte es überhaupt nichts, dort überraschend aufzutauchen. Daher beschloss Laura, den Besuch der Diskothek auf den Abend zu verschieben, sie wollte Woikow nicht um Zutritt bitten. Und möglicherweise hatten sie im Fever doch mehr Glück als im Darko. Also zog sie sich an und fuhr ohne Umwege ins Büro.

Der Besprechungsraum war bereits voll mit Kollegen besetzt, als Laura eintraf. Zufrieden stellte sie fest, dass auch die Psychologin Susanne Niemeyer anwesend war. Sie gesellte sich zu Max, der vorn am Whiteboard lehnte, auf dem die Gesichter der drei Opfer zu sehen waren. Juliane Klopfer, Melinda Bachmann und eine noch unbekannte Tote. Auf einer zweiten Tafel hatte Max vier Namen notiert. Ganz oben stand der Name Alexander Woikow, Diskothekenbesitzer, gefolgt von dem Kellner Tom Eckert und dem Türsteher Igor Koslow sowie dem Freund von Juliane Klopfer, Marc Benton.

Max nickte Laura zu. Sie atmete kurz durch und blickte freundlich in die Runde.

»Herzlich willkommen zu unserer Einsatzbesprechung. Bevor wir in die Details einsteigen, möchte ich

Ihnen Frau Doktor Susanne Niemeyer vorstellen. Sie ist Psychologin und hat das LKA in den vergangenen Jahren mehrfach erfolgreich unterstützt. Ich freue mich sehr, dass wir sie für unseren aktuellen Fall als Unterstützung hinzugewinnen konnten.«

Sämtliche Augen richteten sich auf die Psychologin, die mit überschlagenen Beinen ganz hinten in der Ecke neben Joachim Beckstein saß. Sie lächelte, ließ ihren Blick über die Anwesenden schweifen und schaute dann nach vorn zu Laura und Max.

Laura nahm ihren Gesprächsfaden wieder auf und fasste kurz die wichtigsten Erkenntnisse zu den drei Mordfällen zusammen.

»Wir haben es mit einem Täter zu tun, der wahrscheinlich immer schneller agiert und bisher keine verwertbaren Spuren hinterlässt. Zwischen dem ersten und zweiten Mord sind zehn Tage vergangen, das dritte Opfer wurde vier Tage später erschossen. Ich brauche Ihnen nicht auszurechnen, dass wir zügig Ergebnisse liefern müssen, um den Täter zu schnappen.« Laura deutete auf den Namen Marc Benton und richtete den Blick auf eine sehr schlanke Kollegin, die blass und unscheinbar am Fenster saß.

»Martina, was wissen wir über den Freund des ersten Opfers Juliane Klopfer?«, fragte Laura.

Martina Flemming sah sich unsicher um und erhob sich dann langsam.

»Team eins konzentriert sich auf das Umfeld der Opfer. Wir haben mit Juliane Klopfer begonnen und in diesem Zusammenhang sämtliche Angaben von Marc Benton, dem Freund, überprüft. Der erste Mord wurde ursprünglich von der Kriminalpolizei bearbeitet. Wir konnten keine Unstimmigkeiten feststellen. Marc Benton wurde gestern erneut befragt. Seine Aussage entspricht weitestgehend der vorherigen. Er hat sich in keinerlei Widersprüche verstrickt und sein Alibi konnte durch die Videoaufnahme einer Tankstelle in seiner Nachbarschaft untermauert werden. Wir sind der Frage nach dem schwarzen Abendkleid nachgegangen.« Martina Flemming machte eine kurze Pause und deutete auf das Whiteboard mit den Namen der Opfer.

»Marc Benton hat ausgesagt, dass es neu war. Juliane Klopfer hat dieses Kleid also am Abend ihrer Ermordung zum ersten Mal getragen. Das bedeutet, dass das Foto von Juliane am Tatort in dieser Nacht aufgenommen wurde und nicht vorher.« Die Polizistin hielt abermals inne und wartete, bis Max ihre Information auf dem Whiteboard notiert hatte, dann fuhr sie fort: »Die Eltern von Juliane Klopfer konnten uns keine neuen Informationen liefern. Bisher haben wir auch keine Verbindung zwischen dem ersten und dem zweiten Opfer gefunden. Sie schienen sich nicht gekannt zu haben. Juliane Klopfer war zweiundzwanzig Jahre alt und arbeitete als Zahnarzthelferin, Melinda Bachmann war vierundzwanzig Jahre alt und als Studentin der Chemie eingeschrieben. Ihre Wohnungen liegen dreißig Minuten voneinander entfernt, ebenso wie die Diskotheken, die sie aufgesucht hatten. Die Befragungen von Verwandten und Bekannten des zweiten Opfers sind für heute und morgen angesetzt. Die beiden Wohnungen wurden versiegelt, die Spurensicherung dauert an.«

»Vielen Dank«, sagte Laura, nachdem sich Martina Flemming wieder gesetzt hatte. »Bitte erkundigen Sie sich bei der besten Freundin von Melinda Bachmann ebenfalls nach deren Kleid. Sollte sich herausstellen, dass auch sie am Abend ihrer Ermordung fotografiert wurde, könnte man daraus schließen, dass der Täter seine Opfer spontan auswählt und sie im Vorfeld nicht beobachtet. Was uns die Suche nach Zeugen natürlich erheblich erschweren würde.« Sie hielt inne, denn Susanne Niemeyer meldete sich zu Wort.

»Ich habe mir inzwischen einen groben Überblick verschafft und kann diesen Eindruck nur bestätigen. Der Aktionsradius des Täters ist außergewöhnlich groß. Normalerweise agieren Täter gerne in ihrem gewohnten Umfeld, das verleiht ihnen Sicherheit. Doch in unserem Fall liegen nicht nur die Diskotheken, in denen er seine Opfer aufspürt, weit auseinander, auch der Spandauer Forst befindet sich in beträchtlicher Entfernung von den Diskotheken. Aus meiner Erfahrung heraus würde ich sowohl mehrere Täter als auch eine Frau als Mörder ausschließen. Die Hinterlassenschaften an den Leichen, also der Ring, die Blume und auch das Foto, sind sehr persönlich, nahezu intim. Was auf einen männlichen Einzeltäter hindeutet. Nach meiner Einschätzung handelt es sich um einen ungefähr fünfundzwanzig- bis fünfunddreißigjährigen Mann mit überdurchschnittlicher Intelligenz und ausgeprägter Disziplin. Er könnte Schwierigkeiten haben, sich zu binden, deshalb erschießt er seine Opfer aus der Entfernung. Ich denke, dass wir es mit einem ungebundenen Mann zu tun haben, der eher ein Einzelgänger ist. Er hat ein starkes Bedürfnis nach Kontrolle, aus diesem Grund betäubt er seine Opfer, sobald er sie in seiner Gewalt hat. Den Spandauer Forst kennt er höchstwahrscheinlich sehr gut, ansonsten würde er die Opfer fesseln und niemals frei laufen lassen. Dass er auch in dieser unübersichtlichen Szenerie die volle Kontrolle behält, zeigt der immer gleiche Schuss in den Rücken, der mit Präzision das Herz trifft. Er vergeht sich offenbar nicht sexuell an den Frauen. Trotzdem markiert er mit einem Ring und einer Blume seinen Besitz, was – wie schon erwähnt – eine sehr persönliche Handlung ist. Ich habe mir die Bedeutung der unterschiedlichen Blüten im Volksmund einmal angesehen. Im Ergebnis dreht sich alles um die Liebe. In der Blumensprache steht das Vergissmeinnicht für die wahre Liebe, das Veilchen für Geduld und die Margerite verrät, ob die eigene Liebe erwidert wird.« Susanne Niemeyer warf erneut einen Blick in die Runde, wie um zu prüfen, ob ihr noch alle zuhörten. Dann fuhr sie fort: »Ich habe bisher keine Erklärung dafür, warum er ein Foto neben die Leiche legt, auf dem das Opfer noch lebt. Der Übergang zwischen Leben und Tod scheint ihn zu faszinieren. Ich vermute, dass er zwar dieses eine Foto am Tatort zurücklässt, für sich selbst jedoch ebenso welche anfertigt. Er hängt sie vielleicht in seinem Schlafzimmer oder irgendwo in seiner Wohnung auf. Ich denke, dass diese Aufnahmen eine Art Trophäe sind.«

»Aber widerspricht es seinem Kontrollbedürfnis nicht, dass er alle drei Frauen in verschiedenen Diskotheken ausgewählt hat?«, gab Max zu bedenken. Er hatte während Niemeyers Vortrag das Täterprofil auf der Tafel mit den Verdächtigen notiert und drehte sich fragend zu der Psychologin um.

Susanne Niemeyer wackelte bedächtig mit dem Kopf. »Ich glaube nicht. Er schlägt nur dann zu, wenn die Gelegenheit für ihn perfekt ist. Er ist zu klug, um jedes Mal am gleichen Ort zuzuschlagen. Nur so kann er vermeiden, dass irgendjemand ihn wiedererkennt. Ich könnte mir vorstellen, dass er viele Nachtklubs besucht, aber längst nicht jedes Mal zuschlägt. Das könnte auch die unterschiedlichen Zeitabstände erklären.«

Laura machte sich sofort eine Notiz. Das war eine

interessante Sichtweise, die ihr allerdings Kopfzerbrechen bereitete. Der Killer war damit unberechenbar. Sie bedankte sich bei Susanne Niemeyer für die Ausführungen und bat Simon Fischer aus Team zwei um eine kurze Zusammenfassung ihrer neuen Erkenntnisse. Er berichtete, dass die Funkzellenauswertung zum ersten und dritten Opfer bisher keine Erfolge erbracht hatte. Das Handy von Juliane Klopfer war zum letzten Mal in der Diskothek eingeloggt gewesen und seitdem ausgeschaltet und somit unauffindbar. Für das dritte Opfer fanden sich keine übereinstimmenden Handynummern im Gebiet rund um die Diskothek Fever und auf der Route bis in den Spandauer Forst. Vermutlich hatte der Täter die Handys abgestellt.

»Ich habe auch das Handy von Alexander Woikow ausgewertet.« Simon Fischer hob bedauernd die Schulter. »Der Mann hatte es allerdings in den fraglichen Zeiträumen nicht an oder befand sich jedes Mal in einem Funkloch.«

»Wir können also nicht feststellen, ob er sich jemals im Spandauer Forst aufgehalten hat?«, fragte Laura sicherheitshalber noch einmal nach. Simon Fischer schüttelte frustriert den Kopf.

Peter Meyer aus Team drei hob die Hand. »Wir haben etwas Interessantes über Alexander Woikow herausgefunden. Er besitzt offiziell einen Jagdschein, und nicht nur er, auch dieser Kellner Tom Eckert.«

Sofort fügte Max auf dem Whiteboard die Information hinzu. »Und was ist mit diesem Türsteher?«

»Igor Koslow? Nein, der ist noch nicht lange in Deutschland. Ist vor knapp sechs Monaten nach Berlin gekommen. Hat vorher in der Nähe von Moskau gelebt. Viel ist über ihn nicht herauszubekommen. In seiner Zeit in Deutschland ist er jedenfalls polizeilich nicht in Erscheinung getreten.«

»Okay«, sagte Laura und blickte in die Runde. »Die weiteren Aufgaben für die drei Teams sehen wie folgt aus: Team eins macht mit der Umfeldanalyse weiter. Ich will mir mit Max die Wohnungen der ersten beiden Opfer ansehen. Geben Sie Bescheid, sobald wir reinkönnen. Simon Fischer fährt mit der Analyse der Überwachungsvideos fort. Vom Fever werden wir bald neue dazubekommen. Und bitte prüfen Sie noch einmal die Vermisstendatenbank. Das Verschwinden der dritten Frau sollte doch langsam jemandem auffallen. Team Nummer drei sieht sich auf der Strecke in den Spandauer Forst nach der Tankstelle um, die Joachim Beckstein erwähnt hat. Wir brauchen unbedingt Zeugen. Sie nehmen sich bitte alle aktiven Jäger im Spandauer Forst vor und grenzen die Liste der Waffenbesitzer auf das von Frau Niemeyer beschriebene Profil ein. Frau Niemeyer, ich werde Sie stets über alle neuen Entwicklungen informieren, damit Sie das Täterprofil weiter präzisieren können. Max und ich sprechen mit den restlichen Mitarbeitern vom Darko und sehen uns heute Abend im Fever um.

Sobald Sie auf eine wichtige Erkenntnis stoßen, möchte ich umgehend informiert werden. Also los. An die Arbeit. Wir haben viel zu tun.«

15

Zwanzig Jahre zuvor

»Junge, verdammt! Was geht hier vor? Du hast geschrien wie am Spieß!« Sein Vater stürzte zu ihm ins Sprechzimmer und riss ihn in die Arme. Er zitterte immer noch am ganzen Leib, und sobald er die Augen nur ein wenig schloss, sah er diese bösen gelben Augen vor sich. Da war ein Monster im Wald gewesen.

»Ich hatte befürchtet, dass es für die Hypnose noch zu früh ist. Wir sollten zuerst diesen schrecklichen Abend langsam aufarbeiten. Stück für Stück. Erst wenn dann gar keine Erinnerungen zurückkommen, würde ich die Hypnose noch einmal einsetzen.«

Sein Vater stöhnte. »Ihnen ist schon klar, in was für einer fürchterlichen Situation wir stecken? Unsere Tochter ist tot, und alles, wirklich alles spricht dafür, dass unser einziger Sohn sie erschossen hat. Wissen Sie, was ich will? Ich will das alles so schnell wie möglich hinter mich bringen. Die Wahrheit muss ans Licht, und dann ist Ruhe.

Unser Sohn ist acht, also nicht straffähig. Was will die verdammte Polizei jeden Tag in unserem Haus?« Er hob die Hände und fuhr sich aufgebracht durch die Haare. »Es war doch ganz offensichtlich ein Unfall. Aber die Polizei durchwühlt geradezu jeden Zentimeter unseres Hauses, gerade so, als wären wir alle Schwerverbrecher. Und jetzt haben sie auch noch überall die Fingerabdrücke meines Sohnes entdeckt. An der Waffe, am Schrank und dummerweise auch am Schlüssel. Zum Schluss behaupten sie noch, ich hätte ihn an der Waffe ausgebildet, oder schlimmer, dass ich Emma erschossen hätte. Verflixt. Das ist alles zum Verrücktwerden.«

So hatte er seinen Vater noch nie erlebt. Während sie am Morgen einen heftigen Streit gehabt hatten, sah er nun völlig verzweifelt aus. Eine Träne lief seinem Vater über die Wange und er wischte sie sofort weg.

Doch er hatte sie gesehen. Es ging ihm schlecht. Verdammt schlecht.

»Ich kann Ihnen nur zur Ruhe raten. Was geschehen ist, lässt sich unglücklicherweise nicht mehr rückgängig machen. Sie alle stehen unter Schock. Das ist vollkommen normal. Doch in diesem Zustand sind Sie wirklich nicht in der Lage, die Situation vernünftig einzuschätzen. Sie sollten es ruhig angehen lassen. Trauern Sie. Verabschieden Sie sich von Ihrer kleinen Tochter. Es ist für Ihre gesamte Familie überlebensnotwendig, dass Sie das tun. Sie müssen trauern, um Ihr kleines Mädchen loslassen zu können.«

Das Gesicht seines Vaters verzog sich zu einer Maske aus einzigem Schmerz.

»Emma«, flüsterte er gebrochen und konnte die Tränen nicht mehr zurückhalten. »Sie war mein Ein und Alles. Wie ist es nur möglich, dass sie nicht mehr da ist?« Er blickte ihn an und der Schmerz verwandelte sich in Verzweiflung. Dann folgte diese eisige Härte, mit der er in den letzten Tagen des Öfteren konfrontiert gewesen war. Ein Blick, bei dem ihm das Blut in den Adern gefror. Der ihm sagte, dass er nicht mehr geliebt wurde.

»Ich habe es nicht mit Absicht getan«, brüllte er aus vollem Hals und mit einer Stimme, die er selbst nicht wiedererkannte. »Ich weiß noch nicht mal, wie es überhaupt passiert ist. Vielleicht war ich es gar nicht, sondern das Monster mit den gelben Augen.«

»Verflixt!« Sein Vater hob drohend die Hand, doch Frau Niemeyer warf sich dazwischen und brachte Abstand zwischen ihn und seinen Vater. Er spürte, wie die Tränen in ihm hochschossen, so heftig, dass ihn der Strom beinahe zerriss. Er wünschte, er wäre an Emmas Stelle. Er wollte nicht mehr. Er konnte nicht mehr. Er wollte einfach nicht mehr leben.

Frau Niemeyer verfrachtete ihn auf den Sessel gegenüber. Sein Vater schnaufte und setzte sich auf die Couch.

»Sie sollten sich keine Vorwürfe machen. Die Dinge werden dadurch nicht wieder gut. Sie drei sind eine kleine Familie, und Sie alle brauchen sich jetzt. Sonst können Sie diesen schrecklichen Verlust nicht überwinden. Verstehen Sie mich nicht falsch. Der Tod Ihrer Tochter wird Sie für immer begleiten, aber Sie müssen nicht daran zerbrechen, es gibt Wege, damit zu leben.«

Sein Vater machte eine abfällige Handbewegung. »Ich halte nicht viel von diesem Psychokram. Was für ein Monster hat er denn bloß gesehen? Womöglich meint er die Waffe?«

Frau Niemeyer schüttelte traurig den Kopf und sah ihn an. »Ich möchte mich kurz allein mit deinem Vater unterhalten. Könntest du bitte schon mal rausgehen und warten? Dein Vater kommt gleich und dann darfst du nach Hause. Okay?«

Er nickte zögernd. In seinem Magen lagen plötzlich Steine, denn er ahnte, dass sie nun etwas Schlimmes sagen würde. Langsam schlich er aus dem Raum.

Zum Glück war die Vorzimmerdame gerade in der Mittagspause. Er presste das Ohr ganz fest an die Tür, sodass er jedes Wort mithören konnte.

Frau Niemeyer sprach als Erste: »Es ist durchaus möglich, dass in den Erinnerungen Ihres Sohnes die Waffe durch das Monster ersetzt wird. Kinder haben viel Fantasie. Mich wundert nur, warum ausgerechnet ein Monster, und dann noch eines mit so bösen gelben Augen. Sein Schreien, die ganze Situation fühlte sich für mich eher so an, als hätte er große Angst gehabt.«

»Hören Sie«, fuhr sein Vater wieder dazwischen. »Vielleicht starten wir noch einen Versuch. Es wäre doch besser, der Junge würde sich endlich erinnern. Dann gibt auch Herr Wesermann hoffentlich bald Ruhe. Die Kripo hätte ihre Sache erledigt und in unser Familienleben könnten wieder Frieden und der normale Alltag einkehren.«

»Es geht hier nicht um die Kripo. Ihr Sohn ist zweifelsfrei nicht schuldfähig. Zudem ist es meine Aufgabe, ihm zu helfen und ihn zu heilen. Trotzdem wird sich das Jugendamt einschalten. Möglicherweise werden sie auf Basis meiner Begutachtung entscheiden, was für Ihr Kind das Beste ist.« Sie machte eine Pause. Er presste sein Ohr noch stärker an die Tür und hielt unwillkürlich den Atem an. »Schlimmstenfalls wird er aus der Familie genommen.«

»Was? Soll das heißen, das Jugendamt würde versuchen, ihn in ein Heim zu stecken?«, fragte sein Vater aufbrausend.

Heim? Das war zu viel. Er drehte sich um und rannte aus der Praxis. In ein Heim? Das kam überhaupt nicht infrage, und das alles nur wegen Emma? Verdammt, sie brachte ihm immer nichts als Ärger ein!

16

L aura blickte sich in dem aufgeräumten Appartement um. Es war nicht groß und auch nicht hochwertig, aber dafür umso liebevoller eingerichtet. Von einem Bild im Schlafzimmer strahlte sie Juliane Klopfer an. Neben ihr lächelte Marc Benton in die Kamera.

»Wir haben jeden Zentimeter abgesucht, konnten jedoch nichts finden. Alle Spuren stammen vom Opfer, ihrem Freund oder ihrer Mutter.«

Laura seufzte und sah die Mitarbeiterin der Spurensicherung an. »Was ist mit ihrem Handy und der Handtasche?«

»Nichts. Weder hier in der Wohnung noch am Tat- und Fundort. Das Waldgebiet wurde großflächig durchkämmt. Vielleicht hat der Täter die Sachen mitgenommen oder woanders entsorgt.«

Max, der die ganze Zeit telefoniert hatte, warf Laura einen frustrierten Blick zu. »Simon Fischer hat mir gerade berichtet, dass sich auf dem Computer von Juliane Klopfer nichts Brauchbares findet. Sie scheint ihren Mörder nicht gekannt zu haben, und wenn er sie im Vorfeld beobachtet hat, ist es ihr offensichtlich nicht aufgefallen. Simon Fischer hat sämtliche Chats und E-Mails mit Freunden und Verwandten durchforstet. Er konnte genauso wenig herausfinden wie die Kollegen, die ihre Bekannten befragt haben. Es sieht wirklich so aus, als wäre sie ihrem Mörder zum ersten Mal in der Disco über den Weg gelaufen.«

»Und keine Spur zu Woikow oder seinen Männern?« Laura durchstöberte den Kleiderschrank. Viele Jeans und haufenweise T-Shirts türmten sich übereinander. Daneben hingen fünf oder sechs Kleider, alle für einen nächtlichen Discobesuch geeignet.

»Nein. Sieht nicht so aus«, erwiderte Max und nahm sich eine Tüte aus der Asservatenbox vor. »Was ist mit diesen Unterlagen? War darunter etwas Wichtiges?«

Die Mitarbeiterin der Spurensicherung zuckte mit den Schultern. »Die Papiere haben wir noch nicht gesichtet. Die haben wir aus der Kommode im Flur sichergestellt. Anscheinend hat die Frau stets sämtliche Kaufbelege akribisch aufbewahrt.«

Max zog sich Gummihandschuhe an und begann, in dem Haufen zu wühlen. Laura blätterte durch ein Fotoalbum, das sie auf einem Regal neben dem Bett gefunden hatte.

»Was hatte ihr Freund eigentlich noch einmal bei seiner Vernehmung über die Diskothekenbesuche erzählt?«, wollte Laura wissen, während sie die Bilder betrachtete.

»Er hat ein paar Klubs erwähnt. Das Darko oder das Fever waren nicht darunter, das wäre mir sofort aufgefallen«, sagte Max und runzelte plötzlich die Stirn. »Was ist denn das?« Er zog ein schwarzes Papier aus dem Haufen hervor. »Das ist ein Gutschein und jetzt rate mal, wofür?«

Laura klappte das Fotoalbum zu und musterte Max' Fund. »Fürs Darko. Ich glaube es ja nicht. Wurde der eingelöst?«

»Gute Frage«, murmelte Max. »Hier ist nur ein QR-Code zum Scannen. Warte mal. Ich habe da so eine App auf meinem Handy.« Er zog das Telefon aus der Tasche und wischte ein paarmal über das Display, bis ein Piepton erklang.

»Sieh dir das an. Juliane Klopfer hatte einen Eintrittsgutschein für den Abend, an dem sie angeblich mit ihrem Freund im Moonlight in der Schönhauser Allee unterwegs war. Kein Wunder, dass Simon Fischer mit der Funkzellenauswertung keinen Erfolg hatte. Die Frau war möglicherweise ganz woanders, nämlich im Darko.«

Laura blieb für einen Moment die Sprache weg. In ihrem Kopf überschlugen sich die Gedanken.

»Aber das Foto, das bei ihrer Leiche gefunden wurde, zeigt sie doch im Moonlight. Wie kann das sein?«

Max zuckte mit den Achseln. »Keine Ahnung. Simon Fischer sollte sich das nochmals ansehen. Womöglich hat die Kripo sich geirrt oder der Täter hat sie im Moonlight fotografiert und dann bis ins Darko verfolgt.«

Laura schloss für einen Moment die Augen und dachte nach. »Also gut, spielen wir den Fall einmal durch. Nehmen wir an, der Täter hätte sie im Darko geschnappt. Käme das zeitlich hin? In der Vernehmung hat Marc Benton angegeben, dass er sich vor dem Moonlight von Juliane verabschiedet hätte. Das war etwa um halb zwölf. Wenn Juliane anschließend alleine ins Darko gefahren ist, wäre sie gegen Mitternacht dort eingetroffen.« Laura rieb sich die Schläfen. »Du hast recht, Max. Der Täter hätte in diesem Fall genügend Zeit gehabt, sie auch von dort zu entführen. Laut Obduktionsbericht wurde sie zwischen drei und vier Uhr morgens erschossen. Wir müssen herausfinden, ob dieser Gutschein eingelöst wurde. Außerdem müsste Juliane Klopfer in diesem Fall auf den Videoaufnahmen des Darko zu sehen sein. Möglicherweise ist sie ebenfalls mit dem Täter durch den Hinterausgang raus. Und falls wir Glück haben, dann schaut der Kerl vielleicht sogar in die Kamera.« Und wir hätten eventuell wieder eine Verbindung zu Woikow, fügte sie in Gedanken hinzu. Sie blickte auf die Uhr. »Das Fever macht in einer halben Stunde auf. Wir sollten uns nach dem dritten Opfer umhören und Simon Fischer soll sich die Aufnahmen der Überwachungskameras von dem Tag besorgen.« Sie sah Max an und verzog das Gesicht. »Jetzt sag mir bitte nicht, du musst nach Hause.«

Max rollte mit den Augen. »Du weißt ja nicht, wie das ist, wenn man eine Familie hat. Ich kann mich nicht einfach so abseilen. Ich bin Polizist und kein reicher Manager, der für sein Geld auch gerne mal die Nacht dranhängt. Wir können uns kaum die Wohnung in der Stadt leisten. Ich kann Hannah nicht weismachen, bei dem Gehalt ständig Überstunden zu schieben.« Er seufzte und hob abwehrend die Hände. »Okay. Ich rufe sie kurz an und komme mit.«

Laura sah, wie sich sein Rücken durchdrückte, als er mit Hannah telefonierte. Es hatte eine Zeit gegeben, da mochte sie seine Frau nicht besonders. Sie hatte Max betrogen, ausgerechnet mit Ben Schumacher, dem Leiter des Kriminallabors. Sie hatte Max sehr wehgetan. Aber seit diesem Fehltritt schien sie zu ihm zu halten. Laura schwankte, was ihre Sympathie für Hannah betraf. Im Moment jedenfalls verfluchte Laura sie, denn Max hatte offenkundig große Schwierigkeiten, ihr beizubringen, dass er länger arbeiten musste. Verdammt noch mal. Warum ließ er sich nur so von dieser Frau einwickeln? Er war Ermittler. Sie konnte doch nicht ernsthaft davon ausgehen, dass alle Uhren dieser Welt nach ihrem Zeitplan tickten. Das Böse konnte in jedem Augenblick geschehen, es machte keinen Feierabend und nahm schon gar nicht Rücksicht auf das Familienleben.

»Okay. Gehen wir«, sagte Max mit hochrotem Kopf und schob sein Handy zurück in die Hosentasche.

Laura verzichtete darauf, ihn auf Hannah anzusprechen. Die Stimmung zwischen ihnen war in letzter Zeit schlecht genug. Sie fuhren schweigend bis zum Fever, das unweit des Alexanderplatzes lag. Erst auf dem Parkplatz fand Max seine Stimme wieder.

»Ich hoffe, unser Ausflug lohnt sich«, sagte er und inspizierte das heruntergekommene Gebäude, in dem sich das Fever befand. »Hat ja keine große Ähnlichkeit mit dem Darko«, murmelte er und fasste Laura bei der Hand.

»Was soll das?« Sie zog irritiert den Arm zurück.

Max' Augenbrauen schnellten in die Höhe. »Hast du mir nicht lang und breit erklärt, dass wir Woikow überrumpeln wollen? Wenn wir da als Polizisten reingehen, weiß er in drei Sekunden Bescheid. Und selbst falls er gar nicht anwesend ist, werden seine Leute ihn sofort anrufen.« Er streckte die Hand erneut aus und grinste. »Außerdem kennst du mich, oder hast du schon vergessen, wie es zwischen uns war?«

Laura schluckte und ergriff trotzig Max' Finger. Das Letzte, was sie jetzt wollte, war, über ihre Affäre zu sprechen. Dieses Thema gehörte lange der Vergangenheit an.

Obwohl es erst kurz nach halb neun war, warteten bereits etliche Teenager auf Einlass. Das Durchschnittsalter lag deutlich unter dem der Besucher des Darko oder Moonlight. Die Eintrittspreise vermutlich auch. *Für*

Frauen heute kostenlos, las Laura auf einer rot blinkenden Tafel über dem Eingang. Tatsächlich zeigte dieses Angebot Wirkung, denn in der Warteschlange tummelten sich auffallend mehr Mädchen als Jungen. Von Männern oder Frauen wollte sie nicht reden. Kaum einer dieser Teenager schien volljährig zu sein. Sie musterte ein paar Mädchen, die kichernd an einer Zigarette zogen und dabei unablässig auf ihre Handys starrten.

»Die sind doch höchstens fünfzehn«, flüsterte sie Max ins Ohr. »Wir sollten das melden.«

»Ja, aber erst, nachdem wir uns umgesehen haben. Sieh dir mal den Türsteher an. Der winkt alles rein, was vor der Tür steht. Er müsste sich eigentlich den Ausweis zeigen lassen.«

Laura nickte. Der Laden lief nicht rund. Jedenfalls nicht in den Augen des Jugendschutzes. Das würde sie Woikow brühwarm unter die Nase reiben. Als sie direkt vor dem Eingang standen, senkte Laura den Kopf. Der Türsteher zögerte für den Bruchteil einer Sekunde. Dann ließ er sie durch. Max zahlte den Eintritt. Sie bekamen beide neongelbe Stempel auf den Handrücken und gelangten durch einen runden, schwarzen Tunnel in den Klub. Im Gegensatz zur äußeren Hülle des Gebäudes machte das Innere der Disco keinen heruntergekommenen Eindruck. Vielleicht lag das an dem grellen Neonlicht, das im Sekundentakt aufblitzte und die Farben änderte. Der schnelle Rhythmus der Musik und die satten Bässe kribbelten in Lauras Unterbauch. Es war ohrenbetäubend laut. Eine Nebelwolke fiel von oben auf sie herab, und für einen Moment konnte sie nichts mehr erkennen außer den bunten Laserstrahlen, die den Dunstschleier zerschnitten. Sie wartete ab, bis sich der Nebel wieder verzogen hatte, und holte das Foto des dritten Opfers hervor.

»Sieht irgendwie völlig anders aus.« Laura musterte enttäuscht die in Schwarz gehaltenen Wände. Auf dem Foto glitzerte der Hintergrund in goldenen Nuancen.

»Dahinten geht es zu einer Treppe«, sagte Max dicht an ihrem Ohr und deutete auf eine offene Doppeltür am Ende des Raumes, die mit einem grün beleuchteten Treppensymbol markiert war. Sie kämpften sich durch die tanzenden Teenager und erreichten ein graues Treppenhaus, dessen Wände über und über mit Graffiti besprüht waren. Oben angekommen warf Laura nur einen kurzen Blick auf die Tanzfläche, die noch nicht sonderlich gut gefüllt war. Aus den Lautsprechern dröhnte Neunzigerjahre-Musik, die offenbar bei der aktuellen Teenagergeneration nicht besonders ankam. Außerdem waren die Wände rot angestrichen. Laura erklomm die nächste Treppe und entdeckte schon von Weitem die goldenfarbenen Wände.

»Hier muss es sein«, sagte sie zu Max und hielt das Foto hoch, um die richtige Stelle im Raum zu finden. Sie marschierte auf die Tanzfläche zu und blieb am Rand stehen.

»Hier ist es.« Sie drehte sich zu Max um und bemerkte, dass er ihr gar nicht gefolgt war. Er verharrte am Eingang und starrte regungslos zur Bar. Laura folgte seinem Blick und stieß die Luft aus. Woikow! Der Mann mit den gegelten Haaren saß am Tresen und flirtete mit einer vollbusigen Blondine. Blitzschnell wandte Laura sich ab. Er sollte sie auf keinen Fall bemerken. Sie wollte zuerst seine Angestellten nach dem dritten Opfer befragen in der Hoffnung, dass Woikow sie noch nicht vorgewarnt hatte. Sie huschte an der Tanzfläche vorbei zurück zum Treppenhaus.

»Hat er mich entdeckt?«, fragte sie Max, der sich so positioniert hatte, dass Woikow ihn nicht sehen konnte.

»Ich denke nicht. Der Mann ist schwer beschäftigt. Hat der eigentlich noch was anderes im Kopf als Frauen?« Max verzog abfällig das Gesicht. »Ich hoffe, dass er sich bald mal verzieht. Wir sollten uns den Barkeeper vornehmen.«

»Vielleicht fangen wir lieber in der ersten Etage an. Wir wollen ja sowieso jeden Mitarbeiter sprechen«, schlug Laura vor und warf einen letzten Blick auf die Tanzfläche. »Ich bin sicher, dass unser Opfer auf dieser Bühne fotografiert wurde.«

Sie stürmten die Treppen hinunter, so gut es ging, denn sie mussten sich an zahlreichen Teenagern vorbeischlängeln, die in die oberen Etagen drängten. Im Erdgeschoss war es inzwischen ebenfalls voller geworden. Die Besucherschar glich einem Ameisenhaufen. Max lief voraus, sodass Laura hinter seinem breiten Rücken mühelos folgen konnte. Sie hielt dem Barkeeper das Foto entgegen.

»Entschuldigung. Kennen Sie dieses Mädchen?«

Der Mann mit blondem Pferdeschwanz und Ziegenbart runzelte die Stirn.

»Nein, wieso?«

»Danke«, sagte Laura, ohne ihm eine Antwort zu geben. Für ihren Dienstausweis war es noch zu früh. Sie umrundete die Bar und fragte eine Mitarbeiterin, die gerade ein paar Colagläser füllte.

»Kann sein«, entgegnete sie zögerlich, schüttelte jedoch nach einer Weile den Kopf. »Ehrlich gesagt ist es hier immer rappelvoll. Viele Mädels sehen ähnlich aus. Bist du ihre Mutter?«

Laura hatte Mühe, die Augen nicht zu verdrehen. Als Max ihr unauffällig in die Seite knuffte, trat sie ihm mit dem Hacken auf den Schuh.

»Ihre Schwester. Wir suchen sie seit zwei Tagen.«

Die Frau sah sie voller Mitleid an. »Frag doch mal Pierre, der hat ein gutes Gedächtnis. Sag ihm, ich schicke dich. Er steht heute an der Tür. Mein Name ist Nadine.«

»Danke«, erwiderte Laura und machte sofort kehrt.

»Hey, Mom. Nicht so schnell«, flüsterte Max und grinste.

Laura warf ihm einen finsteren Blick zu und wühlte sich durch die Menge zurück zum Eingang. Pierre ließ sich immer noch keine Ausweise zeigen. Laura hielt ihm das Foto vor die Nase.

»Nadine schickt mich zu dir. Ich suche dieses Mädchen. Hast du sie schon einmal hier gesehen?«

Zu Lauras Enttäuschung schüttelte der Türsteher den Kopf. »Heute nicht. Sie kommt meist an den Wochenenden mit einer Freundin hierher.«

»Wie heißt sie?«

Die Augen des Türstehers verengten sich. Zum ersten Mal an diesem Abend betrachtete er einen Gast genauer.

»Das ist Kristin. Wer sind Sie?« Sein Blick war inzwischen zu Max herübergewandert.

»Kristin, und weiter?«, drängelte Laura, doch Pierre schwieg misstrauisch.

»Ihr seid bestimmt Bullen, oder?«, zischte er nach einer Weile und funkelte sie drohend an. »Ihr habt hier keinen Zutritt, oder habt ihr was Schriftliches dabei?«

»Nun bleib mal ganz locker, Kumpel«, erwiderte Max und blickte ihm fest in die Augen. »Wie lautet der Nachname, und wir sind wieder weg.«

»Verdammte Scheiße. Ich weiß nicht, wie sie weiter

heißt, und ich hab ihr auch nichts getan. Kapiert? Als sie rumgezickt hat, habe ich sie aus dem Auto gelassen. Egal, was euch das kleine Miststück erzählt hat.«

»Das ist ja interessant. Sie war also in Ihrem Auto?«

Der durchtrainierte Mann baute sich zu ganzer Größe vor Max auf. »Wir haben ein bisschen rumgeknutscht. Mehr war das nicht. Kapiert? Oder wollt ihr mir hier etwas unterstellen?«

»Das Mädchen ist tot, verflucht noch mal! Und jetzt rücken Sie endlich mit der Sprache raus oder Sie landen gleich heute Abend in einer Gefängniszelle!« Laura hatte sich zwischen die beiden geschoben und blickte den Türsteher böse an.

»Tot?«, fragte er entsetzt und wich einen Schritt zurück. »Kristin? Ich ... Also ich hab nur eine Handynummer von ihr.«

»Her damit«, knurrte Laura und nahm ihm das Handy aus der Hand. Sie wählte die Nummer und hörte die Mailbox ab.

»Ihr Name ist Kristin Jäschke«, sagte sie und notierte die Telefonnummer. »Wann haben Sie Kristin zum letzten Mal gesehen?«

»Ich ... ich weiß nicht mehr«, brummte der Türsteher kreidebleich und verdrehte plötzlich die Augen. Der riesige Mann sackte in sich zusammen.

»So ein Mist«, schimpfte Max und fing ihn noch gerade so auf. »Der Kerl ist doch tatsächlich in Ohnmacht gefallen!«

17

Fiona hielt sich die Ohren zu. Etwas Besseres fiel ihr nicht ein. Am liebsten hätte sie auch noch die Augen geschlossen, so wie ein kleines Kind, wenn es sich verstecken will und glaubt, nicht gesehen zu werden. Es klopfte abermals. Ihr rutschte das Herz in die Hose. Hätte sie bloß nicht gegen die Tür getreten. Dann hätte sie niemand gehört und keiner würde nach ihr sehen. Doch es war zu spät. Alles *hätte* oder *würde* half nichts. Jemand stand vor dem Schuppen und pochte energisch dagegen.

Sie verkroch sich in die hinterste Ecke und starrte angsterfüllt auf den Schatten, der die Ritzen zwischen den Holzbrettern verdeckte. Die Tür öffnete sich knarrend. Fiona stieß einen Schrei aus, als sie den großen Mann erblickte, der den Türrahmen komplett ausfüllte.

»Ich bin eingeschlossen«, schluchzte sie. »Bitte lassen Sie mich raus.«

Der Mann trat zurück und verschwand aus ihrem Blickfeld. Verwirrt blickte sie auf die Tür und anschließend nach draußen zu den Bäumen, die am Rand der

Wiese wuchsen. Vorsichtig erhob sie sich und spähte hinaus, nach rechts und links.

Wo war er hin?

Wacklig machte sie ein paar Schritte über die Wiese. Dorthin, wo die Gartengeräte lagen. Die Geräte, die eigentlich in den Schuppen gehörten und – wie sie plötzlich begriff – vermutlich bloß dort herumlagen, weil jemand den Platz im Schuppen brauchte. Platz für sie.

Ängstlich griff sie zu der Spitzhacke. Sollte der Kerl sie angreifen, würde sie sich wenigstens zur Wehr setzen. Sie hievte die schwere Hacke über die Schulter. Wo war sie nur? In welcher Richtung lag die Stadt? Wie um Himmels willen war sie mitten in der Pampa gelandet?

Der Mond hatte seinen Platz am Himmel eingenommen, obwohl es noch nicht ganz dunkel war. Die Dämmerung verwandelte die Baumwipfel in schwarze Schatten, die finster auf sie herabblickten. Fiona erkannte einen Trampelpfad, der über die Wiese führte, hinein in den Wald. Eigentlich wollte sie zurück in die Zivilisation.

»Lauf!«, flüsterte plötzlich etwas in ihr Ohr.

Vor lauter Schreck ließ sie die Hacke fallen und rannte los. So schnell die Beine sie trugen. Sie schaute sich nicht um, sprintete, bis sie keine Luft mehr bekam. Schwer atmend blieb sie stehen und lehnte sich gegen einen Baumstamm. Sie lauschte der Stille des Waldes. Bis auf den eigenen Herzschlag, der in ihren Ohren donnerte, vernahm sie nichts. Fiona blickte sich um. Der Wald verschluckte das Mondlicht. Grässliche Schatten ragten überall auf, nur ein paar Lichtschimmer zeigten ihr schemenhaft die Bäume und das Unterholz. Viel mehr konnte sie nicht erkennen. Ob dieser Mann ihr in der Finsternis auflauerte? Sie hörte den Wind in den Baumkronen rauschen und achtete auf jede Bewegung. Äste ächzten über ihrem Kopf. Irgendwo heulte ein Hund oder ein Wolf. Etwas knackte. Erschrocken zuckte sie zusammen. War er das? Dort hinten vielleicht? Sie starrte in die Richtung und versuchte die Dunkelheit zu durchdringen. Aber es war zwecklos. Fiona vermochte nicht zu unterscheiden, ob da ein Mann stand oder nur ein Baum.

Sie rannte wieder los, die Arme schützend vor dem Gesicht. Sie kämpfte sich durch das Unterholz, ignorierte Dornen und Zweige, die ihr entgegenpeitschten. Erst als ihr erneut die Luft wegblieb, hielt sie einen Moment inne. Doch dieses Mal gönnte sie sich nur ein paar Sekunden Pause und hetzte weiter. Etwas glitzerte vor ihr auf, und im ersten Augenblick dachte sie, dort wäre Licht. Noch ehe sie realisieren konnte, dass es der Mond war, der sich im Wasser spiegelte, verlor sie den Halt unter ihren Füßen. Sie stürzte eine Böschung hinunter und landete platschend in einem Gewässer. Eine Strömung riss sie mit sich, zog sie nach unten auf den Grund. Sie öffnete die Augen und sah, wie die Luftperlen aus ihrem Mund hinauf ins Mondlicht tanzten. Für einen Moment verharrte sie regungslos, aber dann kehrte ihr Überlebenswille zurück. Sie schwamm an die Oberfläche und japste nach Luft. Sie ruderte gegen den Strudel an, der sie vom Ufer wegtrieb. Langsam verließen sie die Kräfte. Sie schluckte Wasser, keuchte und wurde erneut nach unten gerissen. Irgendwie kämpfte sie sich wieder hinauf. Ein Ast trieb neben ihr im Wasser. Sie griff danach. Vergeblich. Sie bekam ihn nicht zu fassen. Plötzlich krachte sie gegen etwas Hartes. Eine kräftige Hand packte ihren Arm und zog sie aus dem Wasser. Sie landete triefend im Uferschlamm. Vor ihren Augen hüpften grelle Blitze. Sie atmete hektisch. Jemand hob sie hoch und schlug ihr sanft auf den Rücken. Fiona übergab sich und ließ sich völlig kraftlos zu Boden sinken. Erst nach und nach begriff sie, dass sie noch lebte. Sie konnte ihr Glück gar nicht fassen. Dankbar blickte sie zu ihrem Retter auf, einem schwarzen Schatten, der über ihr verharrte.

Ein Schatten, der riesig wirkte.

So riesig wie der Mann vor dem Schuppen.

›Warum hat er mich gerettet?‹, fragte sie sich.

Im selben Moment beugte er sich zu ihr hinunter und flüsterte:

»Lauf!«

18

»Das dritte Opfer heißt Kristin Jäschke, einundzwanzig Jahre alt, Angestellte in einer Bäckerei, ledig, laut Aussage der Eltern derzeit nicht liiert. Ihr Bruder hat sich bei der Bundeswehr verpflichtet. Sie hatte sich ein paar Tage freigenommen, deshalb hat sie keiner ihrer Kollegen vermisst und die Eltern erwarteten ihren Besuch erst wieder am Wochenende.« Laura machte eine kurze Pause, denn das aschfahle Gesicht von Kristins Mutter geisterte immer noch durch ihren Kopf. Nachdem sie in der Nacht den Türsteher Pierre Gardon zuerst verarztet und dann befragt hatten, war Alexander Woikow unauffindbar gewesen. Laura hatte sich die dralle Blondine geschnappt, mit der er geflirtet hatte. Doch die Frau stand unter so massivem Alkoholeinfluss, dass sie zu keiner vernünftigen Auskunft mehr fähig war.

Immerhin kannten sie jetzt die Identität des dritten Opfers. Gleich am frühen Morgen hatten sie die Eltern des Mädchens besucht, die ihre Tochter zweifelsfrei anhand des Fotos identifiziert hatten. Kristins Mutter befand sich seitdem in ärztlicher Betreuung. Da weder sie noch ihr Ehemann Kristin bis dahin vermisst hatten, war die Nachricht mehr als ein Schock für sie gewesen. Laura hatte mit ansehen müssen, wie zwei Menschen vor ihren Augen innerlich zerbrachen. Dort, wo eben noch das Leben strahlte, hatte etwas Stumpfes, Dunkles von ihnen Besitz ergriffen. Eine Leere, die nie wieder ausgefüllt werden konnte. Ein Schmerz, der vielleicht im Laufe der Zeit erträglicher wurde, jedoch für immer blieb. Ein Teil von Kristins Eltern war heute Morgen mit ihr gestorben. Das Leben, so wie sie es vorher kannten, war ein für alle Mal vorbei. Laura schluckte und drängte die traurigen Bilder beiseite.

»Und diese Disco, das Fever, gehört ebenfalls Alexander Woikow?«, fragte Joachim Beckstein, der Laura, Max und die Köpfe der drei Teams zu einer kurzen Einsatzbesprechung in sein Büro beordert hatte. Er saß kerzengerade aufgerichtet hinter seinem Schreibtisch und sah hoch konzentriert in die Runde. Vermutlich saß ihm die Innensenatorin Marion Schnitzer längst wieder im Nacken.

Als Laura dies bejahte, blickte Beckstein zu Simon Fischer hinüber, der zwischen Max und Peter Meyer aus Team drei Platz genommen hatte. Die schmächtige Martina Flemming hatte sich dahinter in die zweite Reihe verkrochen.

»Was ist mit Aufnahmen aus Überwachungskameras? Das Fever hat doch sicherlich welche?«

Simon Fischer nickte. »Das ist richtig. In der Kürze der Zeit habe ich die Kameraaufnahmen nur überflogen. Bisher konnte ich leider nichts Auffälliges entdecken. Kristin Jäschke ist kurz vor zweiundzwanzig Uhr im Fever eingetroffen. Es gibt einen Notausgang, der unglücklicherweise nicht von einer Kamera überwacht wird. Wahrscheinlich hat sie das Gebäude durch diesen Ausgang verlassen, denn ich konnte sie auf keiner einzigen Aufnahme mehr finden.«

»Was ist mit den Aufzeichnungen vom Darko und dem Gutschein, den wir bei Juliane Klopfer gefunden haben?« Laura brauchte eine Verbindung von Alexander Woikow zu allen drei Opfern.

»Tut mir leid. Da war überhaupt nichts zu machen. Die Videos werden nach achtundvierzig Stunden überschrieben. Und die Gutscheine sind nicht personalisiert. Sie wurden in einem Einkaufszentrum verteilt. Vermutlich hat das Opfer sich die Karte aufs Handy hochgeladen, aber auch das kann ich nicht beweisen, denn Telefon und Handtasche sind bis heute verschwunden.«

»Und die einzige Aufnahme, die vielleicht den Täter zeigt, ist nicht brauchbar?« Beckstein kritzelte etwas in seinen Notizblock. Er wirkte fahrig und unzufrieden, was beim derzeitigen Stand der Ermittlungen mehr als nachvollziehbar war. Sie hatten drei tote Frauen und keine ausreichenden Beweise, um einen der Verdächtigen festsetzen zu können. Natürlich gehörte Alexander Woikow ganz oben auf die Liste. Er und seine Mitarbeiter Tom Eckert und Igor Koslow. Julianes Freund hatten sie ebenfalls im Visier, auch wenn er als Täter höchstwahrscheinlich nicht in Betracht kam. Und dann war da noch Pierre Gardon, der Türsteher aus dem Fever. Er würde sich zumindest für die sexuelle Nötigung einer Minderjährigen verantworten müssen, sofern sie ihm diese Straftat nachweisen konnten.

»Nein. Wir können anhand des Videomaterials nur vermuten, dass der Täter zwischen eins fünfundachtzig und eins fünfundneunzig groß ist und wahrscheinlich dunkles kurzes Haar hat. Mehr ist im Dunkeln und von hinten nicht zu sehen. Und außerdem muss es sich nicht zwangsläufig um den Täter handeln, es könnte auch jemand anderes sein.«

Joachim Beckstein schnaubte. »Sie wollen mir also weismachen, dass wir überhaupt nichts haben?«

Martina Flemming hob vorsichtig einen Finger. »Entschuldigung. Mir ist da möglicherweise etwas aufgefallen, was von Relevanz sein könnte.«

Alle Augen richteten sich sofort auf die schüchterne Frau, deren Gesichtsfarbe zu einem leuchtenden Rot gewechselt war.

»Sie haben ja in der letzten Einsatzbesprechung gesagt, dass Sie das Handy von Alexander Woikow nicht orten konnten. Also habe ich überlegt, wie man ihn ansonsten aufspüren könnte.« Flemming zuckte unsicher mit der Schulter und hob eine A4-Seite in die Höhe. »Er wurde in der Nacht, als Melinda Bachmann getötet wurde, von einem stationären Blitzer registriert.«

»Wo war das?«, fragte Laura aufgeregt.

»Schönwalder Allee, ungefähr einen halben Kilometer vor dem Spandauer Forst. Das war genau um Viertel vor eins in der Nacht.« Flemming lächelte verkrampft. Niemand sagte etwas. Die Spannung war greifbar. Endlich hatten sie einen konkreten Anhaltspunkt. Etwas, aus dem Woikow sich nicht so einfach herauswinden konnte.

* * *

Alexander Woikow sah geschniegelt und gestriegelt aus. Daran änderte auch das schlichte und ein wenig schäbige Mobiliar des Vernehmungsraumes nichts. Das schale Licht der Neonröhren an der Decke konnte dem sonnengebräunten Teint Woikows nichts anhaben. Ein Lächeln umspielte seine Lippen, als Laura mit Max zusammen eintrat.

»Guten Morgen, Frau Kern«, flötete er und lehnte sich lässig auf seinem Stuhl zurück. »Sie wollten mich sprechen? Wir sehen uns ja häufiger in letzter Zeit.«

Laura erwiderte sein Lächeln kalt und nahm genau ihm gegenüber Platz. Max blieb an der Tür stehen. Diese Vorgehensweise hatten sie vorher vereinbart. Max sollte den freundlicheren Kumpel mimen und Laura würde Woikow gewaltig auf die Füße treten.

»Es gibt da gleich mehrere Punkte, die wir klären müssen.« Laura fixierte Woikow mit finsterem Blick. Dann legte sie die Fotos der drei Opfer auf den Tisch. »Welche dieser Frauen kennen Sie nicht?«

Woikow hob den Zeigefinger und grinste. »Sie sind ganz schön gerissen, nicht wahr? Ist das eine Fangfrage?« Er tippte auf Melinda Bachmann. »Ich kenne nur diese.«

»Sie wissen schon, dass Sie uns nicht anlügen dürfen«, erklärte Laura und beugte sich zu Woikow vor. »Sie könnten in echte Schwierigkeiten geraten. Die Nächte mit Ihren teilweise doch sehr jungen Diskothekenbesucherinnen wären ein für alle Male dahin, falls Sie Ihre Läden schließen müssten.«

»Was wollen Sie?«, fauchte Alexander Woikow, auf dessen Stirn sich trotz seiner betont gleichgültigen Gesichtszüge Schweißperlen bildeten.

»Ich will, dass Sie mir die Wahrheit sagen«, erwiderte Laura und lehnte sich zurück. Sie schwieg, bis die Luft im Raum regelrecht knisterte.

»Hören Sie, ich kann Ihnen nicht mehr erzählen als beim letzten Mal. Ich kenne nur Melinda. Ja, ich habe bei unserer ersten Begegnung im Darko behauptet, sie nicht zu kennen. Zugegeben, das war gelogen. Aber ansonsten weiß ich nichts. Sehe ich aus wie ein Mörder?« Er stieß ein überhebliches Lachen aus.

»Nein.« Er beantwortete die Frage gleich selbst.

»Sie haben angegeben, dass Sie die gesamte Nacht im Darko verbracht haben. Ist das richtig?«

Woikow nickte zögerlich. »Ja. Wissen Sie, wenn nicht, dann war ich zu Hause im Bett.«

»Sie sind sich also nicht mehr sicher?«

Woikow zuckte mit den Achseln. »Sie haben doch jeden einzelnen meiner Angestellten befragt. Wissen sie es nicht?«

»Nun, die wenigsten konnten sich erinnern. Es gibt nur einen, der behauptet, Sie wären die ganze Zeit dort gewesen. Tom Eckert. Irgendwie glaube ich langsam, Sie machen beide gemeinsame Sache. Tom Eckert wird übrigens genau in diesem Moment von einer Streife abgeholt, um gleich nebenan verhört zu werden. Das nur zu Ihrer Information.«

Laura sah, wie sich rote Flecken auf Woikows Hals bildeten und allmählich nach oben wanderten.

»Gemeinsame Sache? Verdammt. Was unterstellen Sie mir eigentlich? Vielleicht sollte ich besser einen Anwalt hinzuziehen.«

»Davon kann ich Sie nicht abhalten. Es wäre jedoch sinnvoller, mit uns zu kooperieren. Also: Wo waren Sie in der Nacht, als Melinda Bachmann getötet wurde?«

Woikow stöhnte und schüttelte missmutig den Kopf. »Mit Ihnen möchte ich wirklich nicht liiert sein.« Er funkelte Laura wütend an. »Wie kann nur so viel Härte hinter einem so hübschen Gesicht stecken?« Er grinste anzüglich. »Sie haben es auf mich abgesehen, ich weiß nur nicht, warum.«

Max löste sich von der Tür und gesellte sich zu Laura.

»Hören Sie, Alexander. Ich darf doch Alexander sagen?«

Woikow nickte knapp.

»Frau Kern erledigt nur ihre Arbeit. Sie steht unter ziemlichem Druck. Der Chef sitzt uns im Nacken, wenn Sie verstehen. Also helfen Sie uns bitte. Dann läuft die ganze Sache wie von selbst. Es ist wie bei einem Behördenformular. Sie müssen jede Zeile ausfüllen, sonst geht es nicht weiter.« Max zuckte mit den Achseln und zwinkerte Woikow zu.

»Das Problem ist, ich weiß es wirklich nicht mehr«, erwiderte Woikow und vergrub das Gesicht in den Händen.

»Vielleicht hilft Ihnen das hier auf die Sprünge.« Laura legte das Protokoll des Blitzers auf den Tisch. »Hiernach waren Sie um Viertel vor eins auf der Schönwalder Allee unterwegs. Ihre Wohnung liegt jedoch in der entgegengesetzten Richtung, mehr als eine halbe Stunde entfernt.«

Woikow entgleisten die Gesichtszüge einen Wimpernschlag lang, dann fing er sich wieder.

»Ich will jetzt doch lieber meinen Anwalt anrufen«, sagte er kalt.

»Tun Sie das.« Max schob ihm ein Telefon hin. »Es wäre allerdings besser, Sie erzählen uns einfach, was Sie dort gemacht haben. Wir finden es früher oder später sowieso heraus.«

»Herrgott noch einmal! Was ich gemacht habe? Wir hatten uns gestritten. Ich bin ihr gefolgt. Keine Ahnung, wohin sie überhaupt wollte mitten in der Nacht. Ich habe ihre Spur verloren, schon weit vorher. Ich bin durch die Gegend gekurvt und habe nach ihr Ausschau gehalten.«

Laura sah das Überwachungsvideo aus dem Darko vor sich, den Mann, mit dem Melinda Bachmann durch den

Nebeneingang verschwunden war. Es könnte also tatsächlich Woikow gewesen sein.

»Wie genau meinen Sie das, Sie haben ihre Spur verloren? Es ist doch wohl eher so, dass Sie das Mädchen in den Wald geschleppt und erschossen haben!« Laura erhob sich und beugte sich so weit über den Tisch, dass sie nur wenige Zentimeter von Woikows Gesicht entfernt war. Sie blickte ihm in die dunklen Augen, in denen etwas Gefährliches aufblitzte.

»Verflucht. Ich will sofort meinen Anwalt«, brüllte er ungehalten, aber er hielt ihrem Blick stand. Er stieß das Telefon, das Max ihm gegeben hatte, von sich und zog sein Handy hervor. »Bis dahin sage ich kein Wort mehr!« Er sprang auf, ging zur Wand und kehrte ihnen den Rücken zu.

19

Hören Sie, das reicht einfach nicht für einen Haftbefehl. Das wissen Sie doch selbst.«
»Aber Alexander Woikow hat zugegeben, dass er Melinda Bachmann in der Nacht ihrer Ermordung verfolgt hat. Was wollen Sie denn noch?«, fragte Max außer sich.

In Laura brodelte es ebenso. Nachdem Woikow von seinem Anwalt abgeholt worden war und Tom Eckert auch gleich mitgenommen hatte, waren sie in Joachim Becksteins Büro gestürzt und hatten um einen Haftbefehl gebeten. Doch Beckstein stellte sich quer, dabei deuteten sämtliche Indizien auf Alexander Woikow als Täter.

»Der Mann besitzt einen Jagdschein«, ergänzte Laura, doch Beckstein zuckte nur mit den Achseln.

»In Deutschland gibt es ungefähr fünfundzwanzig Millionen Waffen in Privatbesitz. Mit dieser Begründung könnten Sie jeden dritten Bürger verhaften. Okay, der Mann unterhielt offenkundig eine Beziehung zu einem der Opfer. Aber was ist mit den anderen beiden Frauen? Sie können keine Verbindung nachweisen.«

»Doch! Das dritte Opfer, Kristin Jäschke, wurde im Fever fotografiert, diese Diskothek gehört Woikow. Und auch bei Juliane Klopfer können wir nicht ausschließen, dass sie im Darko entführt wurde. Sie besaß eine Eintrittskarte für den fraglichen Abend.«

Beckstein schüttelte den Kopf und verzog das Gesicht. »Nein, das reicht nicht. Dann können Sie den Freund von Juliane Klopfer, diesen Marc Benton, ebenso gut festsetzen. Er hatte eine Beziehung mit einem der Opfer und war bestimmt auch schon mal im Darko oder im Fever, um zu tanzen. Ich brauche handfeste Beweise. DNS-Spuren von Woikow an den Opfern zum Beispiel oder sein Handy, das in den relevanten Zeiträumen im Spandauer Forst eingeloggt war, oder Zeugen. Schaffen Sie etwas heran. Gehen Sie wieder an die Arbeit und melden Sie sich erst, wenn Sie wirklich Material gegen Woikow in der Hand haben.« Beckstein gestikulierte mit den Händen, ein eindeutiges Zeichen dafür, dass sie aus seinem Büro verschwinden sollten.

Laura zog Max mit sich, der gerade den Mund zu weiterem Protest öffnete.

»Komm. Er hat recht. Kein Staatsanwalt wird das unterstützen und auch kein Richter.«

Max knurrte einige unverständliche Worte und folgte ihr. »Ich kann es nicht fassen. Wir hatten den Mann hier und fünf Minuten später läuft er wieder frei rum.«

»Lass uns die Akten durchgehen, wir müssen die Schlinge um Woikows Hals enger ziehen. Immerhin hat er für keinen Zeitraum ein hieb- und stichfestes Alibi. Womöglich bringen wir einen seiner Mitarbeiter zum Reden. Falls er es war, der mit Melinda das Darko verlassen hat, dann muss ihn jemand gesehen haben.«

Max nickte und ließ sich auf seinen Bürostuhl fallen.

»Selbst wenn wir einen Zeugen finden, reicht das nicht aus, um ihn festzunageln.«

Laura nahm eine Liste zur Hand, die ihr jemand auf den Schreibtisch gelegt hatte, und überflog die vielen Namen, die mithilfe von Susanne Niemeyers Täterprofil und den Daten des Einwohnermeldeamtes markiert worden waren. Sie hatten das Alter nicht ganz so stark eingegrenzt und unverheiratete Männer im Alter von zwanzig bis vierzig mit Wohnort im Norden Berlins selektiert. Zudem hatten sie nur Männer ausgewählt, die größer als eins achtzig waren und dunkles Haar hatten. Das hatte die Analyse des Videomaterials ergeben, auf dem Melinda Bachmann mit dem vermeintlichen Täter zu sehen war. Team drei hatte bereits etliche Hintergrundinformationen recherchiert.

»Vielleicht sollten wir noch einmal ein paar Schritte zurückgehen und uns nicht zu sehr auf Woikow fokussieren. In einem hat Beckstein ja recht: Es besteht keine wirkliche Verbindung zu den anderen beiden Opfern. Wir sind andererseits jedoch sicher, dass es sich um ein und denselben Täter handelt. Womöglich ist es einer von denen.« Sie pochte auf die Liste.

Max seufzte. »Okay, gehen wir die markierten Namen durch. Hoffentlich ist ein Arzt oder Apotheker dabei, dann wissen wir wenigstens, wie er an das Betäubungsmittel kam.«

Laura analysierte die Hintergrundinformationen. Nach einer Weile schüttelte sie den Kopf. »Nein. Es steht kein einziger Arzt auf der Liste. Ist ja auch nicht weiter verwunderlich. Ich fände es komisch, wenn jemand tagsüber Menschen heilt und anschließend in seiner Freizeit Tiere tötet.«

»Kommt sogar häufiger vor«, protestierte Max, der sich

inzwischen einer weiteren Aufstellung widmete, in der ein paar Jäger als mögliche Zeugen aufgeführt waren.

»Hier ist einer rot markiert«, murmelte er. »Ein Jäger, der aber nachts Schüsse gehört haben will. Er hat eine Hütte in der Laubenkolonie am Rand des Spandauer Forstes. Mit dem sollten wir reden!«

»Was ist eigentlich mit dem Jäger, der das zweite Opfer gefunden hat? Wurde der noch einmal befragt?«

»Ich schaue mal nach. Moment.« Max ging an seinen Computer. »Nein. Sieht nicht so aus. Den können wir uns auch vornehmen.«

Laura malte ein schwarzes Kreuz auf eine Landkarte. »Hier befinden sich die Lauben, am südlichen Rand des Spandauer Forstes, und die Leichen wurden an diesen drei Stellen entdeckt.« Sie zeigte nacheinander auf die drei roten Kreuze und verzog das Gesicht. »Das ist ganz schön weit, wenn er da einen Schuss vernommen haben will.«

»Meinst du, er war in der Nacht jagen?«, fragte Max.

»Wer weiß, lass es uns herausfinden«, erwiderte Laura und zeichnete eine weitere Markierung ein. »Das ist die Tankstelle, von der Beckstein gesprochen hat. Sie liegt in einer Nebenstraße, kein Wunder, dass wir sie nicht gesehen haben. Auf alle Fälle befindet sie sich näher an den Leichenfundorten als die Kleingartenkolonie. Wir sollten uns dort umschauen.«

* * *

Zuerst stoppten sie an der Tankstelle, die vor etlichen Jahren geschlossen und zu einem Kiosk umfunktioniert worden war. Der Besitzer, ein Rentner aus Brandenburg, hatte sie eingeladen, kurzfristig vorbeizukommen. Die Hitze des Tages staute sich unter dem Dach, das immer noch die stillgelegten Zapfsäulen abdeckte. Die Fenster waren bis zur Hälfte zugeklebt. *Weidemanns Kiosk* stand in schnörkeliger Schrift darauf geschrieben. Laura erblickte den schwarzen Haarschopf einer jungen Frau, die gerade an der Kasse hantierte und einem Kunden Bier verkaufte. Schräg hinter ihr wartete ein älterer Mann, der sofort herauskam, als er Laura und Max bemerkte.

»Axel Weidemann mein Name. Sind Sie die Herrschaften vom LKA?«, fragte er aufgeregt und so laut, dass es jeder der wenigen Anwesenden deutlich hören musste.

Laura nickte freundlich und zeigte ihren Dienstausweis.

»Wie kann ich Ihnen behilflich sein? Ich habe von der Hundestaffel gehört. Die haben den halben Wald durchkämmt.« Er kniff die Augen zusammen und musterte zuerst Laura und dann Max. »Aber Sie haben wohl nichts gefunden, oder?«

»Wir sind auf der Suche nach möglichen Zeugen«, erwiderte Laura. »Haben Sie einen Augenblick Zeit für uns?«

Axel Weidemann nickte eifrig. Seine Miene wirkte angespannt und zugleich erfreut. »Kommen Sie rein. Lena wird vielleicht auch helfen können, sie kümmert sich um den Laden, meine Enkelin.« Er lief voraus, stieß die Tür auf und winkte geschäftig mit den Händen. »Lena, Schatz, gesell dich doch zu uns.« Er blickte den Kunden, der sein Wechselgeld in die Tasche steckte, vorwurfsvoll an, als Lena zögerte und an der Kasse stehen blieb. Der Mann verstand die Geste und eilte aus dem Laden.

»Das sind die Herrschaften von der Polizei. L, K, A.« Er sprach die Buchstaben langsam und deutlich aus. Aufgeregt lotste er sie in einen Hinterraum und rückte ein paar Stühle zurecht.

»Möchten Sie etwas trinken oder essen? Wir haben Kekse – oder lieber Waffeln?«

»Danke, das ist nicht nötig«, erklärte Laura, und auch Max schüttelte gutmütig den Kopf.

Axel Weidemann verzog ein wenig enttäuscht das Gesicht und setzte sich. »Ich habe gestern mit Lena im Internet recherchiert. Ist ja bisher so gut wie nichts in der Presse zu finden.« Er tippte sich mit dem Finger an die Stirn. »Aus ermittlungstechnischen Gründen, stimmts?« Er grinste schlau und strich sich über den augenfällig hervorstehenden Bauch. »Meine Lena hat die Einsatzfahrzeuge mit der Hundestaffel bemerkt. Sie ist ein aufmerksames Mädchen.«

»Wir sind wie gesagt auf der Suche nach Zeugen, die am Sonntag vor einer Woche und am darauffolgenden Donnerstag nach Mitternacht ein Fahrzeug gesehen oder Schüsse gehört haben. Zehn Tage zuvor ereignete sich ein ähnlicher Vorfall. Waren Sie zu diesen Zeitpunkten hier oder in der Nähe?« Laura betrachtete die Enkelin des Kioskbesitzers, die blass dasaß und die Finger knetete. Sie schien ziemlich unter der Fuchtel ihres Großvaters zu stehen, denn bevor sie antwortete, warf sie ihm einen fragenden Blick zu.

»Ich bin jeden Tag von zehn bis sieben hier, und manchmal, da übernachte ich auch hier. Also falls es zum Beispiel regnet oder ich den letzten Bus verpasst habe.« Sie senkte den Blick und schwieg.

»Haben Sie in letzter Zeit hier übernachtet?«, fragte Laura und registrierte, dass das Mädchen die Hände noch stärker knetete. Sie musterte den Großvater, der gönnerhaft lächelte und seine Enkelin anstupste.

»Na los, Lena. Erzähle den Herrschaften, was du gesehen hast.«

Lena blickte wieder auf. Laura erkannte die Angst in ihren Augen. »Was ist, wenn er mich verfolgt, weil ich ihn verraten habe?«

Sofort spannten sich Lauras Nackenmuskeln an. »Sofern Sie in Gefahr sind, werden wir selbstverständlich für Ihren Schutz sorgen.«

Die Zweifel im Blick der jungen Frau waren nicht zu übersehen. Max sprang ein. Er sprach mit sanfter Stimme: »Falls der Täter Sie bemerkt hätte, wäre er bestimmt schon hier aufgetaucht, oder?«

Lena schaute zu Max und nickte mechanisch. Dann zuckte sie mit den Achseln. »Vielleicht.«

»Hören Sie, drei junge Frauen sind tot. Wenn Sie uns weiterhelfen können, helfen Sie gleichzeitig diesen Frauen und ihren Familien.« Laura gab sich Mühe, ihre Ungeduld zu verstecken. Sie konnte sich kaum vorstellen, dass dieses blasse, ängstliche Mädchen allein in diesem verwahrlosten Kiosk übernachtete.

»Ich schlafe nicht so gerne hier, aber am letzten Sonntag war ich spät dran. Großvater konnte mich nicht abholen. Das passiert manchmal. Ich beschloss, zu Fuß zu gehen ...« Sie stockte und holte tief Luft. »Ich dachte mir, möglicherweise nimmt mich jemand mit. Ich habe Pfefferspray für den Notfall. Jedenfalls bin ich so gegen Mitternacht los und habe mich auf der Hauptstraße gehalten. Ein roter Sportwagen kam mir entgegen und ich habe gewunken. Der Fahrer hielt an, ließ die Seitenscheibe runter und starrte mich an, als wäre ich ein Geist oder so. Da lag etwas Böses in seinem Blick.« Lena stöhnte und fuhr mit zitternder Stimme fort: »Ich bin sofort von dem Auto weg. Er stand noch ein paar Sekunden da und dann ist er einfach weitergefahren. Ich bin zurück in den Kiosk gerannt und habe alles verriegelt. Ich hatte Angst, dass der Kerl zurückkehrt.«

»Und warum haben Sie nicht die Polizei gerufen?«

»Ich weiß nicht. Daran habe ich überhaupt nicht gedacht. Ich habe Großvater angerufen, aber er ist nicht mehr ans Telefon gegangen. Er hat geschlafen, es war ja schon nach Mitternacht.« Lena verschränkte die Arme über der Brust und wirkte noch ein Stückchen kleiner und schmaler.

»Eine Sache verstehe ich noch nicht«, fragte Laura weiter, »wenn Sie den Kiosk um sieben Uhr abends schließen, wieso sind Sie erst um Mitternacht aufgebrochen?«

Lena zuckte mit den Achseln. »Ich habe noch ein Buch gelesen. Großvater hat sonntags immer seine Männerrunde und da bin ich nicht so gerne im Haus.« Sie stockte und schielte unsicher zu ihrem Großvater. »Jedenfalls wollte ich erst nach Mitternacht dort sein. Dann sind seine Freunde meistens wieder weg. Der letzte Bus geht Viertel vor zwölf, aber ich hatte ihn verpasst.«

»Und Sie wohnen bei Ihrem Großvater?« Laura schätzte Lena auf zwanzig, vielleicht einundzwanzig Jahre.

Sie nickte und zog die Arme fester um sich. Eine Träne rollte über ihre Wange.

»Nicht doch, Lena.« Der alte Mann schüttelte den Kopf. Für einen Moment wirkte er nicht mehr selbstzufrieden und herrisch, sondern traurig. »Ihre Eltern hatten einen schweren Autounfall, als sie sechs war. Sie sind beide gestorben, Lena kam mit schlimmen Verletzungen davon.« Er tippte sich an den Kopf. »Sie hat Schwierigkeiten mit dem Gedächtnis und so. Ich habe sie zu mir genommen. Wo sollte sie sonst hin? Sie kommt alleine nicht zurecht.«

Laura betrachtete Lena nachdenklich. Sie schien sehr

zerbrechlich und vor allem einsam. Andererseits, wenn sie den Kiosk ganz ohne fremde Hilfe führte, konnte sie so unselbstständig nicht sein. Und wer zudem mitten in der Nacht trampen wollte, der musste eine gehörige Portion Mut besitzen.

»Können Sie uns denn den Wagen noch etwas genauer und den Fahrer beschreiben?«, bat sie schließlich und holte ihren Notizblock aus der Tasche.

»Wie gesagt, es war ein roter Sportwagen, auf die Marke habe ich nicht geachtet. Der Mann hatte dunkle Haare, nach hinten gekämmt. Es war stockdunkel, viel mehr konnte ich nicht erkennen.«

»Aber Sie denken, dass er Sie böse angeguckt hat?«, hakte Laura nach und musterte Lenas Gesicht. Sie schien die Wahrheit zu sagen. Trotzdem stimmte mit dieser Frau etwas nicht. Laura hätte den Großvater am liebsten hinausgeworfen, damit Lena unbefangen sprechen konnte.

»Ja, seine Augen sahen beinahe schwarz aus. Er hat irgendetwas gemurmelt, als er das Fenster runterließ. So etwas wie: verdammter Mist. Ich bin sofort einige Schritte rückwärts, weg von dem Wagen, und dann ist er weitergefahren.«

»Ist Ihnen noch jemand im Wagen aufgefallen, eine Frau vielleicht?«, fragte Laura, während sie auf ihrem Handy vergeblich nach einem Foto von Woikow suchte.

Lena schüttelte den Kopf. »Nein, er war alleine. Ich habe allerdings nicht auf die Rücksitzbank geguckt. Ich weiß nicht mal, ob der Wagen überhaupt eine hatte.«

»Trauen Sie sich zu, den Fahrer zu identifizieren, wenn wir Ihnen ein paar Fotos von infrage kommenden Männern zeigen?«

»Ich kann es versuchen. Ich möchte aber auf keinen Fall, dass dieser Mann mich sieht. Ich habe Angst.«

»Keine Sorge. Zuerst schauen Sie sich nur Fotos an. Falls es zu einer Gegenüberstellung kommt, findet diese natürlich anonym statt. Das garantieren wir. Wir werden uns melden. Sollte Ihnen noch etwas einfallen, können Sie mich jederzeit unter dieser Nummer anrufen.« Laura überreichte Lena ihre Visitenkarte. »Auch wenn Sie hier draußen etwas Ungewöhnliches bemerken. Zögern Sie bitte nicht.« Sie versuchte, Augenkontakt zu der ängstlichen Frau aufzubauen, doch die stierte längst wieder auf ihre Fußspitzen. Hoffentlich wurde sie Wolkow identifizieren können.

20

Zwanzig Jahre zuvor

Frau Niemeyer zählte ganz langsam. Ihre sanfte Stimme lullte ihn ein. Seine Lider wurden immer schwerer. Sie lagen wie Steine auf seinen Augen und zwangen ihn in die Traumwelt hinab. Er wollte nicht. Zu tief saß der Schmerz, den er empfand, sobald er an Emma dachte. Doch Dietmar Wesermann saß seinem Vater im Nacken und der hatte Druck gemacht. Er wollte diese schreckliche Geschichte zu Ende bringen.

Als wenn Emma davon wieder lebendig werden würde. Was nützte es, herauszufinden, was genau passiert war? Das würde sie nicht zurückbringen. Das konnte höchstens ein Wunder, und daran glaubte er längst nicht mehr.

»Nein«, brüllte er und schreckte hoch.

Die gelben Augen waren erneut wie aus dem Nichts erschienen. Sie hatten ihn angestarrt. Das Monster war hinter ihm her. Er spürte Frau Niemeyers Arme, die sich sanft um ihn schlossen. Der Vanilleduft drang in seine Nase, doch dieses Mal konnte sie ihn nicht beruhigen. Alle waren gegen ihn. Egal, ob er nun träumte oder wach war. Er riss sich los und rannte zur Tür.

»Bitte nicht noch einmal weglaufen. Wir finden eine Lösung. Bleib hier und setz dich.«

Er öffnete die Tür, blieb jedoch stehen. Die Frau, die die Termine machte, schaute von ihrem Schreibtisch auf und musterte ihn streng. So als wäre er verrückt. Durchgeknallt. Vielleicht war er das ja auch. Warum sahen ihn alle so an? Weil er seine Schwester getötet hatte? Weil er gefährlich war? Kein kleiner Junge, sondern ein Monster? Das Monster mit den gelben Augen?

Er ging einen Schritt rückwärts, knallte die Tür wieder zu und brüllte: »Ich will nicht mehr. Wieso muss sich immer alles um Emma drehen?«

Er konnte die Tränen nicht länger zurückhalten. Zornig trat er gegen einen Stuhl. Es rumste ohrenbetäubend. Frau Niemeyer zuckte zusammen. Schön! Er nahm sich den nächsten Stuhl vor. Sie sah ihm entsetzt zu. Jetzt hasste sie ihn, so wie alle!

Die Tür ging auf. Die Frau von draußen blickte ihn streng an.

»Alles in Ordnung, Frau Niemeyer?«, fragte sie, ohne ihn aus den Augen zu lassen. Fast so, als wäre er eine bedrohliche Bestie, der man sich lieber nicht näherte.

»Alles bestens.«

Die Frau verschwand aus dem Türrahmen.

Er drehte sich zu Frau Niemeyer um. Da waren sie wieder, diese sanften Augen. Sofort fühlte er sich besser.

»Du behältst gerne die Kontrolle über die Dinge, nicht wahr?«

Er antwortete nicht. Stattdessen setzte er sich wieder auf die Couch und betrachtete seine Schuhspitzen und die bunten Schnürsenkel in Neongrün, die er sich ewig gewünscht hatte. So lange, bis Emma auch welche wollte. Da hatte Mutter natürlich keine Sekunde gezögert. Wie immer, sobald es darum ging, dem kleinen Liebling einen Gefallen zu tun. Ob Mutter ebenso viel weinen würde, wenn es ihn getroffen hätte? Wenn er jetzt tot in einem weißen Sarg unter der Erde liegen würde? Wäre sie auch vor Trauer zusammengebrochen und verstummt? Oder wäre sie froh? Froh, dass sie endlich keine Zeit mehr mit ihm verbringen musste. Dass sie sich komplett um Emma kümmern konnte, ohne sein Gequengel, weil er sich übergangen fühlte.

»Wir versuchen mal etwas anderes heute.« Frau Niemeyer erhob sich und wühlte in den Schubladen ihres Schreibtisches. Dann kehrte sie mit ein paar Blättern und Buntstiften zurück.

»Zeichne das Monster, das du eben gesehen hast«, bat sie und drückte ihm einen Stift in die Hand. »Ich lasse dich alleine, damit du deine Ruhe hast. Nimm dir alle Zeit, die du brauchst.« Sie lächelte so gütig, dass er sich am liebsten wieder in ihre Arme geworfen hätte, doch sie deutete auf das leere Blatt.

»Zeig mir, was du gesehen hast.« Anschließend huschte sie aus dem Büro und schloss die Tür ganz leise hinter sich.

Er überlegte. Was hatte ihn im Wald angestarrt? Er griff zu einem gelben Stift und malte die Augen. Sie waren nicht groß, sondern nur zwei schmale Schlitze. Dadurch wirkten sie umso gruseliger. Ein Schauer überlief ihn, als er sie auf das Papier bannte. Er zeichnete die Schnauze und die Zähne, Ohren, Kopf, Körper und Schwanz. Dann hielt er inne, denn draußen hörte er Frau Niemeyers Stimme. Sie telefonierte. Er legte den Stift hin und schlich auf Zehenspitzen zur Tür. Er presste das Ohr gegen das Türblatt.

»Hören Sie, Herr Wesermann, Ihre Ungeduld hilft leider nichts. Ich weiß, dass Sie den Fall abschließen wollen. Doch Sie müssen diese Familie in Ruhe lassen. Sie üben viel zu großen Druck auf den Vater aus. Der Junge ist stark traumatisiert. Seine kleine Schwester ist vor seinen Augen gestorben. Die Erinnerung daran ist komplett blockiert. Das ist ein üblicher Selbstschutzmechanismus. Es kann Wochen, vielleicht sogar Monate dauern, bis sein Gedächtnis wieder funktioniert, und selbst dann könnten die Erinnerungen verfälscht sein. Sie werden so schnell nicht erfahren, was tatsächlich geschehen ist, jedenfalls nicht von dem Jungen.«

Frau Niemeyer sagte eine ganze Weile lang nichts. Schade, dass er den Kriminalkommissar nicht hören konnte.

»Also ich weiß nicht, ob ich das für eine gute Idee halte. Ich melde mich.«

Das Gespräch schien beendet. Panisch hetzte er zum Sofa und malte sein Bild mit klopfendem Herzen fertig. Was hielt Frau Niemeyer für keine gute Idee? Wollten sie ihn jetzt in ein Kinderheim stecken? Sein Vater hatte ihm doch versprochen, dass das auf gar keinen Fall passieren würde. Aber durfte er das wirklich glauben nach allem, was geschehen war? Der Stift glitt wie von selbst über das Papier. Er zeichnete wie verrückt und drückte dabei so stark auf, dass die Spitze abbrach. Mist. Er nahm eine andere Farbe und machte weiter. Die Tür ging auf, sein Herz pochte so schnell, dass ihm ganz schwindlig wurde.

Frau Niemeyer nickte ihm freundlich zu und kam

langsam näher, doch als ihr Blick auf seine Zeichnung fiel, verhärteten sich ihre Gesichtszüge.

Unsicher sah er auf das Papier und erstarrte. Was hatte er bloß gezeichnet?

21

Ein lang gezogenes Heulen ließ Laura aufhorchen. Eine Gänsehaut erfasste sie von Kopf bis Fuß. Je weiter die Sonne hinter den Baumwipfeln verschwand, desto unheimlicher fühlte sich der Wald an.

»Gibt es hier etwa Wölfe?«, fragte sie und zog ihren leichten Mantel enger um sich. Der Wind hatte aufgefrischt und die aufkeimende Sommerhitze des Tages fortgeweht.

»Nein, das war ein Hund. Im Süden befindet sich das Hundeauslaufgebiet Hakenfelde. Wir rechnen jedoch damit, dass sich bald wieder Wölfe hier ansiedeln.« Hubert Bredthauer lüftete seinen grünen Jägerhut und wischte sich ein paar Schweißperlen von der Stirn. Der fünfundsechzigjährige schnauzbärtige Mann watschelte schwer atmend vor ihnen her.

»Ich war in dieser Nacht auf der Pirsch. In meiner Laube langweilt es mich zu sehr. Ich kann stundenlang durch die Natur streifen, das hält mich fit.«

Laura betrachtete den beträchtlichen Bauchumfang

des Mannes. Allzu viel Bewegung hatte Bredthauer jedenfalls nicht.

»Und Sie haben auf diesem Hochsitz einen Schuss gegen zwei Uhr nachts gehört?«

»Ja. Der hat meinen Rehbock verscheucht. Seit Wochen bin ich hinter ihm her. Ich habe ihn fast jeden Tag beobachtet und in dieser Nacht wollte ich ihn erlegen. Doch dann knallte es durch die Luft und er war weg.«

»Und haben Sie außer diesem Schuss sonst noch etwas bemerkt? Vielleicht einen Schrei?«, fragte Max, der neben Laura herging und ein paar Zweige zur Seite drückte, damit sie ihnen nicht ins Gesicht schlugen.

»Einen Schrei?« Der Jäger schüttelte den Kopf. »Nein, gar nichts. Anderenfalls hätte ich gleich die Polizei gerufen. Ich kenne Manfred, den Jäger, der das Mädchen vor ungefähr zwei Wochen tot aufgefunden hat. Da hätte ich sofort eins und eins zusammengezählt.«

Sie erreichten den Hochsitz. Bredthauer blieb keuchend stehen und rieb sich den Rücken. »Da oben habe ich gewartet. Ist es nicht schön?« Er deutete auf die Bäume ringsum und lächelte verträumt. »Es gibt nichts Besseres als frische Luft, die Natur und die Jagd.«

Laura war da anderer Meinung. Sie mochte Jäger nicht. Sie töteten, und das war ihr suspekt, auch wenn es offenbar sein musste, um den Wildtierbestand zu regulieren. Sie holte die Karte mit den Markierungen hervor und suchte nach dem Hochsitz. Sie waren keinen halben Kilometer vom Fundort von Melinda Bachmanns Leiche entfernt. Die Angaben von Bredthauer stimmten mit dem Todeszeitpunkt überein. Sie tippte auf das Kreuz.

»Das zweite Opfer wurde an dieser Stelle erschossen. Wo könnte man hier in der Nähe parken?«

»Der offizielle Parkplatz ist ganz schön weit weg.« Er

glitt mit seinem Finger über die Karte und deutete auf eine Stelle am Rande der Straße.

Laura runzelte die Stirn. »Das ist zu weit. Ich frage mich, warum der Täter genau diese Bereiche im Wald ausgesucht hat. Wäre doch vermutlich leichter gewesen, die Nähe eines Parkplatzes zu suchen.«

Hubert Bredthauer legte den Kopf schief und betrachtete konzentriert die Landkarte.

»Ich denke, dieser Täter hat nach einem ruhigen Plätzchen gesucht. Bei Parkplätzen weiß man nie. Ab und an verirren sich Liebespaare hierher.« Er schüttelte den Kopf. »Wenn Sie mich fragen, könnte dieser Mörder einen mächtigen Spaß daran haben, Frauen durch den Wald zu jagen.« Nachdenklich schob er den Hut in die Stirn und kratzte sich am Nacken. »Sieht mir alles nach einer Hetzjagd aus. Er treibt sie vor sich her, und bevor sie sich selbst verletzen oder womöglich entwischen, drückt er ab.« Bredthauers Finger zogen einen Kreis auf der Karte. »Er hat sich Gebiete ausgesucht, wo das Dickicht nicht so hoch ist und er die Frauen ungehindert beobachten kann.«

»Wie macht er das in der Nacht?«, wollte Max wissen.

»Mit einem Nachtsichtgerät, das gehört zur Standardausstattung. Die sind inzwischen recht günstig zu haben und mit den Dingern sieht man wirklich fantastisch.«

Bredthauer betrachtete abermals die Karte, wobei er unaufhörlich keuchte. »Also ehrlich gesagt wäre er ziemlich dumm, wenn er auf einen Parkplatz fährt. Es ist doch viel besser für ihn, einen Waldweg zu benutzen. Dort hätte er die Frau dann viel leichter in die Richtung scheuchen können, in die sie laufen sollte. Auch die ganze Ausrüstung brauchte er so nicht länger als nötig zu schleppen. Das lenkt ja bloß ab. Es ist nicht einfach, ein fliehendes Tier zu erwischen. Wenn Sie es nur eine Sekunde aus den

Augen verlieren, ist es weg.« Sein dicker Zeigefinger landete auf einem dünnen Weg auf der Karte. »Möglicherweise hat er an dieser Stelle geparkt und geschossen, als die Frau die Straße überqueren wollte.«

Laura versuchte, die Worte des Jägers nachzuvollziehen. »Sie meinen also, er hetzt die Frauen wie Wild durch den Wald?«

Bredthauer nickte.

»Die Hunde haben die Spuren verloren. Wir konnten die Wege der Frauen nicht nachvollziehen«, sagte sie nachdenklich.

»Wundert mich nicht«, erwiderte Bredthauer. »Ist ziemlich sumpfig, und die Nasen der Hunde sind bei Wasser nicht sonderlich stark.«

»Was ist mit den anderen beiden Markierungen? Haben Sie eine Idee, wo man hier halten könnte?«, fragte Max.

Bredthauer deutete abermals auf einen schmalen Weg. »Ich würde mit den Hunden noch mal die Waldwege absuchen. Mit dem Auto kann man nicht durchs Dickicht, da läuft man Gefahr, stecken zu bleiben. Hier drüben, auf der rechten Seite, beginnt der Teufelsbruch. Das ist ein morastiges Gebiet, selbst ein Geländewagen kommt dort nicht durch. Schwer zu sagen, wo der Killer die Mädchen ausgesetzt haben könnte. Dieser Wald ist einfach zu groß.«

Laura markierte ein paar schmale Wege auf der Karte, die in der Nähe der Leichenfundorte verliefen.

»Ist Ihnen denn sonst noch etwas aufgefallen? Ein Auto oder fremde Personen? Jemand, der sich merkwürdig verhalten hat?«

Hubert Bredthauer grunzte und verzog die Lippen zu einem Lachen. »Hier gibt es viele komische Menschen. Haben Sie mal mit dem Kioskbesitzer gesprochen? Dem alten Weidemann? Die Leute erzählen sich, dass er seine Enkelin wie eine Sklavin hält. Der Mann ist übrigens ein exzellenter Schütze, und er steht auf junge Dinger, wenn Sie verstehen, was ich meine.«

»Nun, das macht ihn noch lange nicht zu einem Mörder«, erwiderte Max, »aber wir gehen selbstverständlich jedem Hinweis nach.«

Wieder heulte ein Hund, und Laura musste unwillkürlich an Wölfe denken. Die Abendsonne hatte sich hinter dicken Kumuluswolken versteckt. Die Blätter der Bäume raschelten im Wind. Schatten tanzten zwischen den Stämmen. Laura stellte sich vor, wie es erst in der Nacht wäre. Tierstimmen, knackende Äste und ein Fremder, der dich jagt. Sie fröstelte. Während Max den Jäger unaufhörlich ausfragte, über Jagdzeiten, die Anzahl der geschossenen Tiere im Jahr, verwendete Waffen, ließ Laura sich ein wenig zurückfallen. Der Weg bis zur Laubenkolonie, wo ihr Auto stand, war noch ein ganzes Stückchen entfernt. Laura horchte auf, etwas plätscherte.

»Wie heißt dieser Fluss?«, fragte sie und ließ ihren Blick auf der glitzernden Wasseroberfläche ruhen.

»Das ist die Kuhlake, ein künstlich angelegtes Gewässer, das sich quer durch den Wald zieht. Es gibt noch zahlreiche andere Gräben, die sollten früher das Moor entwässern, doch als es verlandete, floss das Wasser aus der Havel in die Gräben. Wir haben auch ein paar Waldseen zu bieten«, erklärte Hubert Bredthauer.

Laura hing ihren Gedanken nach. Sie versetzte sich in die jungen Frauen hinein, die in diesem Wald um ihr Leben gelaufen waren. Warum hatte der Täter ausgerechnet sie ausgesucht? Aus welchem Grund jagte er sie? War es das Adrenalin, das ihn reizte? Doch was machte die Jagd auf ein hilfloses Wesen schon aus? Der Gewinner stand schließlich von Anfang an fest. Handelte es sich um reine Mordlust, weil offenkundig kein sexueller Missbrauch stattgefunden hatte? Laura grübelte, versuchte, sich in die Gedankenwelt des Monsters zu begeben. Was sah dieser Mann in seinen Opfern? Was gaben sie ihm? Ein Zweig hinter ihr knackte, und sie fuhr erschrocken herum. Ein Fuchs oder etwas Ähnliches huschte davon. Alles, was Laura noch sah, waren die Blätter der Büsche, die sich bewegten und die Richtung des Tieres verrieten.

Aus irgendeinem Grund ging sie hinterher. Sie folgte einfach ihrer Intuition. Der Wald wurde dunkler. Abseits der Wege schien es beinahe so, als würde der Wald sie verschlucken und von ihr Besitz ergreifen. Er wisperte zu ihr und Laura drang immer weiter in das Dickicht vor. Unter ihren Füßen brachen trockene Zweige. Ein Vogel schreckte auf und flog schimpfend weg. Laura drehte sich um, sie hatte für einen Moment die Orientierung verloren.

›Warum tötete er sie?‹, fragte sie den Wald. Aber der Wald gab keine Antwort. Er lockte sie tiefer in seine Welt hinein, die so anders war als das Leben in der Stadt. Es duftete nach Tannennadeln und feuchtem Laub, nach Erde und fruchtigen Beeren. Ein Dornenzweig erwischte sie an der rechten Hand und grub sich fest in ihre Haut. Sie löste ihn vorsichtig ab. Ein kleiner roter Punkt breitete sich auf dem Handrücken aus. Sie leckte das Blut mit der Zungenspitze ab. Bei dem metallischen Geschmack schauderte sie. Laura beschloss, umzukehren, doch genau vor ihr hing etwas in Hüfthöhe. Ein Stück Stoff. Der feine, leicht glänzende Fetzen erinnerte sie sofort an ein Abendkleid. Sie suchte in ihren Taschen nach einer Tüte, worin sie den Fund für die Spurensicherung aufbewahren konnte, als ein grauenhafter Schrei durch den Wald hallte. Und gleich danach hörte sie Max ihren Namen rufen.

Hastig machte sie ein Foto und markierte die Stelle mit einem knorrigen Ast. Dann rannte sie zurück auf den schmalen Waldweg und noch ungefähr fünfzig Meter weiter.

Hubert Bredthauer lehnte schwer atmend am Stamm einer dicken Eiche. Er hatte sich hingesetzt und presste die Hände gegen die Brust.

»Was ist mit Ihnen passiert?«, fragte Laura, für die der Mann so aussah, als hätte er gerade einen Herzinfarkt erlitten.

Bredthauer reagierte nicht. Sein Blick war starr in den Wald gerichtet, irgendwo in die Ferne. Max kam zwischen den Bäumen hervor. Er sah irgendwie nicht viel besser aus. Alle Farbe war aus seinem Gesicht gewichen.

»Ein neues Opfer«, flüsterte er und atmete tief aus. »Verfluchter Mist. Das ist Nummer vier. Ich rufe sofort Verstärkung.«

Laura trat verstört hinter den Baum. Es war der vierte Mord innerhalb von nicht einmal drei Wochen. Sie schloss die Augen für einen Moment, um sich für den Anblick zu wappnen. Dann sah sie die tote Frau, die ausgestreckt auf dem Waldboden lag und die sie gleich an die anderen Opfer erinnerte. Sie trug ein dunkles kurzes Kleid. Lange Haare bedeckten ihr Gesicht. Eine Blüte lag daneben, dieses Mal eine gelbe Nelke. Ein Ring steckte am Finger der linken Hand, und als Laura behutsam ein paar Haarsträhnen zur Seite strich, entdeckte sie das typische Foto. Ihr Herz zog sich zusammen, als sie darauf eine hübsche junge Frau mit einem glücklichen Lächeln im Gesicht erblickte. So jung und so voller Leben. Der Kerl kam ihr langsam vor wie eine wilde Bestie, die permanent frisches Blut brauchte und deshalb nie aufhören würde zu jagen.

Laura zog Gummihandschuhe über, nahm die

Taschenlampe ihres Smartphones zu Hilfe und inspizierte die Tote. Die Haut an Armen und Beinen war völlig zerkratzt, wobei einige Wunden teilweise bereits verschorft waren. Irgendwie wirkte die Frau ziemlich mager und ausgedörrt. Laura betrachtete die nackten Fußsohlen, die schwarz vor Dreck waren und starke Schwellungen aufwiesen. Vorsichtig prüfte sie, ob die Frau einen Slip trug. Auf den ersten Blick sah es so aus, als wäre auch sie nicht vergewaltigt worden. Laura wurde trotzdem den Eindruck nicht los, dass hier etwas anders war. Aber sie konnte es nicht greifen. Vielleicht lag es am Gesicht der Frau, in das sich das Entsetzen des Todes eingemeißelt hatte. Die hohlen Wangen und aufgerissenen Lippen, der viele Schmutz. Die Frau sah aus, als wäre sie tagelang durch diesen Wald gelaufen. Laura tastete das Kleid ab. Am Gürtel spürte sie etwas Hartes. Sie griff unter das Kleid und löste eine kleine lederne Tasche. Ein Portemonnaie.

»Max?«, rief sie und sprang auf. »Sie hat ihre Geldbörse dabei.« Hastig öffnete sie die Schlaufe und atmete erleichtert auf. Mit spitzen Fingern zog sie einen Personalausweis heraus.

»Elena Taubert«, las sie vor und verstummte. Das Mädchen war gerade einmal achtzehn Jahre alt.

Verflucht. Sie mussten diesen Mistkerl kriegen. Und zwar sofort.

22

»Entschuldige, Taylor, aber ich habe wirklich noch zu tun.« Laura hockte an ihrem Schreibtisch, das Telefon zwischen Ohr und Schulter geklemmt, und kämpfte sich durch die Unterlagen. Die Mordfälle ließen ihr keine Ruhe.

»Du musst etwas essen«, erklärte Taylor in seinem charmanten amerikanischen Akzent.

Laura lächelte unwillkürlich. Sie mochte es, wenn er so fürsorglich war.

»Weißt du was, ich hole uns Hühnchen vom Chinesen und helfe dir.« Er legte auf, bevor Laura antworten konnte. Für den Bruchteil einer Sekunde ärgerte sie sich über seine Dominanz, aber ihr Magen knurrte jetzt so heftig, dass sie wieder lächeln musste. Taylor gab ihr das Gefühl, etwas Besonderes zu sein.

Doch warum verschwand er dann plötzlich einfach so? Die Woche, in der er sich nicht gemeldet hatte, nagte an ihr. Auch wenn sie das nicht wahrhaben wollte. War er wirklich auf einer Fortbildung für Profiler gewesen? Taylor wirkte nicht wie jemand, der Seminare besuchte. Es zuckte in ihren Fingern, aber Laura unterdrückte den Impuls, im Ausbildungskalender nachzuschauen. Was sollte das auch bringen? Sie musste ihm vertrauen. Seufzend konzentrierte sie sich wieder auf die Liste der Waffenbesitzer und überflog die markierten Namen von Männern, die in das Täterprofil von Susanne Niemeyer passten. Ihr Team hatte inzwischen Passfotos zu einem Großteil der Namen besorgt. Laura stellte sich ein Standbild aus der Videoaufnahme von Melinda Bachmanns Begleiter ein. Sie inspizierte die Nachtaufnahme, deren graue Schattierungen eine zusätzliche Unschärfe hervorriefen. Es war unmöglich, den Mann zu erkennen. Der pixelige Hinterkopf konnte beinahe jedem gehören, es sei denn, er wäre blond und kleiner als eins fünfundachtzig. Laura schob die Liste beiseite. Der Täter brauchte nicht unbedingt eine Waffenbesitzkarte oder einen Waffenschein. Heutzutage war der Erwerb einer illegalen Waffe keine besondere Herausforderung mehr. Sie rieb sich müde die Augen und starrte auf ihren Computerbildschirm. Vielleicht sollte sie Woikow persönlich überwachen. Joachim Beckstein hatte ein Team hierfür abgelehnt. Aus Mangel an Beweisen. Daran krankte dieser ganze verdammte Fall. Vier tote Frauen und keine einzige heiße Spur. Sie hatten den Fundort um die Leiche von Elena Taubert weitläufig abgesperrt. Die sterblichen Überreste des armen Mädchens befanden sich inzwischen im Kühlraum der Leichenhalle. Dr. Herzberger würde den Leichnam gleich am nächsten Morgen begutachten. Er sollte das Gesicht reinigen und mit dem Foto auf dem Ausweis vergleichen. Erst dann würden sie Elenas Eltern informieren. Es war zwar unwahrscheinlich, dass der Ausweis nicht zu ihr gehörte, doch nichts wäre schlimmer als ein Irrtum. Für die Spurensicherung und die Hundestaffel war es am Abend schon zu spät gewesen. Auch ihre Arbeiten würden erst am kommenden Tag beginnen. Laura machte sich keine allzu großen Hoffnungen, was die Ergebnisse anbelangte. Der Täter hinterließ keine brauchbaren Spuren. Die Schusswaffe war ein Standardkaliber, unmöglich zurückverfolgbar. Woikow sagte auf Anweisung seines Anwalts kein Wort mehr, ebenso nicht Tom Eckert. Die Situation schien komplett hoffnungslos. Laura stand auf und starrte auf das Whiteboard. Ob der Türsteher Pierre Gardon vom Fever etwas mit der Sache zu schaffen hatte? Immerhin kannte er Kristin Jäschke und hatte sie darüber hinaus belästigt. Doch keine der vier Frauen war sexuell missbraucht worden. Der Mann passte nicht richtig ins Bild. Zudem gab es keine Verbindungen zu den anderen Opfern.

Laura nahm ein paar Fotos der toten Elena Taubert vom Schreibtisch und heftete sie neben die anderen Opfer. Für eine Achtzehnjährige wirkte sie viel zu ausgemergelt. Nachdenklich musterte Laura das Foto der noch lebenden Frau und bedauerte für einen Augenblick, dass keine weiteren Personen darauf zu erkennen waren, die als Zeugen hätten dienen können. Der Hintergrund glänzte schwarz im spärlichen Licht. War dieses Foto überhaupt in einer Diskothek aufgenommen worden? Sie betrachtete die Großaufnahmen von Händen und Füßen, die ein Kollege der Spurensicherung noch schnell vor dem endgültigen Einbruch der Nacht geschossen hatte. Die Fingernägel starrten vor Dreck. Mindestens vier waren abgebrochen und unter einem steckte etwas. Laura kniff die Augen zusammen. Ein Stückchen Holz, wie ihr schien, ein Splitter vielleicht. Ob Elena sich an einem Baum festgekrallt hatte? Laura fischte ein Vergrößerungsglas aus der Schreibtischschublade.

Ihr Telefon klingelte, sie sah, dass es Taylor war. Sie ging nicht dran und eilte stattdessen zum Fahrstuhl. Sie fuhr ins Erdgeschoss und ließ ihn ein.

»Du siehst ganz schön mitgenommen aus«, sagte Taylor und schaute sie sorgenvoll an.

»Danke für das Kompliment. Das hat mir heute gerade noch gefehlt.« Laura knallte die Tür zu und rief den Fahrstuhl. »Dieser Fall ist absolut frustrierend. Wir haben bis auf ein paar Indizien nichts in der Hand. Wir haben vorhin die vierte tote Frau gefunden, es ist schrecklich. Erschossen wie die anderen. Vermutlich wieder direkt ins Herz. Ich fühle mich inzwischen wie der allerletzte Versager.«

»Quatsch.« Taylor drückte ihr einen Kuss auf die Stirn. »Wir essen jetzt erst einmal was und du erzählst mir alles zu dem Fall. Manchmal hilft das schon. Dir fällt danach bestimmt etwas ein.«

Laura verzog das Gesicht. Die Fahrstuhltür öffnete sich. Sie ließ Taylor den Vortritt. Ihr Magen knurrte erneut, als sie hinter ihm herlief und den Duft des mitgebrachten Essens einsog. Im Büro stürzte sie sich mit Heißhunger darauf, während Taylor beim Essen die Unterlagen studierte.

»Was hat Elena Taubert da unter dem Fingernagel?«, fragte er nach einer ganzen Weile und kroch fast in das Foto hinein. Laura hielt ihm das Vergrößerungsglas hin.

»Sieht aus wie ein Stückchen Holz, allerdings keine Baumrinde«, erklärte sie und leerte hastig ihren Teller. Ein wohliges Gefühl erfüllte ihren Magen. Erst jetzt war ihr aufgefallen, dass sie seit dem Morgen nichts mehr gegessen hatte. Zum Mittagessen hatten zwei Müsliriegel im Dienstwagen herhalten müssen.

»Ich denke, es könnte von einem Brett stammen. Ich

kann ein bisschen Farbe erkennen. Ich glaube, das ist blau.«

»Was? Lass mich mal sehen.« Laura sprang sofort auf und starrte durch das Vergrößerungsglas. »Es ist blau«, bestätigte sie nach einer Weile und nickte. »Wo kommt die Farbe her?«

»Mehrere Fingernägel sind abgebrochen«, murmelte Taylor und sah sich die anderen Bilder ebenfalls genauer an.

In Lauras Kopf schoss ein Bild hoch. Unwillkürlich strich sie sich über das Schlüsselbein. Die Narben unter ihrer Bluse fühlten sich uneben und taub an. Ganz plötzlich sah sie Fingernägel vor sich, die in den Fugen einer Mauer steckten. Obwohl es beinahe zwei Jahrzehnte her war, konnte sie jedes Detail überdeutlich sehen. Sie war wieder im Pumpwerk. Elf Jahre alt. Ein kleines schmächtiges Mädchen, das mit seiner besten Freundin Melli ein Eis von einem Fremden angenommen hatte. Einem Fremden, der eigentlich gar nicht so fremd war. Sie hatte ihn schon öfter am Spielplatz spazieren gehen sehen. Melli kannte ihn auch. Die Definition eines Fremden war für ein Kind äußerst schwierig. Sie war damals viel zu klein, um zu begreifen, dass dieser Mann trotz seines freundlichen Lächelns etwas Böses im Schilde führte. Noch immer sah sie seine gütigen blauen Augen vor sich und die Veränderung, die sie durchmachten, als er sie in seinen Lieferwagen zwang. Er sperrte sie in ein stillgelegtes Pumpwerk. Laura schaffte es als einziges Mädchen wieder hinaus. Sie hatte in dem Moment, als sie die abgebrochenen Fingernägel in den Fugen der Wand sah, gewusst, dass sie nicht die Erste war. Von da an hatte sie gekämpft.

»Sie war irgendwo eingesperrt«, stellte Laura fest und

starrte Taylor an. »In einem Gefängnis aus blau lackierten Holzbrettern.«

Taylor zog die Augenbrauen zusammen. Das tat er öfter, sobald er nachdachte. Über der Nasenwurzel erschien eine kleine Falte.

»Unterstände für Wanderer und Hochstände für Jäger sind in der Regel nicht angestrichen. Was gibt es denn im Wald, was passen könnte? Mir fällt da auf Anhieb nichts ein. Oder hat sie sich bei ihrer Entführung bereits an etwas festgekrallt?«

Laura schob nachdenklich die Unterlippe vor. »Blaues Holz in einer Diskothek. Schwierig. Vielleicht etwas in einem Auto?« Sie schüttelte den Kopf. »Nein. Ist eher unwahrscheinlich.«

»Ich bin gleich wieder da«, sagte Taylor, ohne auf ihre Bemerkung einzugehen. Sie schaute ihn fragend an. Er zog die Augenbrauen hoch.

»Bin nur für kleine Jungs.« Ein verlegenes Lächeln umspielte seine Lippen.

Laura betrachtete seinen breiten Rücken, als er aus ihrem Büro ging. Sie lächelte verträumt und dachte weiter über das blaue Holz nach. Sie ließ den Blick über den Schreibtisch schweifen und blieb an Taylors Handy hängen. Ihre Fingerspitzen zuckten. *Nein*, sagte sie stumm. *Fass es nicht an.* Doch ihre Neugier war einfach zu stark. Wie von selbst griff sie nach seinem Handy und tippte den Code ein. Taylor hatte so oft bei ihr übernachtet, dass sie ihn vom Zuschauen auswendig kannte. Zugegeben, sie hatte ihn sich für Notfälle bewusst gemerkt. *Dies ist aber kein Notfall*, sagte eine Stimme in ihrem Kopf. Laura zögerte. Die Toiletten waren den Gang hinunter. Viel Zeit hatte sie nicht mehr, wenn sie einen kurzen Blick in seinen Kalender werfen wollte. Sie brauchte ja nicht in seinen

Nachrichten zu spionieren. Sie wollte doch bloß wissen, ob er wirklich auf diesem Ausbildungsseminar für Profiler war. Und falls nicht? Wollte sie dann so tun, als wüsste sie es nicht? Sie konnte sich schließlich nicht auf ewig verstellen. Die Stimmen in ihrem Kopf redeten wild durcheinander. Wie ferngesteuert öffnete sie Taylors Kalender und scrollte zurück. Ein roter Balken markierte die komplette Woche. Seminar stand dort in fetten Buchstaben, nur nicht welches.

»Mir ist was eingefallen.«

Laura ließ vor Schreck das Handy auf die Tischplatte fallen. Taylor kam herein. Allerdings sah er sie gar nicht richtig an, sondern steuerte unmittelbar auf das Whiteboard zu. Er pochte auf die Karte vom Spandauer Forst. »Was ist mit dieser Kleingartenkolonie? Dort gibt es doch bestimmt blau angestrichene Lauben. Habt ihr da schon mal gesucht?«

Laura schüttelte den Kopf und biss sich auf die Unterlippe. »Bisher nicht. Bei den anderen Mädchen fand sich hauptsächlich Erde unter den Fingernägeln. Außerdem war der Nagellack meist unversehrt. Bei Elena sieht es so aus, als wäre der Lack bereits ein paar Tage alt.« Sie verstummte und fragte sich gleichzeitig, ob Taylor tatsächlich nichts mitbekommen hatte. Er lehnte lässig an der Wand. Sein Zeigefinger wanderte über die Karte. Laura schluckte und holte tief Luft. »Irgendwie ist das eine Abweichung vom Muster.« Laura erhob sich und blieb neben Taylor stehen. Er legte einen Arm um sie, als wäre nichts gewesen. Ihr Puls beruhigte sich ein wenig. Sie deutete auf das Foto der toten Elena Taubert.

»Findest du nicht auch, dass sie im Vergleich zu den anderen ganz schön ausgemergelt wirkt?«

»Womöglich wurde sie nach der Entführung ein paar

Tage festgehalten und erst später im Wald ausgesetzt«, murmelte Taylor grübelnd.

»Aber das wäre genau so eine Abweichung vom Muster«, erwiderte Laura. »Normalerweise ändert ein Serienkiller seine Vorgehensweise nicht grundlegend. Er verfeinert sie höchstens. Bisher hat er die Mädchen aus der Diskothek entführt und noch in der gleichen Nacht erschossen. Warum sollte er Elenas Tod länger hinauszögern?«

Laura und Taylor blickten sich gleichzeitig an. »Vielleicht weil er sie gekannt hat«, platzte es aus Laura heraus, und Taylor nickte.

23

Das Monster war wieder zurückgekehrt und krallte sich in ihrem Traum fest. Laura wälzte sich hin und her. Sie hatte mit Taylor noch bis zwei Uhr nachts die Akten gewälzt und war dann todmüde neben ihm ins Bett gefallen. Irgendwann in der Nacht schleuderte ihr Unterbewusstsein längst verdrängte Bilder wieder hoch. Sie stand vor der Betonwand und betrachtete entsetzt die abgebrochenen Fingernägel. Fremde rosafarbene Schuhe lagerten auf einem Abtreter. Wie lange waren diese Mädchen hier eingesperrt gewesen? Laura blickte hinauf zu dem Fenster, das sich fast unter der Decke befand. Es war unerreichbar für ein kleines Mädchen. Selbst ein Erwachsener hätte nicht dort hinaufklettern können. Dieser Weg führte nicht hinaus. Sie suchte daher weiter. Noch bevor sie einen Blick in das schmale Rohr an einer merkwürdigen Apparatur werfen konnte, hörte sie etwas. Das Monster. Lautlos huschte sie zur Matratze zurück und stellte sich schlafend. Das hatte er von ihr gewollt. Sie sollte sich ausruhen. Sie atmete hektisch. Sie spürte, wie stark sich ihr Brustkorb hob und senkte. Er würde sofort merken, dass sie überhaupt nicht schlief. Die Tür knarrte, als er sie langsam öffnete. Sie kannte das Geräusch und musste nicht hinsehen. Schnell drehte sie sich zur Wand. Vielleicht würde er dann wieder verschwinden. Als er sie zuletzt besucht hatte, musste sie mit ihm tanzen. Noch immer lag sein Mundgeruch in ihrer Nase. Faulig, stinkend, ekelhaft. Sein Kuss hatte ihre Haut verätzt. Die Stelle schmerzte regelrecht. Laura presste die Augen zu und zählte. Ihr Atem glich sich allmählich an.

Ein Windzug an ihrer Wange ließ sie erschaudern. Es kostete sie alle Kraft der Welt, sich nicht zu rühren. Am liebsten wäre sie aufgesprungen und weggerannt. Doch das würde ihn nur wütend machen. Und sie wollte nicht sterben. Er schlich um sie herum. Sie spürte seinen gierigen Blick. Sie ahnte, dass er etwas mit ihr vorhatte. Laura ballte die Hand, die unter der Decke lag, zur Faust. Sie drückte so stark, dass sich ihre Fingernägel schmerzhaft in die Haut gruben. Aber der Schmerz half ihr, ruhig zu bleiben.

»Schlaf, mein Püppchen! Schlaf!« Seine Stimme war ganz dicht an ihrem Ohr. Sie roch ihn wieder.

Nicht bewegen, nicht bewegen!, befahl sie sich stumm.

Er legte sich zu ihr und küsste ihren Nacken. Seine spröden Lippen kratzten wie Dornen über ihren Hals.

»Nein! Beweg dich nicht!«, wisperte sie tonlos.

Laura schrie auf und fuhr hoch. Sie riss die Augen auf. Im selben Augenblick wurde ihr klar, dass sie nur geträumt hatte. Taylors Arm schloss sich sanft um ihre Schulter.

»Alles in Ordnung?«, murmelte er schlaftrunken.

Laura konnte nicht antworten. Sie zitterte am ganzen Leib. Mechanisch glitten ihre Fingerspitzen über die Narben unter dem Schlüsselbein. Sie atmete tief aus.

»Es geht schon wieder. Ich habe nur schlecht geträumt«, krächzte sie.

»Du Arme. Von diesem Fall?« Taylor küsste sie auf die Wange und sprang aus dem Bett. »Ich hole dir ein Glas Wasser.«

Laura ließ sich wieder auf das Kissen sinken. Für den Bruchteil einer Sekunde verspürte sie das Bedürfnis, Taylor von ihrem Albtraum zu erzählen. Aber als er zurück ins Zimmer kam und ihr das Wasserglas reichte, war dieser Gedanke verflogen. Taylor war bei ihr. Groß, durchtrainiert, dunkle Haare, wundervoll. Perfekt. Sie wollte vor ihm einfach keine Schwäche zeigen.

Durstig trank sie das Wasser und kuschelte sich anschließend an seine breite Brust. Sie liebte seinen männlichen Duft und die harten Muskeln, die seinen ganzen Körper durchzogen. Sie fragte sich, ob sie jeden Morgen neben ihm aufwachen könnte. Seine Hand streichelte plötzlich über ihren Bauch, und die vielen Schmetterlinge, die sich darin erhoben, waren Antwort genug. Sie genoss seine Liebkosungen für eine Weile, doch dann stand sie auf.

»Ich muss los. Die Obduktion fängt in einer halben Stunde an, und ich will unbedingt dabei sein.«

Taylor verzog enttäuscht das Gesicht. Er sprang auf und zog sie an sich.

»Ich möchte jeden Morgen mit dir aufwachen«, murmelte er und ließ sie wieder frei.

Laura lachte. »Du hast ja keine Ahnung, wie oft ich dich schreiend aus dem Schlaf holen würde.«

Sie ging ins Bad und saß keine fünfzehn Minuten später im Wagen. Während sie sich langsam durch die vollen Straßen zur Berliner Charité durchkämpfte, kamen immer wieder die Bilder der toten Elena Taubert in ihr hoch. Laura parkte und schritt zügig in den Autopsiesaal. Max wartete schon auf sie. Er wirkte blass. Kein Wunder, denn er mochte Obduktionen genauso wenig wie sie. Dr. Herzberger und sein Assistent hatten den Leichnam bereits geöffnet.

»Tut mir leid, Frau Kern. Wir mussten schon früher anfangen. Heute ist der Teufel los. Ich wollte die Obduktion aber auf keinen Fall nach hinten verschieben.« Dr. Herzberger nickte ihr zum Gruß zu.

»Vielleicht fasse ich das Wichtigste für Sie schon einmal zusammen.« Er streifte seine Handschuhe ab und blickte sich nach seinem Assistenten um. »Konstantin. Sie machen einfach weiter.«

Dr. Herzberger kam zu ihnen in den Vorraum. Er tippte auf einem Computer herum, bis verschiedene Fotos auf dem Bildschirm erschienen.

»Das hier sind Aufnahmen, die wir im Rahmen der äußeren Leichenschau von der Toten gemacht haben.« Dr. Herzberger öffnete ein weiteres Foto und zog es auf die rechte Hälfte des Bildschirmes.

»Hier sehen Sie das Passfoto vom Ausweis.« Er verstummte und trat einen Schritt zurück, damit Laura und Max besser sehen konnten.

Laura blinzelte. Ihr Gehirn versuchte, die Bilder übereinzubringen, was nicht so leicht war, denn das Gesicht eines Toten unterschied sich deutlich von dem der noch lebenden Person. Sämtliche Muskeln waren erschlafft und veränderten die Gesichtszüge. Es bedurfte einer gewissen Vorstellungskraft und einer genauen Analyse, um Ähnlichkeiten festzustellen. Doch in diesem Fall wollte es Laura nicht gelingen. Sie benötigte eine Weile, bis ihr ein Licht aufging.

»Das ist überhaupt nicht Elena Taubert«, stieß sie erstaunt aus.

Dr. Herzberger lächelte. »Richtig. Wie auch immer die Tote an diesen Ausweis kam, er gehört nicht ihr. Und noch etwas. Die Frau war dehydriert, ihr Magen ist seit mindestens zwei Tagen leer. Die Haut weist frische, aber auch etliche ältere Schrammen auf. Alles deutet darauf hin, dass sie mehrfach durch den Wald gerannt ist, bevor in der vorletzten Nacht gegen drei Uhr der tödliche Schuss fiel. Es gibt zwei Schusswunden. Ein Schuss ist älter, er könnte einer Betäubung gedient haben. Nach meiner Einschätzung ist er gut drei Tage vorher entstanden.«

Laura schnaufte. »Damit habe ich nicht gerechnet. Er hat seine Vorgehensweise geändert. Es ist doch der gleiche Täter, oder wie schätzen Sie das ein, Dr. Herzberger?«

»Ich denke ja. Die Ballistik muss noch ein endgültiges Gutachten erstellen, ich bin jedoch ziemlich sicher, dass dieselbe Waffe benutzt wurde.« Dr. Herzberger klickte auf eine Datei. »Hier. Ich kann Ihnen das auch nachher direkt an der Leiche zeigen, wenn Sie möchten. Wir haben etwas unter den Fingernägeln gefunden.«

»Ist schon okay so«, murmelte Max und blickte auf eine Großaufnahme des blauen Holzsplitters, den Taylor in der Nacht zuvor entdeckt hatte.

»Bei keiner der anderen Leichen haben wir Bauholz unter den Nägeln gefunden. Ich gehe davon aus, dass die Frau irgendwo festgehalten wurde. Die Verletzungen an den Fingerkuppen weisen darauf hin, dass sie versucht hat, sich zu befreien. Und ...« Dr. Herzberger atmete tief durch, bevor er weitersprach: »Wir haben das Haar einer weiteren Frau an der Leiche sichergestellt. Es hing am Gürtel ihres Kleides fest und passt weder zu ihr noch zu den anderen Toten.«

»Zum Teufel mit diesem Mistkerl«, fluchte Laura lauter als beabsichtigt. »Verdammt noch mal, gibt es denn überhaupt keine guten Nachrichten?«

Dr. Herzberger blies die Backen auf und machte eine beschwichtigende Geste mit den Händen. »Wie man es nimmt, Frau Kern. Wir haben über das Opfer ziemlich viel herausgefunden, und wir wissen, dass der Täter möglicherweise eine weitere Frau gefangen hält. Natürlich kann das Haar auch von woanders herstammen, von einer Freundin, mit der sich diese Frau beispielsweise getroffen hat. Aber sollte er tatsächlich noch jemanden festhalten, dann suchen Sie nach einem Raum, der aus blau lackiertem Holz besteht und groß genug für zwei Personen ist.«

Laura seufzte. »Da haben Sie wohl recht. Außerdem hat er anscheinend seine Taktik geändert und das Mädchen nicht sofort erschossen. Hoffentlich verschafft uns das ausreichend Zeit, um die andere Frau rechtzeitig zu finden.«

Laura und Max warteten den Rest der Obduktion nicht ab. Sie hatten so viele neue Informationen, dass sie die Ermittlungen unverzüglich weiterführen wollten. Sie fuhren zurück ins Büro und überprüften zuerst die Vermisstendatei. Elena Taubert war dort seit vier Tagen registriert. Zudem passten fünf weitere vermisste Frauen optisch und vom Alter her in das Profil der Opfer.

»Was ist mit Antonia Uhlmann? Ich finde, sie ähnelt unserer Toten sehr stark. Ich schicke die Datei mal an Dr. Herzberger, der kann das besser beurteilen.« Max starrte noch eine Sekunde auf das Bild und sandte es schließlich ab.

»Ich denke auch, dass sie es sein könnte. Aber nach der

jetzigen Erfahrung warten wir lieber auf die Bestätigung durch die Rechtsmedizin.«

Laura überflog die Daten der Vermissten. Zwanzig Jahre alt, Studentin, verschwunden seit sieben Tagen. Das war eine verdammt lange Zeit. Hatte der Täter sie tatsächlich in seiner Gewalt oder war sie einfach nur untergetaucht?

»Ich habe eine Idee«, sagte Laura und erhob sich von ihrem Stuhl. »Wir sehen uns in dieser Laubenkolonie am Spandauer Forst um. Vielleicht entdecken wir ja dort eine blaue Bretterbude.

24

Fiona wachte mit einem Kopf auf, der sich anfühlte, als wäre er mit kantigen Straßensteinen gefüllt. Sie stöhnte und schloss sofort wieder die Augen. Ihr Bewusstsein kehrte erst ganz allmählich zurück. Sie hustete und musste an das Wasser denken, in das sie gefallen war. An das Beinahe-Ertrinken. An den Mann, der sie gerettet hatte. Blitzartig öffnete sie die Lider. Sie hörte ihn flüstern: *Lauf!*

Sie war gelaufen. Und wie. Um ihr Leben.

Mit den Erinnerungen kamen auch die Schmerzen zurück. Fiona befühlte vorsichtig die Arme. Dicke Krusten und brennende Schwellungen überzogen ihre Haut. Die Fußsohlen fühlten sich an, als wäre sie über glühende Kohlen gegangen. Sie sah die Bäume, die vielen Äste. Sie erinnerte sich an ihre verzweifelte Suche nach dem Weg und an den Schuss. Er dröhnte durch die Nacht und traf sie in den Rücken. Behutsam tastete sie nach der Stelle, aber sie konnte sie nicht erreichen. Ein stechender Schmerz unterhalb des Schulterblatts bestätigte ihr jedoch, dass sie sich nicht täuschte.

Immerhin lebte sie noch. Oder war dies hier schon das Jenseits?

Langsam richtete sie sich auf. Durch Hunderte Ritzen drang Sonnenlicht herein. Sie befand sich in einem anderen Raum. Er war schmaler, aber es roch genauso wie vorher. Sie war wieder in diesem Schuppen. Sie erkannte es an den Bäumen, die sie durch die Ritzen sah. Fiona blinzelte und schluckte schwer. Die Tränen nahmen ihr die Sicht. Warum hatte er sie hierher zurückgebracht? Hätte er sie doch lieber erschossen. Sie ließ sich wieder auf den Boden sinken und schloss die Augen. Sie wünschte sich weit weg. Irgendwohin, wo sie frei war. Ihre Mutter machte sich gewiss große Sorgen. Hoffentlich hatte sie die Polizei informiert. Sie würden sie retten. Aber wie sollten sie sie finden, sie wusste ja nicht einmal selbst genau, wo sie überhaupt war. In einem Geräteschuppen mitten in einem Wald? Wie viele Wälder gab es in Berlin? Oder war sie gar nicht mehr in der Stadt? Sie konnte überall sein. Niemand würde sie finden. Fiona kannte die Bilder aus dem Fernsehen, wo ganze Hundertschaften mit Stöcken und Hunden auf der Suche nach Vermissten die Wälder durchforsteten. Meist ohne Erfolg. Hunde verloren die Fährte. Menschen stocherten vergeblich im Dickicht und manchmal waren auch Taucher im Einsatz. Im Grunde konnte sie sich nicht an eine einzige Suche erinnern, die erfolgreich gewesen wäre. Aber das mochte daran liegen, dass in den Medien immer nur über die schlimmsten Fälle berichtet wurde. Über die, an deren Ende unweigerlich der Tod stand.

Würde sie ebenfalls zu einem solchen Fall werden?

»Antonia?«, wisperte jemand.

Fiona schreckte hoch. Panisch blickte sie sich um,

versuchte, die Schatten im Schuppen zu durchdringen. Wer hatte da geflüstert? Oder wurde sie langsam verrückt?

»Hallo?«, erwiderte sie kaum hörbar und kauerte sich ängstlich an die Bretterwand.

»Antonia? Bist du zurück?«

Die Stimme kam von der anderen Seite. Schweigend kroch Fiona hinüber.

»Hallo?«, flüsterte sie abermals, aber ein wenig lauter.

»Antonia? Du bist wieder da?« Es war eine Frauenstimme.

Die Fremde schluchzte.

Fiona erhob sich und streckte eine Hand aus. Wo kam diese Stimme her? Ihre Fingerspitzen stießen gegen das Holz. Wer war das?

»Hallo? Ich bin nicht Antonia!«

»Nicht?«, kreischte die Frau.

Fiona zuckte zusammen und blickte sich panisch um. Was, wenn der Mann sie hörte?

»Pst«, zischte sie und presste das Ohr gegen die Bretterwand. Der Schuppen hatte offenbar mehrere Räume.

»Wie heißt du?«, wollte die Fremde wissen.

»Ich bin Fiona, und du?«

»Elena. Ist Antonia bei dir?«

»Nein. Ich bin hier alleine. Wo sind wir?«

»Keine Ahnung. Irgendwo im Wald. Musstest du schon laufen?«

»Ja«, erwiderte Fiona überrascht. »Lässt er uns durch den Wald rennen?«

Elena antwortete nicht sofort. Fiona konnte ihre hektische Atmung hören.

»Weiß nicht. Ich musste einmal vor ihm weglaufen und Antonia hat er zweimal geholt. Aber sie ist nun nicht zurückgekommen. Stattdessen bist du jetzt hier.«

In Fionas Kopf ratterte es. Antonia. Ein Mädchen, das vor ihr in diesem Schuppen eingesperrt gewesen war? Plötzlich konnte sie fühlen, dass Antonia nicht mehr lebte. Ihr Tod schwebte wie eine Mahnung durch die Dunkelheit. *Lauf!*, hörte sie immer wieder den fremden Mann raunen. Ihr wurde ganz übel. Der Kopfschmerz stach wie ein Messer durch ihr Hirn. Sie konnte keinen klaren Gedanken mehr fassen.

»Er wird uns alle töten«, jammerte sie und sackte in sich zusammen.

25

Zwanzig Jahre zuvor

Noch immer konnte er nicht fassen, was er gemalt hatte. Leider hatte die Zeit nicht gereicht, um das Jagdgewehr wieder wegzuradieren. Frau Niemeyer hatte kein Wort gesagt, nur mit zusammengepressten Lippen dagestanden und auf das Bild gestarrt. Irgendwann hatte sie es einfach weggelegt und ihn nach Hause geschickt. Da hatte er schon geahnt, dass es ein Nachspiel geben würde. Ein Nachspiel, das jetzt im Wohnzimmer stattfand. Wie immer ohne ihn.

Doch er ließ sich nicht wegschicken. Er lauschte hinter der geschlossenen Tür.

»Aber der Junge hat sich mit einer Waffe in den Händen gezeichnet. Das Gewehr ist eindeutig auf seine Schwester gerichtet. Was brauchen Sie denn noch? Das beweist doch, dass er sich wieder erinnert.« Die Stimme von Dietmar Wesermann überschlug sich.

Er krallte sich am Türrahmen fest. Die Angst schnürte ihm die Kehle zu. Ob sie ihn jetzt ins Kinderheim stecken würden? Er wusste, dass seine Mutter ihn gerne weggeben wollte. Er sah es in ihren rot geweinten Augen. In ihrem abwesenden Blick, sie sah ihn überhaupt nicht mehr. Emma war ihr Ein und Alles gewesen. Ihr Lieblingskind. Das kleine Mädchen, um das sich ständig die ganze Welt drehen musste. Er hatte wirklich versucht, es jedem recht zu machen. Aber egal, was er tat, er fiel immer nur mit den Dingen auf, die nicht klappten.

»Hast du den Müll nicht rausgebracht?«

»Emma war heute dran.«

»Emma? Jetzt reicht es. Vielleicht kannst du deiner kleinen Schwester auch mal helfen. Siehst du nicht, wie schwer der Beutel ist? Denk doch mal mit!«

Er könnte tausend andere Beispiele aufzählen, Ungerechtigkeiten, die ihm beinahe täglich widerfuhren. Emma stieß den Becher mit Limonade um, und er war schuld, weil er sie mit albernen Grimassen abgelenkt hatte. Emma steckte ihre kleinen Fingerchen in den Türspalt. Natürlich hätte er darauf achten müssen, dass die Tür nicht zufiel und sie sich die Finger einklemmte. Emma stürzte mit dem Fahrrad, weil er zu schnell vorausgefahren war. Emma, Emma und immer wieder Emma. Von ihm blieb nichts mehr übrig. Er war das ungeliebte Kind. Jemand, der ständig störte und von dem man sich wünschte, dass er am besten unsichtbar wäre. Und selbst jetzt, wo Emma tot war, machte sie weiter Ärger.

»Ich entscheide, wann eine Traumatherapie beendet ist, und nicht Sie. Der Junge hat seine Schwester geliebt. Ich gehe davon aus, dass er – falls er es überhaupt getan hat – sie niemals verletzen wollte.«

»Und warum zeichnet er dann dieses Bild? Er erinnert sich«, brauste der Kriminalkommissar auf. »Sehen Sie doch mal hin. Er hat sich selbst gezeichnet, und er grinst, während er das Gewehr auf seine kleine Schwester richtet. Die Eltern haben beide bestätigt, dass die Beziehung zwischen den beiden zuweilen konfliktbehaftet war. Sie stritten sich häufiger als andere Geschwister.«

Frau Niemeyer lachte. »Also wirklich, Herr Wesermann. Ich bin Ihnen keinerlei Rechenschaft schuldig. Meine Aufgabe ist es, den Jungen zu therapieren. Die Eltern können die Beziehung zwischen ihren Kindern nicht neutral beurteilen. Alle Kinder streiten und Geschwister ganz besonders. Das ist völlig normal. Der Junge ist nicht aggressiv. So viel können Sie schon mal mitnehmen. Denn das wird in meinem Gutachten für das Jugendamt stehen, und jetzt gehen Sie, damit ich meine Arbeit weitermachen kann.«

»Wenn ich noch etwas sagen darf ...« Das war sein Vater. »Mein Sohn hatte keinen Zugang zum Waffenschrank. Wir verstehen bis heute nicht, wie er an den Schlüssel gelangt sein soll.«

Dietmar Wesermann stöhnte. »Seine Fingerabdrücke sind auf dem Schlüssel und auf der Waffe. Im Grunde spielt es keine Rolle, wie er da rangekommen ist. Er war es, das ist doch eindeutig. Ich kann kein Ermittlungsverfahren gegen ihn einleiten, weil er minderjährig ist. Aber ich werde diesen Fall lückenlos aufklären. Meiner Meinung nach gehört dieses Kind in eine geschlossene Jugendeinrichtung, bevor es noch mehr Unheil anrichtet. Ich bin seit über zwanzig Jahren bei der Kripo, und glauben Sie mir, ich kenne solche Fälle.«

»Nicht mein Kind«, jammerte seine Mutter und sein Herz machte einen Sprung. »Er ist alles, was mir bleibt.«

»Keine Sorge«, hörte er Frau Niemeyer sagen. »Herr Wesermann hat hier gar nichts zu entscheiden. Das obliegt dem Jugendamt, und das trifft seine Entscheidung auf der Basis meines Gutachtens.«

Seine Mutter schluchzte.

Ob sie ihn trotz allem noch liebte? Für eine Antwort blieb keine Zeit mehr.

Jemand näherte sich der Tür. Er konnte einen schwarzen Schatten durch das blickdichte Türglas erkennen. Auf Zehenspitzen huschte er die Treppe hoch in sein Zimmer. Er setzte sich auf sein Bett und kramte seinen Werkzeugkasten hervor. Lustlos schraubte er an ein paar Teilen und spitzte dabei die Ohren. Schritte näherten sich über die Treppe. Es klopfte an seiner Tür.

»Herein«, sagte er, ohne aufzusehen. Es musste Frau Niemeyer sein, seine Mutter würde nicht anklopfen. Frau Niemeyer mochte es, wenn er kreativ war. Er wollte unbedingt von ihr gelobt werden. Ihren Vanille-Duft roch er, noch bevor sie sein Zimmer betrat. Sie strich ihm über den Kopf und löste damit ein Kribbeln überall auf seiner Haut aus. Er mochte Frau Niemeyer.

»Zeit, loszugehen«, flüsterte sie, und er wünschte sich, diesen Augenblick für immer festzuhalten. Wie ferngesteuert folgte er ihr nach unten. Sie hielt seine Hand und er lächelte glücklich. Auch dann noch, als seine Eltern ihn prüfend anschauten.

»Halten Sie das wirklich für eine gute Idee?«, fragte sein Vater mit kritischer Miene. »Er hat ständig Albträume von diesem Monster, das er unter der Hypnose gesehen haben will.«

»Es wäre gut, wenn er an den Ort des Geschehens zurückkehrt, damit er sich erinnern kann. Er muss dieses Trauma verarbeiten. Es nützt nichts, ihn vom Wald fernzuhalten.«

»Also gut. Wir warten. Falls irgendetwas ist, erreichen Sie mich auf dem Handy.«

»Wir machen das schon. Keine Sorge.« Frau Niemeyer bugsierte ihn durch die Terrassentür in den Garten.

»Und jetzt zeig mir, wohin Emma gelaufen ist«, bat sie ihn, sobald sie das hintere Gartentor erreichten.

Ihm war schwindelig. Wie lange war er nicht mehr draußen gewesen? Es kam ihm vor wie eine halbe Ewigkeit. Seit Emmas Tod hatte er den Garten und vor allem das Tor gemieden. Dahinter, tief im Wald, lauerte das Monster, und im Gegensatz zu Frau Niemeyer glaubte er nicht, dass diese Bestie nur seiner Fantasie entsprang. Es gab keine Fantasie mit solchen gelben Augen, das wusste er genau. Er war schließlich schon acht und kein Kleinkind mehr. Er wusste, was real war.

Zögernd trat er durch das Tor hinaus auf das Feld. Der Wind fuhr durch seine Haare. Er sah Emma vor sich. Wie sie lachend weglief. Nur langsam folgte er ihr. Er war sich keinesfalls sicher, ob er in den Wald wollte. Die Bäume wirkten schon von Weitem bedrohlich. Sie kamen ihm vor wie grüne Ungeheuer. Stimmte es tatsächlich, dass etwas Schlimmes besser wurde, wenn man es immer und immer wieder durchspielte? Wurde die Trauer weniger? War Emmas Tod dann nicht mehr so schrecklich?

Je weiter er über das Feld auf den Wald zuging, desto stärker wurden seine Zweifel. Er mochte Frau Niemeyer. Das bedeutete aber nicht, dass sie mit allem recht hatte. Es war keine gute Idee, in den Wald zu gehen. Alles in ihm wollte umkehren. Er fing an zu zittern. Zuerst nur an den Händen. Schließlich begannen die Knie zu schlackern. Zum Schluss konnte er kaum noch einen Fuß vor den anderen setzen.

»Atme tief ein und langsam wieder aus«, sagte Frau

Niemeyer sanft.

Ihre Stimme beruhigte ihn ein wenig. Aber nicht genug. Sein Herz klopfte bis zum Hals. Da im Wald lauerte das Monster mit den gelben Augen. Frau Niemeyer hatte kein Gewehr dabei, nicht mal ein Messer. Wie wollte sie ihn beschützen? Sie würden beide sterben.

»Nein. Nein. Nein«, flüsterte er panisch. »Wir dürfen nicht weiter.« Er wollte umdrehen, doch Frau Niemeyer hielt ihn an der Schulter fest. Zum ersten Mal mochte er ihre Berührung nicht.

»Ganz ruhig. Du schaffst das.«

Er schüttelte den Kopf. Tränen rannen ihm über die Wangen.

»Nein. Ich kann das nicht.« Er wand sich aus ihrem Griff und machte ein paar Schritte rückwärts. Mit dem Kopf stieß er gegen einen Ast. »Aua«, brüllte er. Das Echo seines Schreies hallte aus dem Wald wider. Er riss die Augen auf und suchte zwischen den Stämmen nach den gelben Augen. Das Monster versteckte sich, aber er ließ sich nicht täuschen. Er wusste, dass es da war.

»Setz dich neben mich, komm zu mir«, bat Frau Niemeyer. Sie hatte auf einem Baumstumpf Platz genommen und zog ihn zu sich. »Ich weiß, dass du Emma nicht wehtun wolltest. Du hast Angst, und das verstehe ich. Das ist völlig normal. Es ist deine Entscheidung, ob du dich erinnern willst oder nicht. Du musst das nicht tun.«

Er löste sich von ihr und sprang auf. »Sie wissen gar nichts«, schrie er. »Gar nichts! Ich wollte sie loswerden!«

Er hob die Hände hoch, presste sie aufs Gesicht und fiel auf die Knie. Jetzt war es raus. Er machte sich ganz klein, rollte sich wie ein Igel zusammen. Er roch den Duft des Waldbodens. Die kräftige Note aus Blättern und Erde.

Er wollte sterben. Einfach nur noch sterben.

26

Susanne Niemeyer grübelte über den Unterlagen. Vor ihr lag eine längere Liste von Waffenbesitzern, die dem von ihr erstellten Täterprofil entsprachen. Keiner der aufgeführten Namen kam ihr bekannt vor. Trotzdem analysierte sie die Liste genau. Das LKA hatte diverse Hintergrundinformationen zusammengestellt, und jetzt, da es schon die vierte Tote innerhalb kürzester Zeit gab, verspürte Susanne den Drang, etwas zu tun. Seit der Einsatzbesprechung hatte sie sich kaum mit dem Fall befasst. Erst seit dem Anruf von Laura Kern dachte sie wieder über die Morde nach.

Die Tür ging auf und ihre Sekretärin blickte herein.

»Herr Grabow ist hier«, verkündete sie und stieß die Tür so weit auf, dass der große Mann eintreten konnte.

»Herr Grabow, setzen Sie sich doch«, bat sie und schob die Liste beiseite. Den Patienten hatte sie ganz vergessen gehabt. Sie betrachtete den Mann, der wie immer ruhig und freundlich wirkte, obwohl er seine Freundin schlug und offenbar ein massives Aggressionsproblem hatte. Eigentlich hatte sie überhaupt keine Lust auf dieses

Gespräch. Sie interessierte vielmehr die Liste von Laura Kern. Susanne Niemeyer seufzte. Die Liste musste wohl warten. Der Termin ging natürlich vor.

»Wie geht es Ihnen?«, fragte sie und musterte Grabow. »Haben Sie die Atemübungen gemacht?«

Ihr Klient nickte zögerlich. »Hat aber nicht besonders viel geholfen«, murmelte er achselzuckend. »Die Situation ist total verfahren. Sobald meine Freundin in der Nähe ist, fühle ich diese unbändige Wut. Wenn sie mir dann noch diese Blicke zuwirft, möchte ich einfach nur zuschlagen. Sie soll aufhören, mich anzustarren. Verstehen Sie das?«

»Nicht ganz«, erwiderte Susanne Niemeyer. »Letzte Woche haben Sie mir erklärt, dass Sie Ihre Freundin lieben. Hat sich da etwas verändert?«

Grabow verdrehte die Augen. »Die Sache mit der Liebe ist mal so, mal so.«

»Aha«, sagte sie bloß, ihr fehlten die Worte. Dieser Patient drehte die Geschichte bei jedem Besuch in eine andere Richtung. Wo sollte sie da mit der Therapie ansetzen? Karsten Grabow war jedenfalls ein klassisches Beispiel für jemanden, der alles negativ bewertete. Er hatte einen guten Job, eine Freundin, ein geerbtes Haus, ein absolut perfektes Umfeld. Und trotzdem sah er überall nur das Schlechte. Er suchte ständig nach einem Grund, sich zu ärgern, und ließ dann seinen Aggressionen unkontrolliert ihren Lauf.

»Ich glaube, sie hat einen anderen«, verkündete er in einem Tonfall, bei dem es Susanne Niemeyer eiskalt den Rücken hinunterlief. Am liebsten hätte sie seine Freundin zu ihrer eigenen Sicherheit in ein Frauenhaus geschickt. Dieser Mann bedurfte einer jahrelangen Therapie, ohne sichere Aussicht auf Erfolg.

»Und wie kommen Sie darauf?«

»Sie war beim Friseur und sie hat sich neue Klamotten zugelegt.« Er beugte sich zu ihr vor. »Ich habe sie beobachtet.«

»Sie haben Ihre Freundin mit einem anderen Mann zusammen gesehen?«

»Nicht direkt. Sie wollte sich mit jemandem treffen, da bin ich mir ganz sicher. Vermutlich ist er nur nicht aufgetaucht. Niemand geht stundenlang alleine im Park spazieren, oder?«

Susanne Niemeyer schüttelte den Kopf. »Ich würde das nicht ausschließen. Warum sollte sie nicht ein wenig frische Luft schnappen? Hatten Sie sich gestritten?«

Wieder rollte Grabow mit den Augen. »Ich habe ein frisches Kaninchen mitgebracht. Fast noch warm, und sie wollte ihm das Fell nicht abziehen. Können Sie sich das vorstellen? Was soll ein Mann denn noch alles tun?«

Susanne Niemeyer seufzte. »Sie sollten unsere Atemübungen fortsetzen und versuchen, die Dinge immer zuerst optimistisch zu betrachten. Nennen Sie mir einen Grund, warum Ihre Freundin es nicht fertiggebracht haben könnte, ein totes Kaninchen zu häuten?« Es lag eigentlich auf der Hand. Es war ein widerlicher, ja, ekelerregender Gedanke. Sie selbst würde so etwas nicht fertigbringen. Es war ein himmelweiter Unterschied, ein Stückchen Filet aus der Packung zu nehmen oder ein ganzes Tier zu häuten. Solange der Tod abstrakt blieb, gelang es den meisten Menschen, ihn zu ignorieren. Bei einer Leiche funktionierte das nicht mehr. Nicht umsonst war die Zigarettenindustrie dazu verdonnert worden, Fotos von Raucherlungen auf die Verpackungen zu drucken. Der Genuss von Zigaretten führte zwar sehr oft zu tödlichem Krebs, aber man sah es dem harmlosen Ding nicht an. Und das half, die Konsequenzen zu verdrängen.

Mit dem Bild einer von Krebs zerfressenen Lunge ließ sich der Tod nicht mehr so leicht beiseiteschieben. Und so schafften es auch die wenigstens Menschen, ein Tier zu häuten oder zu rupfen. Der Fleischkonsum würde drastisch sinken, wenn es keine vorgefertigten Fleischportionen mehr in den Supermärkten gäbe.

»Hören Sie, Sie haben bei unserer letzten Sitzung vorgeschlagen, ich sollte mich stärker auf meine Gefühle konzentrieren. Sie haben ein nettes, romantisches Essen empfohlen. Ich habe einen halben Tag auf der Pirsch im Wald verbracht, um dieses verfluchte Karnickel zu schießen. Ich bin nicht einfach in den nächsten Supermarkt gerannt und habe die Zutaten in den Einkaufswagen geworfen. Aber meine Freundin weiß meinen Einsatz überhaupt nicht zu würdigen. Sie ekelt sich vor toten Tieren, hat sie gesagt, dabei isst sie fast jeden Tag Fleisch. Das ist doch absolut nicht normal!«

»Ich verstehe Ihre Sichtweise«, erwiderte Susanne. »Sie haben sich wirklich Mühe gegeben. Trotzdem möchte ich Sie bitten, sich nur einmal ganz kurz in Ihre Freundin hineinzuversetzen. Sie hätte sich bestimmt über ein gemeinsames Essen gefreut, oder?«

Karsten Grabow nickte missmutig.

»Beim Anblick des toten Kaninchens ist sie jedoch wahrscheinlich erschrocken, vielleicht sogar weggelaufen. Richtig?«

»Letzteres«, knurrte Grabow. »Sie hat die Tüte mit unserem Essen fallen lassen und ist aus der Küche gestürmt.«

»Sie hat sich also vor dem toten Tier geekelt und ist davongelaufen«, fasste Susanne Niemeyer zusammen. »Sie ist nicht vor Ihnen geflüchtet, sondern vor dem toten Kaninchen. Nicht vor Ihnen hat sie sich geekelt, allerdings vor dem toten Tier. Ihre komplett instinktive Reaktion hat gar nichts mit ihren Gefühlen Ihnen gegenüber zu tun. Verstehen Sie das?«

»Nein«, blaffte Grabow sie an und sprang auf.

Für einen kurzen Augenblick befürchtete Susanne Niemeyer, er könnte auf sie losgehen. Doch seine Miene wirkte vollkommen beherrscht. Nur an der anschwellenden Halsader erkannte sie seine Erregung. Er trat ihr nicht zu nahe, sondern wandte sich der Tür zu.

»Ich habe verstanden. Ihr Ekel vor toten Tieren ist größer als die Liebe zu mir. Da kann man also nicht wirklich von Liebe sprechen, oder?«, zischte er und riss die Tür auf. »Für heute sehe ich keinen Sinn mehr darin, unsere Sitzung fortzusetzen.« Ohne ein weiteres Wort verschwand er und drehte sich auch nicht mehr um.

Susanne Niemeyer blieb überrascht sitzen und starrte auf das Sofa, wo Grabow eben noch gesessen hatte. Was für ein merkwürdiger Mensch. Kontrolliert und aufbrausend zugleich, dabei anscheinend völlig unfähig, die Gefühle anderer zu deuten. Autistische Züge waren jedenfalls stark vertreten.

Sie schüttelte den Kopf und ging zum Schreibtisch, wo sie sich wieder auf die Liste des Landeskriminalamtes konzentrierte. Abermals überprüfte sie jeden einzelnen Namen und blätterte weiter. Ihr Verstand arbeitete auf Hochtouren. Stand der Serienkiller auf diesen Seiten oder verbarg er sich ganz woanders? Susanne Niemeyer betrachtete auf den Folgeseiten die Auflistung der Personen, die eine Waffenbesitzkarte führten. Im Unterschied zu einem Waffenschein, der das Führen einer scharfen Waffe in der Öffentlichkeit erlaubte, genügte die Besitzkarte für Jäger, Sportschützen, Schusswaffensammler oder auch Erben von Waffen. Diese durften ihre Waffe jedoch nicht außerhalb des dafür vorgesehenen Raumes benutzen. Mit gespitzten Lippen studierte sie die letzte Seite. Dort waren die Namen derjenigen aufgeführt, denen der Waffenschein oder die Besitzkarte irgendwann entzogen worden war. Dies geschah immer dann, sobald die laut Gesetz geforderte Zuverlässigkeit nicht mehr vorlag, zum Beispiel, wenn eine Straftat begangen wurde.

Ihr Blick blieb gleich an zwei Namen hängen. Mehrfach las sie die Namen laut vor, bevor sie zum Telefon griff und aufgeregt Laura Kerns Nummer eintippte.

27

Laura stand mit Max vor einer blau angestrichenen Gartenlaube. Sie hatte die Hand auf die Pistole am Gürtel gelegt und lauschte aufmerksam in das Innere der Hütte hinein. Es war mucksmäuschenstill, vermutlich befand sich keine Menschenseele dort drin. Auch die Nachbarn schienen nicht da zu sein, ganz im Gegensatz zum Rest der um diese Jahreszeit recht belebten Kolonie. Ihr Herz klopfte wie wild. Max nickte, und Laura drückte die Türklinke hinunter. Genau in diesem Augenblick schrillte ihr Handy los. Sie zuckte zurück, als hätte sie sich verbrannt. Verdammt. Sie hatte nicht daran gedacht, das Handy auf stumm zu schalten. Sie lehnte den Anruf ab und lauschte abermals. Immer noch rührte sich nichts. Zum Glück. Nichts wäre schlimmer, als den potenziellen Täter aufzuschrecken. Sie versuchte erneut, die Tür zu öffnen. Sie war gar nicht verschlossen. Nur ein kleiner Riegel unterhalb der Klinke hielt die Tür gegen den Wind fest. Laura stieß die Tür auf und warf einen Blick ins Innere der Laube.

»Nichts«, flüsterte Max, der hinter ihr stand und ihr aufgrund seiner Größe über die Schulter blicken konnte.

Laura drehte sich um. »Drei Versuche haben wir noch.« Simon Fischer hatte mithilfe von Satellitenbildern vier Gartenhäuschen mit blauer Farbe geortet. Zwei davon fanden sich in der Kleingartenkolonie im Süden des Spandauer Forstes, die anderen beiden lagen genau auf der gegenüberliegenden Seite im Norden, jenseits der Straße, fast schon in Brandenburg. Laura machte einen Schritt in die Holzhütte hinein. Ein Tisch befand sich darin und ein paar klapprige Stühle. An der naturbelassenen hölzernen Wand stapelten sich Bierkästen, daneben stand ein Kühlschrank, der ausgeschaltet war. An der Decke baumelte eine schlichte Glühbirne an einem Kabel. Die Laubenbesitzer schienen sich hier insbesondere zum Genuss von Alkohol aufzuhalten. Darauf ließen sowohl der Geruch im Raum, als auch der Rest des Gartens schließen. Unkraut wucherte, wohin das Auge blickte. Einzig der Apfelbaum am Rand des winzigen Grundstückes warf etwas Obst ab.

»Hoffentlich machen wir keinen Denkfehler«, murmelte Laura besorgt und schaute zu Max. »Die Tote hatte blau lackiertes Holz unter ihren Fingernägeln. Das bedeutet doch, das Haus muss von innen blau gestrichen sein. Oder es genügt, dass sich im Innenraum blaue Farbe befindet. Von außen kann die Hütte auch pink sein. Hier drinnen ist nicht mal ein Zentimeter blau lackiert.«

Max stieß die Luft aus. »Du hast natürlich recht. Aber irgendwo müssen wir ja ansetzen. Wenn ich deine Bedenken zu Ende spinne, könnte sich das Opfer sogar in irgendeinem Raum eines Betongebäudes mit blauem Innenrahmen befunden haben. Allerdings hätten wir dann überhaupt keinen Ansatzpunkt mehr und müssten im Prinzip auf das nächste Opfer, einen zufälligen Zeugen oder Ähnliches warten.

Laura seufzte und ging nach draußen. »Ich mache mir echt Sorgen wegen des unbekannten Haares, das am Kleid der neuen Leiche entdeckt wurde. Mein Bauch sagt mir, dass dieses Mädchen noch am Leben ist und irgendwo festgehalten wird. Vielleicht gehört dieses Haar zu der vermissten Elena Taubert, deren Ausweis wir gefunden haben.«

»Sobald das Labor mit der Analyse fertig ist, werden wir es wissen. Lass uns weitersuchen. Womöglich haben wir Glück und finden sie.« Max verschloss die Tür wieder mit dem kleinen Riegel und tippte auf den Plan. »Die nächste Laube ist nur zweihundert Meter entfernt.«

Laura folgte Max grübelnd. Die Kollegen hatten inzwischen mit Elenas Eltern gesprochen und um eine DNS-Probe gebeten, die mit dem sichergestellten Haar verglichen werden sollte. Mit Ergebnissen durften sie nicht vor morgen rechnen, denn das Labor brauchte mindestens vierundzwanzig Stunden. Alles, was sie über Elena wussten, war, dass das Mädchen bereits seit vier Tagen vermisst wurde. Die Abiturientin verschwand auf einer Schulfeier in einem beliebten Jugendklub. Interessanterweise befand sich dieser Klub in einer schmalen Nebenstraße unweit des Darko. Wieder gab es also eine vage Verbindung zu Alexander Woikow. Martina Flemming aus Team eins hatte Elenas Eltern Fotos der vier toten Frauen und von anderen Vermissten gezeigt, die ins Opferprofil passten. Anscheinend kannte Elena Taubert nicht eine dieser Frauen, die Eltern hatten jedenfalls noch nie eine von ihnen persönlich getroffen oder auf Fotos von Elena gesehen. Funkzellenauswertungen, Wohnungen, das Umfeld, alles war inzwischen gründlich untersucht worden.

Trotzdem gab es keine handfesten Beweise gegen Woikow oder Tom Eckert, die beide beharrlich schwiegen. Auch was die gelbe Nelke anbelangte, die beim letzten Opfer gelegen hatte, tappten sie völlig im Dunkeln. Während die ersten drei Blüten allesamt für die Liebe standen, bedeutete eine gelbe Nelke Missgunst. Laura hatte nicht die leiseste Ahnung, warum der Täter diese Blume gewählt hatte. Das passte nicht zusammen. Laura blieb stehen und betrachtete die zweite blaue Laube zuerst aus der Distanz. Im Gegensatz zur ersten schien sie sehr gepflegt. Der Garten blühte in allen erdenklichen Farben. Ein kleiner Zaun schützte vor Fremden. Max öffnete das Tor und ließ Laura den Vortritt.

»Hallo? Ist jemand hier?«, rief sie und betrat die kleine hölzerne Veranda. Als niemand antwortete, warf sie einen Blick durchs Fenster. Ein Sofa, ein kleiner Tisch, eine Schrankwand und ein paar Bilder an der Wand. Der Raum wirkte altmodisch, aber auch gemütlich.

»Ich kann mir nicht vorstellen, dass wir da drin etwas finden«, murmelte sie und drückte die Türklinke hinunter. »Na toll. Es ist natürlich abgeschlossen.«

»Hast du Angst davor, dass Beckstein uns die Ohren lang zieht?« Max grinste und öffnete die Tür mit einem Dietrich. »Wir sehen uns nur kurz um und rühren nichts an«, sagte er und zog den Kopf ein, als er durch die Tür trat.

Die Laube war wie erwartet eine Fehlanzeige. Laura seufzte. »Lass uns noch die anderen beiden Gartenhäuser ansehen und dann sollten wir uns Woikow noch einmal vornehmen. Wir müssen ihn endlich festnageln.« Wie aus dem Nichts fiel ihr der Anruf wieder ein. Sie hatte bisher gar nicht nachgesehen, wer sie vorhin erreichen wollte. Sie zog ihr Handy aus der Tasche. Susanne Niemeyer rief bestimmt nicht ohne Grund an. Laura wählte ihre Nummer.

»Laura Kern hier. Sie hatten mich angerufen?«

»Schön, dass Sie sich melden. Wir sollten miteinander reden. Ich habe etwas entdeckt, was Sie sich anschauen müssen.«

»Wir sind ungefähr in einer Stunde bei Ihnen«, versprach Laura und legte auf. Sie fuhren ans andere Ende des Spandauer Forstes, um sich die letzten beiden Hütten anzusehen, die Simon Fischer auf der Satellitenkarte markiert hatte. Die erste Laube befand sich unweit der ehemaligen Tankstelle. Laura war für einen Augenblick versucht, noch einmal mit Lena zu reden, aber sie verwarf den Gedanken. Die junge Frau würde bald sowieso im LKA erscheinen, um Alexander Woikow auf Fotos zu identifizieren. Laura hoffte zumindest, dass er es war und sie den Strick um seinen Hals so immer enger ziehen konnte. Viel dringender mussten sie mit dieser Psychologin sprechen. Also beeilten sie sich. Die Laube stand einsam und allein auf einer Lichtung mitten im Wald. Der perfekte Ort, um jemanden festzuhalten. Doch das Haus war leer und fast zerfallen. Als Laura die Tür öffnete, fiel sie beinahe aus den Angeln. Selbst ein Kind hätte sich aus diesem morschen Gefängnis befreien können. Sie überprüften die zweite Hütte, die sich neben anderen in einer kleinen Siedlung befand. Wieder nichts. Frustriert machten sie sich auf den Weg zur Praxis von Dr. Susanne Niemeyer.

Die Psychologin erwartete sie bereits. Sie saß hinter ihrem Schreibtisch und studierte ein Dokument. Als Laura näher kam, erkannte sie, dass es sich um den letzten Bericht ihres Teams zum Stand der Ermittlungen handelte. Susanne Niemeyer las noch eine Weile konzentriert und nickte ihnen dann zur Begrüßung kurz zu.

»Nehmen Sie Platz. Ich lese das nur schnell zu Ende«, murmelte sie und deutete auf die Couch.

Laura und Max setzten sich. Laura fühlte sich abermals an ein Krankenhaus erinnert. Nichts in diesem Behandlungszimmer wirkte auch nur im Entferntesten behaglich auf sie. Sie spürte das kühle Leder des Sofas durch den Stoff ihrer Hose hindurch. Die Wände waren durchgehend weiß angestrichen. Abstrakte, in hellen Pastellfarben gehaltene Bilder konnten den ansonsten kahlen Wänden kein Leben einhauchen. Eine einzige Zimmerpflanze stand traurig neben dem Fenster. Im Gegensatz zu ihr schien sich Susanne Niemeyer wohlzufühlen. Die Psychologin saß völlig entspannt auf ihrem Stuhl und wippte mit den Zehenspitzen. Auch Max hockte lässig auf dem Sofa und hatte die Arme auf der Rückenlehne ausgebreitet, während Laura auf einem Sessel Platz genommen hatte.

»Ich habe mir die Veränderungen in der Vorgehensweise des Täters genau angesehen«, hob Susanne Niemeyer an und setzte sich zu ihnen in den zweiten Sessel. »Ich denke nicht, dass er seine Methode grundlegend geändert hat. Er scheint sie zu optimieren. So deute ich es jedenfalls. Aber warum ich eigentlich mit Ihnen sprechen wollte, ist diese Liste. Ich habe einen Patienten von mir darauf entdeckt.« Niemeyer machte eine bedeutungsvolle Pause. Laura warf Max einen erstaunten Blick zu, der sich überrascht aufgesetzt hatte. Dann sprach die Psychologin weiter: »Ihm wurde der Jagdschein vor drei Jahren wegen Körperverletzung entzogen. Der Mann befindet sich seit Kurzem bei mir in Behandlung. Nur in einem Punkt passt er nicht ins Täterprofil. Er ist mit einer Frau liiert. Trotzdem finde ich, dass Sie ihn überprüfen sollten. Ich darf Ihnen ohne richterlichen Beschluss leider keine weiteren Details nennen. Auch nicht den Namen.« Susanne Niemeyer presste bedauernd die Lippen aufeinander und verzog das Gesicht.

»Aber Sie haben uns jetzt nicht hierhergerufen, um uns unverrichteter Dinge wieder gehen zu lassen?«, fragte Laura und rutschte auf ihrem Sessel ganz nach vorn.

»Nein, natürlich nicht. Ich wollte Sie bitten, mich so schnell wie möglich von meiner Schweigepflicht zu entbinden. Dann dürfen Sie sofort einen Blick in seine Akte werfen.« Susanne Niemeyer zuckte mit den Achseln. »Dieser Patient ist mir ins Auge gesprungen. Das muss nicht heißen, dass er etwas mit den Morden zu tun hat. Ich wollte Sie nur unbedingt informieren.«

»Für einen richterlichen Beschluss brauchen wir vielleicht mehrere Tage. So viel Zeit haben wir nicht. Wenn der Killer so weitermacht, erschießt er spätestens in drei Tagen das nächste Mädchen. Wir müssen davon ausgehen, dass er ein weiteres Opfer bereits in seiner Gewalt hat.«

»Ich verstehe das vollkommen«, erwiderte Susanne Niemeyer. »Sie kennen die Gesetze doch auch. Ich verliere meine Zulassung, wenn ich gegen die ärztliche Schweigepflicht verstoße. Ich mache mich sogar strafbar.«

»Trotzdem, wir müssen dringend vorankommen«, protestierte Max. »Keiner will noch eine tote Frau im Wald. Da sind wir uns alle einig, oder?«

Susanne Niemeyer nickte.

»Handelt es sich bei dem Namen, den Sie entdeckt haben, möglicherweise um *Alexander Woikow*? Sie brauchen nicht zu antworten. Nicken Sie einfach, falls es so ist.« Max sprach mit sanfter Stimme, fast so, als wollte er die Psychologin hypnotisieren.

Susanne Niemeyer schüttelte den Kopf. »Kommen Sie bitte so schnell wie möglich mit einem richterlichen Beschluss wieder, in Ordnung?«

Laura fragte sich, was die Reaktion der Psychologin zu bedeuten hatte. War das ein *Nein* gewesen?

»Was ist mit Tom Eckert?«, wollte sie wissen. Der Kellner aus dem Darko stand auch auf der Liste der Waffenbesitzer. Susanne Niemeyer schüttelte abermals den Kopf. Diesmal so langsam und betont, dass Laura klar wurde, dass die Psychologin weder Alexander Woikow noch Tom Eckert meinte. Ihr Patient war jemand anderes.

»Okay«, sagte Laura und tippte Max unauffällig mit dem Fuß an. »Wir besorgen den Beschluss. Falls Sie weitere Hinweise für uns haben, melden Sie sich bitte.« Laura erhob sich und reichte der Psychologin zum Abschied die Hand. Max gab ihr ebenfalls die Hand und folgte ihr zur Tür.

»Dürfte ich die Toilette benutzen?« Laura blieb im Türrahmen stehen und Max lief beinahe auf sie auf.

»Natürlich, direkt am Eingang links«, erwiderte Susanne Niemeyer, die längst wieder am Schreibtisch saß und auf ihren Bildschirm starrte. Laura fixierte die Liste mit den Waffenbesitzern, die neben der Tastatur lag. Sie konnte eine neongelbe Markierung erkennen. Sie brauchte diesen verdammten Namen. Als wenn die Psychologin ihren Gedanken gehört hätte, sah sie auf. Auf ihrer Stirn bildete sich eine tiefe Falte über der Nasenwurzel. Plötzlich sprang sie auf.

»Ich hatte ganz vergessen, dass ich gleich einen auswärtigen Termin habe. Sie finden sich zurecht?«

Laura nickte, während Susanne Niemeyer an ihnen vorbei aus dem Behandlungszimmer eilte. Sie schaute ihr nur kurz hinterher und ergriff die Chance. Sie stürmte zum Schreibtisch und schnappte sich die Liste. Max warf ihr einen fragenden Blick zu, doch sie zog ihn schnell mit sich hinaus. Laura wollte nicht, dass der Vorzimmerdame etwas auffiel.

»Ich hab die Liste«, flüsterte sie ihm zu, als sie durch den Flur zur Haustür gingen.

»Wie heißt er?«, fragte Max.

Laura stieß die Haustür auf und blickte sich nach Susanne Niemeyer um. Die Psychologin war verschwunden. Erst jetzt sah sie auf die Liste.

»Karsten Grabow«, murmelte sie. Der Name sagte ihr überhaupt nichts.

28

Laura spürte, dass ihr Team nach dem langen Tag endlich nach Hause wollte. Peter Meyer sah unauffällig auf die Uhr an seinem Handgelenk. Er hatte gerade erst geheiratet. Vermutlich wartete seine Frau auf ihn. Unwillkürlich musste sie an Taylor denken. Ob er die kommende Nacht wieder mit ihr verbrachte? Es war merkwürdig. Seit er von seinem Seminar zurückgekehrt war, hatte sie jede Nacht mit ihm in einem Bett geschlafen. Davor war es viel lockerer zugegangen. Auf der einen Seite sehnte Laura sich nach Taylors Nähe, auf der anderen wollte sie ihre Freiheit nicht verlieren. Trotzdem warf sie einen flüchtigen Blick auf ihr Handy und war enttäuscht, dass er ihr den ganzen Tag noch keine Nachricht geschickt hatte.

»Entschuldigung«, brummte Simon Fischer und kam beinahe in den Besprechungsraum hereingeschlichen. Er setzte sich gleich in der letzten Reihe neben die Tür.

»Wir können anfangen. Alle sind da«, verkündete Laura und steckte das Handy wieder in die Tasche. »Ich weiß, es ist spät und Sie wollen in Ihren wohlverdienten

Feierabend, aber da draußen läuft immer noch ein Mörder frei herum. Ich hatte Ihnen vor zwei Stunden einen Namen gegeben, und ich bin gespannt, was Sie in der Kürze der Zeit herausgefunden haben.«

Simon Fischer blätterte geräuschvoll in seinen Unterlagen. Der blasse Computerexperte räusperte sich und sprach:

»Karsten Grabow ist achtundzwanzig Jahre alt, saß wegen Körperverletzung zwei Jahre im Gefängnis. Er hat eine Frau vor einer Kneipe angegriffen. Angeblich wollte er sie nur auf einen Drink einladen, allerdings landete die Frau mit einer gebrochenen Nase im Krankenhaus, als sie sein Angebot ablehnte. Ansonsten gibt die Aktenlage nicht allzu viel her. Keine Punkte in Flensburg, kein weiterer Zusammenstoß mit dem Gesetz. Er ist seit drei Jahren wieder auf freiem Fuß.«

»Fährt der Mann einen roten Sportwagen?«, wollte Max wissen.

»Nein. Aber Alexander Woikow fährt einen, mit dem ist er auch geblitzt worden. Ich habe aber noch ein paar weitere Informationen zu Grabow. Er arbeitet bei einem Lieferservice für Getränke. Seine Firma beliefert alle Diskotheken, die uns bisher im Zusammenhang mit den Mordfällen untergekommen sind. Auch den Jugendklub in der Nähe des Darko.«

Es gibt also eine vage Verbindung zwischen Karsten Grabow und den Opfern. Laura notierte diesen Punkt auf der Tafel. Dem würde sie nachgehen müssen.

»Wissen wir denn inzwischen, ob es sich bei dem vierten Opfer um die vermisste Antonia Uhlmann handelt?«, fragte Laura und pochte dabei auf ein Fragezeichen auf dem Whiteboard.

Martina Flemming aus Team eins hob ein Stückchen

die Hand und nickte aufgeregt. »Doktor Herzberger aus der Rechtsmedizin hat die Identität vorläufig bestätigt. Optisch könnte es sich um Antonia Uhlmann handeln. Auch die beim Einwohnermeldeamt registrierte Körpergröße stimmt. Ich habe von ihrem Mitbewohner, Marc Husman, eine Haarbürste bekommen. Das Labor braucht leider mindestens bis morgen für die DNS-Analyse. Husmann hat die Studentin übrigens auch als vermisst gemeldet. Er weiß nur, dass sie auf dem Campus auf einer Studentenparty der Biologen war. Sie ist in der Nacht nicht nach Hause gekommen. Er hat noch zwei Tage gewartet, bis er zur Polizei gegangen ist. Zwischenzeitlich hatten sich auch ihre Eltern sowie ein paar Freundinnen nach ihr erkundigt, sodass klar wurde, dass etwas nicht stimmt. Sie ist also schon seit über einer Woche verschwunden.«

»Haben Sie den Mann überprüft?« Laura schrieb seinen Namen vorsichtshalber ans Whiteboard.

»Er hatte einen Freund bei sich, der sein Alibi in der Tatnacht bestätigen kann. Allerdings war er in der Nacht von Antonia Uhlmanns Verschwinden alleine. Ich habe die Spurensicherung in ihr Studentenzimmer geschickt. Leider bisher nichts.«

Laura seufzte. Sie hatte sich zwar keine großen Hoffnungen gemacht, da der Täter seine Opfer offenbar spontan aus Diskotheken oder anderen Partylokalitäten entführte, trotzdem frustrierte es sie, dass sie immer noch keine stichfesten Beweise in der Hand hatten.

»Gibt es irgendeine Verbindung von Alexander Woikow oder Tom Eckert zu Antonia Uhlmann oder den anderen Opfern?« Laura blickte in die Runde. Betroffenes Schweigen trat ein.

»Also nicht«, stellte Laura enttäuscht fest. Sie hatte die

Schlinge um Woikows Hals enger ziehen wollen, doch offenbar gelang ihr das nicht.

»Okay, wir konzentrieren uns erst einmal auf Karsten Grabow. Wir wissen, dass er bis auf eine Abweichung ins Täterprofil passt. Er kann mit Schusswaffen umgehen. Er ist vorbestraft, jedoch nicht wegen eines Sexualdeliktes. Was nicht übereinstimmt, ist die Tatsache, dass er eine Freundin hat. Vielleicht können wir bei ihr ansetzen und nachfragen, wo er sich zu den jeweiligen Tatzeitpunkten aufgehalten hat. Ihm wurde zwar der Jagdschein entzogen, aber womöglich besitzt er trotzdem ein Jagdgewehr.«

Wieder streckte Martina Flemming den Finger zaghaft in die Höhe. »Also wenn er eine Freundin hat, dann wohnen sie jedenfalls nicht zusammen. Das habe ich überprüft.«

Laura sah Max fragend an. Doch der hob die Schultern. »Frau Niemeyer hat definitiv von einer Freundin gesprochen«, bestätigte er.

Simon Fischer meldete sich zu Wort. »Ich habe mich auf seiner Facebookseite und auch bei Instagram umgesehen. Dort wird keine Freundin erwähnt. Sein Beziehungsstatus ist Single.«

Laura bedankte sich bei den beiden. »Diesen Punkt sollten wir klären.« Sie stimmte die einzelnen Aufgaben mit den Teams ab und schickte die Kollegen anschließend nach Hause. Die Uhr zeigte bereits kurz vor acht an.

»Ich muss zu Hannah.« Max sah sie entschuldigend an. »Du solltest auch mal abschalten.« Er drückte sie sanft an sich und verschwand aus dem Besprechungsraum. Laura blieb noch eine Weile vor dem Whiteboard stehen und betrachtete die Fotos der Opfer. Sie durften keinesfalls zulassen, dass ein weiteres Mädchen starb. Vier tote Frauen waren eine Katastrophe. Sie musterte das Passfoto

von Karsten Grabow, das Simon Fischer vom Einwohnermeldeamt besorgt hatte. Besonders sympathisch wirkte
der Mann nicht. Grabow starrte aus kalten Augen in die
Kamera. Sein voller dunkler Haarschopf könnte durchaus
zu dem Mann auf dem Überwachungsvideo passen,
ebenso seine kräftige Statur. Laura öffnete den Internetbrowser ihres Laptops und klickte auf die E-Mail, die
Simon Fischer ihr zu dem Verdächtigen geschickt hatte.
Sie enthielt verschiedene Links, unter anderem zu
Grabows Facebookprofil und zu der Firma, für die er als
Fahrer arbeitete. Laura versuchte, sich daran zu erinnern,
ob es einen Lieferanteneingang im Darko gegeben hatte.
Ihr fielen jedoch nur der Haupt- und der Nebeneingang an
den Toiletten ein. Wie auch immer, als Getränkelieferant
kannte sich Grabow in den Diskotheken aus. Er wusste,
wie man hinein- und wieder hinausgelangte, und zwar
wahrscheinlich nicht durch den Haupteingang. Sie rieb
sich nachdenklich die Schläfen. Warum machte dieser
Mann überhaupt eine Therapie bei Dr. Niemeyer? Sie
überflog das Gerichtsurteil, in dem ihm zwei Jahre ohne
Bewährung wegen Körperverletzung aufgebrummt
worden waren. Eine Therapie war ihm im Gefängnis
sicherlich nahegelegt worden. Doch warum behauptete er
ihr gegenüber, eine Freundin zu haben? Das ergab keinen
Sinn. Hatte die Psychologin sich möglicherweise vertan?

Laura beschloss, der Sache auf den Grund zu gehen.
Sie wählte Susanne Niemeyers Nummer, aber die Psychologin hob nicht ab. Grübelnd prüfte sie ihre Nachrichten.
Taylor hatte sich noch immer nicht gemeldet. Eigentlich
wollte sie sich nicht aufdrängen, doch plötzlich über-
mannte sie die Sehnsucht. Sie musste seine Stimme hören.
Ohne weiter nachzudenken, drückte sie seine Kurz-
wahltaste.

»Endlich meldest du dich.«

Laura war hin und weg von seiner tiefen Stimme. Sie lächelte.

»Ich habe noch eine Kleinigkeit zu erledigen, aber danach könnten wir uns sehen.«

Taylor seufzte am anderen Ende der Leitung. »Ich befürchte, das geht heute nicht.«

Die Enttäuschung traf Laura so heftig wie die Vorfreude, die eben noch in ihrem Bauch gekribbelt hatte. Sie biss sich auf die Unterlippe und schwieg.

»Sei nicht sauer. Ich habe einen Kollegen überreden können, Woikow zu observieren, aber ich muss ihn um Mitternacht ablösen. Ich tue das nur für dich. Du kannst vermutlich erst wieder richtig durchschlafen, wenn dieser Mistkerl gefasst wurde.«

Laura schnappte nach Luft. Ihre Gefühle fuhren Achterbahn. Sie war froh, dass Taylor sie in diesem Moment nicht sehen konnte. Sie lief wahrscheinlich puterrot an, wie ein Teenager. Gleichzeitig grinste sie und womöglich zog sie auch noch eine schreckliche Grimasse vor lauter Erleichterung.

»Das ist sehr nett von dir!«, erwiderte sie und versuchte, ihre Gefühle nicht durchblicken zu lassen. Dieser Mann sorgte dafür, dass ihr schwindlig wurde vor Glück. Er war aber ebenso in der Lage, sie ganz tief in ihrem Innersten zu treffen. Das machte ihr Angst. Und zog sie zugleich magisch an.

»Ich könnte dich begleiten. Es ist ja eigentlich mein Fall«, bot sie an.

»Nein. Du musst heute Nacht schlafen, damit du morgen fit bist. Ich habe morgen frei und kann ausschlafen. Außerdem hattest du einen schlimmen Albtraum, ich muss immerzu daran denken.« Taylors Stimme klang wie ein warmer Sommerregen. Laura wollte protestieren, aber sie wusste, dass er recht hatte.

»Ich …« Sie schluckte. »Ich werde dich wohl vermissen. Ein bisschen …«

»Ich dich auch. Sobald etwas ist, rufe ich dich an.«

»Danke, dass du das für mich tust.«

»Ich liebe dich, Laura Kern.« Er legte auf und Laura spürte einen Stich im Herzen. Sie schloss selig die Augen und sah Taylors Gesicht vor sich. Wie gerne hätte sie sich jetzt in seine Arme geschmiegt.

Doch Karsten Grabow ließ ihr keine Ruhe. Entschlossen packte sie ihre Sachen zusammen und begab sich zum Auto. Susanne Niemeyer ging zwar nicht ans Telefon, aber vielleicht war sie zu Hause. Ihre Wohnung befand sich oberhalb ihrer Praxis. Laura konnte zumindest vorbeifahren und sehen, ob Licht brannte. Bevor sie sich intensiver mit Grabow beschäftigte, musste sie ein Missverständnis bezüglich seines Beziehungsstatus ausschließen. Im Grunde genommen änderte es nicht viel, ob er nun eine Freundin hatte oder nicht. Aber die aufgetretenen Widersprüche machten Laura misstrauisch.

29

Susanne Niemeyers Handy klingelte hartnäckig. Wie auch immer Karsten Grabow an ihre private Nummer gekommen war, sie wollte ihn jetzt auf keinen Fall sprechen. Sie schaltete es aus. Es war neun Uhr abends. Sie hatte ein Buch zur Hand genommen und sich ein Glas Rotwein eingegossen, um gemütlich zu lesen und den Tag ausklingen zu lassen. Ihr Mann war auf Dienstreise, wie so häufig in letzter Zeit. Ihrer Ehe ging es nicht besonders gut, das wusste Susanne. Harald hatte sich so sehr Kinder gewünscht. Diese Leere konnte auch ihre Liebe nicht ausfüllen. Ganz im Gegenteil, das Band zwischen ihnen begann sich aufzulösen. Ob das am Alter lag? Harald schritt auf die fünfundfünzig zu. Susanne plante seit Wochen für seine Geburtstagsparty. Doch Harald schien sich nicht sonderlich dafür zu interessieren. Er hatte einen neuen Mandanten hinzugewonnen und war seitdem permanent unterwegs. Auch früher hatte er viele Dienstreisen unternommen, aber wenn er im Anschluss nach Hause kam, hatte Susanne stets im Mittelpunkt seiner Aufmerksamkeit gestanden. Seit Kurzem fühlte sie sich wie Luft. Er sah sie gar nicht mehr. Sie konnte direkt vor ihm stehen, er blickte regelrecht durch sie hindurch. Ob er eine Affäre hatte? Das wäre nicht ungewöhnlich für einen Mann in seinem Alter. Einen enttäuschten Mann, der jede Sekunde seiner verbleibenden Freizeit mit seinem Neffen verbrachte. Der Junge war eine Art Ersatz für den Sohn, den sie nie haben würden. Er hatte sogar über eine Adoption nachgedacht, doch Susanne hatte ihr Schicksal akzeptiert. Es sollte nicht sein. Zudem standen die Chancen für eine Adoption denkbar schlecht. Sie war zum damaligen Zeitpunkt bereits vierzig Jahre alt, Harald schon fünfundvierzig. Die Lage war komplett aussichtslos gewesen. Sie wollte den Gedanken ans Kinderkriegen einfach vergessen. Viel zu lange hatte sie sich damit herumgequält. Ein langwieriger Adoptionsprozess war das Letzte, was sie seinerzeit gebrauchen konnte. Doch inzwischen zweifelte sie an ihrer Entscheidung. Für Harald wäre es besser gewesen, diesen Weg zu beschreiten. Dann hätte er vielleicht ebenfalls mit dem Thema abschließen können. So brodelte der Kinderwunsch weiter in seinem Inneren und machte ihn immer unzufriedener. Je mehr sich das Leben dem Ende zuneigte, desto stärker vermisste man die Dinge, die noch fehlten.

Susanne seufzte und trank einen großen Schluck Wein. Der Alkohol floss warm durch ihre Kehle und entspannte sie ein wenig. Sie war nicht der einzige Mensch, der Probleme hatte. Laura Kern beispielsweise verbarg etwas unter ihrer hochgeschlossenen Kleidung. Die Spezialermittlerin des LKAs wirkte tough und sehr selbstbewusst, doch hinter diesem Schutzschild steckte ein verletztes Wesen. Auch sie hatte sicherlich Fehler gemacht, als sie jünger war. Fehler, die jetzt noch ihr Leben beeinflussten.

Susanne Niemeyer schlug eine Seite im Buch auf und wollte sich in die Geschichte vertiefen, als sie ein Geräusch aufschreckte. Hatte sie vergessen, die Haustür abzuschließen? Sie schüttelte den Gedanken ab und begann erneut zu lesen. Aber nach einer Weile hörte sie wieder etwas. Ein Knarren, so als ob jemand die Treppe von der Praxis zur Wohnung heraufkommen würde. Ihr Herzschlag beschleunigte sich. Sie blickte auf die Uhr. Harald konnte es nicht sein. Er würde die ganze Woche wegbleiben. Plötzlich fiel ihr ein, dass sie das Handy ausgeschaltet hatte. Sie stellte es wieder an. Sofort erschienen zehn Anrufe in Abwesenheit auf ihrem Display. Sie stammten fast ausschließlich von Karsten Grabow. Du liebe Güte, was wollte er nur von ihr? Sich entschuldigen, weil er sich in der heutigen Therapiestunde völlig danebenbenommen hatte? Das würde zu seiner Persönlichkeit passen. Für einen Moment überlegte Susanne, den Mann zurückzurufen, doch dann knallte eine Tür.

Jemand war im Haus!

Susanne huschte zur Zimmertür und spitzte die Ohren. Ihre Putzhilfe besaß einen Schlüssel, aber die konnte es um diese Uhrzeit nicht sein. Oder hatte sie etwas vergessen? In diesem Fall hätte sie garantiert vorher angerufen. Sie öffnete leise die Tür und lauschte in den Flur hinein. Als sie nichts hörte, lief sie auf Zehenspitzen zur Wohnungstür. Ob ein Einbrecher gerade die Praxisräume durchstöberte? Aber der würde bestimmt keine Tür zuknallen. Oder doch?

Sie öffnete die Wohnungstür und hörte deutlich, wie unten etwas über den Boden geschleift wurde. Ein Stuhl, womöglich auch etwas Leichteres, ein Eimer vielleicht? Susanne schlüpfte aus ihren Schuhen und stieg die Treppe hinunter. Der Strahl einer Taschenlampe schweifte von innen über das blickdichte Glas an der Eingangstür zur Praxis. Himmel. Es war tatsächlich ein Einbrecher! Sie flitzte die Treppe wieder hinauf, um die Polizei zu rufen. Das Handy lag immer noch im Wohnzimmer auf der Couch. Ihre nackten Füße patschten auf den Stufen so laut, dass sie unweigerlich jeder im Haus hören musste. Bevor sie den Treppenabsatz zur Wohnung erreichte, knallte die Praxistür. Wie ein wildes Tier stürmte der Einbrecher hinter ihr her. So kam es Susanne jedenfalls vor, denn im nächsten Augenblick schnappte er mit groben Händen nach ihren Füßen. Sie nahm zwei Stufen auf einmal. Fast war sie an der Wohnungstür.

»Hilfe«, schrie sie, obwohl sie wusste, dass sie niemand hören konnte. Sie lebte in einem frei stehenden Einfamilienhaus. Als sie die Klinke herunterdrückte, fiel er über sie her. Sie rammte ihm mit aller Kraft den Ellenbogen in die Seite. Er stöhnte. Wütend drehte sie sich um und versuchte, ihm mit dem Knie zwischen die Beine zu stoßen, doch seine Faust traf ihr Kinn. Sie wurde mit gewaltiger Kraft nach hinten geschleudert und krachte gegen den Türrahmen. Etwas in ihrem Schädel knirschte grauenhaft. Sie sackte zu Boden. Den Einbrecher sah sie nur schemenhaft. Am Rand ihres Blickfeldes breiteten sich grelle Blitze aus. Der Mann stand über ihr wie ein schwarzer Schatten. Das Letzte, was sie sah, war seine ausgestreckte Hand, die immer näher kam. Aus weiter Ferne hörte sie ihr Telefon klingeln.

30

Laura parkte an der Straße direkt vor Dr. Niemeyers Praxis. Bevor sie losgefahren war, hatte sie noch einmal versucht, die Psychologin zu erreichen, doch es sprang sofort die Mailbox an. Sie sah Licht im Obergeschoss brennen. Susanne Niemeyer war also zu Hause. Laura war sich nicht sicher, ob sie um diese Uhrzeit wirklich stören sollte, andererseits brannte ihr die Frage nach Grabow unter den Nägeln. Mit diesem Patienten, den Niemeyer auf der Liste markiert hatte, stimmte scheinbar etwas nicht. Sie griff abermals zum Handy und wählte ihre Nummer. Diesmal klingelte es zwar, aber es hob trotzdem niemand ab. Laura blickte zum Fenster. Sie konnte Susanne Niemeyer nicht sehen. Also stieg sie aus dem Wagen und näherte sich dem schicken Einfamilienhaus, das für ein Ehepaar eigentlich viel zu groß war. Das Haus wirkte von außen genauso neutral und unwohnlich wie die Praxis im Erdgeschoss. In der Einfahrt stand ein schwarzer BMW. Der Flur hinter der Glasscheibe in der Eingangstür lag im Dunkeln. Es dämmerte bereits stark. Die Sonne ging jeden Augenblick unter. Laura lauschte. Es gab zwei Klingelknöpfe, einen für die Praxis, den anderen für Familie Niemeyer. Laura zögerte. Sie wollte nicht aufdringlich sein. Der Ehrgeiz ging manchmal mit ihr durch. Doch dieser Fall war wirklich zu verzwickt. Sie hielt es nicht aus, bis zum nächsten Morgen zu warten, auch wenn ihr Gewissen sie zum Umkehren bewegen wollte.

Zögernd drückte sie auf die Klingel und wartete. Der Hausflur blieb dunkel. Laura wackelte ungeduldig mit ihren Zehenspitzen. Sie machte ein paar Schritte rückwärts und sah nach oben. Das Licht war immer noch an. Sie klingelte abermals. Wieder rührte sich nichts. Sie probierte es in der Praxis, ebenfalls ohne Erfolg. Dort war auch kein Licht an. Nachdenklich lehnte sie sich gegen die Eingangstür und stellte überrascht fest, dass sie nicht verschlossen war. Sie schwang einfach auf. Am Türrahmen bemerkte sie ein paar Kratzer und Dellen. Sie leuchtete mit der Taschenlampe ihres Smartphones die Stelle ab. Warum war ihr das nicht gleich aufgefallen? Augenblicklich sprangen sämtliche Alarmglocken in ihrem Kopf an. Hier stimmte etwas nicht. Jemand hatte die Tür gewaltsam aufgebrochen. Sie stürmte ins Haus.

»Frau Niemeyer? Sind Sie da?«

Statt einer Antwort vernahm Laura Schritte. Etwas polterte. Instinktiv rannte sie wieder hinaus. Sie blickte nach oben und lief um das Haus herum. Ein Zaun hinderte sie daran, in den Garten zu kommen. Doch Laura kletterte hinüber. Im selben Augenblick krachte es. Das Geräusch klang wie der dumpfe Aufprall von schwerem Gewicht auf Holz oder Beton. Es kam von der Rückseite des Hauses. Sie sah jemanden über den Rasen weglaufen. Es war nur ein Schatten und sie rannte sofort hinterher.

»Stehen bleiben! Polizei!«, brüllte sie und tastete im vollen Lauf nach ihrer Dienstwaffe. Das kühle Metall gab ihr Sicherheit. Der Schatten verschwand im Gebüsch. Es raschelte und knackte.

»Kommen Sie da raus!« Sie zog die Waffe, als sie hörte, wie der Unbekannte über den Zaun sprang und auf der anderen Seite landete. Gleichzeitig ging hinter ihr das Licht an. Laura fuhr herum. Auf der Veranda des Hauses stand Susanne Niemeyer. Sie schwankte.

»Hilfe«, rief sie und wedelte mit den Armen.

Laura kehrte sofort um.

»Doktor Niemeyer, sind Sie verletzt?« Laura griff der vor Angst schlotternden Frau unter die Arme und brachte sie ins Haus. Sie setzte sie auf die Couch im Sprechzimmer und betrachtete sie sorgenvoll. Susanne Niemeyers Unterlippe war aufgeplatzt und blutete heftig. Ansonsten erkannte Laura zumindest auf den ersten Blick keine massiven Verletzungen.

»Haben Sie Schmerzen?«

Susanne Niemeyer schien unter Schock zu stehen. Sie starrte Laura an. Ihre Lippen formten Worte, ohne dass ein Laut aus ihrem Mund kam.

»Schon gut«, sagte Laura sanft. »Der Kerl ist weg. Ich rufe jetzt einen Arzt und einen Streifenwagen.« Während sie telefonierte, blickte sie sich nach einem Tuch und Wasser um. Beides fand sie im Vorraum der Praxis. Sie informierte die Leitstelle und füllte ein Glas mit kaltem Wasser.

»Hier, trinken Sie.«

Susanne Niemeyer nahm ihr das Wasserglas ab. Von der selbstbewussten, kompetenten Psychologin war im Augenblick nicht mehr viel übrig. Ihre Finger zitterten, als sie das Glas an die blassen Lippen führte. Laura reichte ihr das Tuch, damit sie sich das Blut abwischen konnte.

Allmählich kehrte ein wenig Farbe in Niemeyers Gesicht zurück.

»Wie fühlen Sie sich?«, fragte Laura und setzte sich neben sie auf die Couch.

»Schon besser. Danke«, erwiderte die Psychologin mit rauer Stimme. »Er hat mir nichts getan.« Sie befühlte ihre Lippe. »Na ja, fast nichts. Ich habe Geräusche im Erdgeschoss gehört und bin hinunter, um nachzusehen. Dann war er plötzlich hinter mir her und hat mir die Faust ins Gesicht geschlagen. Er hat mich in die Wohnung gedrängt und Gott sei Dank haben Sie genau im selben Moment geklingelt. Er hat von mir abgelassen und ist durchs Fenster über das Dach der Veranda in den Garten.« Susanne Niemeyer vergrub das Gesicht in den Händen. »Ich dachte, er bringt mich um.«

»Haben Sie den Mann erkannt?«, fragte Laura und reichte der Psychologin ein weiteres Papiertuch.

Sie nickte. »Es war Karsten Grabow, einer meiner Patienten. Ich habe keine Ahnung, was er wollte. Unser Therapiegespräch heute Morgen ist ein wenig eskaliert. Er ist wutentbrannt aus der Praxis gerannt. Ich habe es gar nicht als so schlimm empfunden, er offenbar schon. Ich hatte zehn Anrufe von ihm auf meinem Handy.«

»Er hat Ihre private Handynummer?«, fragte Laura erstaunt.

»Keine Ahnung, wo er sie herhat. Ich habe sie ihm natürlich nicht gegeben.« Niemeyer schüttelte den Kopf. »Ich hatte schon die ganze Zeit während der paar Therapiestunden ein schlechtes Gefühl.«

»Wir haben Karsten Grabow bereits durchleuchtet. Seinetwegen bin ich vorbeigekommen. Es gibt Ungereimtheiten.«

Susanne Niemeyer sah Laura überrascht an. »Wieso haben Sie ihn auf einmal im Fokus?«

»Tut mir leid. Ich musste den Namen des Patienten herausfinden, der auf unser Täterprofil passt. Ich habe Ihre Liste mitgenommen.«

»Sie haben was?«, fragte Susanne Niemeyer empört und schien plötzlich wieder ganz die Alte zu sein.

Laura zuckte mit den Achseln. »Vier Frauen sind tot. Mindestens eine ist aktuell in der Gewalt des Killers. Ich kann nicht einfach danebenstehen und abwarten, bis ein Richter endlich seinen Kringel unter einen Beschluss setzt, der Sie von der ärztlichen Schweigepflicht entbindet. Sie haben mir den Namen nicht gegeben. Niemand kann Ihnen einen Vorwurf machen. Natürlich bekommen Sie den richterlichen Beschluss noch.«

Susanne Niemeyer schwieg.

Laura wurde aus ihrer Miene nicht schlau.

»Ich gebe eine Fahndung nach Karsten Grabow raus«, sagte sie nach einer Weile. »Eine Sache müsste ich über diesen Mann noch wissen. Wie kommen Sie darauf, dass er eine Freundin hat?«

Die Psychologin sah sie erstaunt an. »Hat er keine?«

Laura schüttelte den Kopf. »Nein. Es sieht jedenfalls nicht so aus. Im Internet gibt er seinen Status als Single an und er wohnt anscheinend alleine in seiner Wohnung.«

»Das verstehe ich nicht. Er hat mir immer wieder Situationen geschildert, die darauf schließen lassen, dass er mit seiner Freundin dauerhaft zusammenlebt.« Sie strich sich nachdenklich über den Nasenrücken. »Warum lügt er mich denn an?«

Laura hob die Augenbrauen. »Das wüsste ich auch gern. Hören Sie, Frau Niemeyer, kann es sein, dass er irgendwie mitbekommen hat, dass er auf unser Täterprofil passt? Es ist doch merkwürdig, dass er ausgerechnet heute in Ihr Haus einbricht.«

Die Psychologin seufzte und presste die Lippen aufeinander. »Ich würde Ihnen die Akte am liebsten sofort zur Verfügung stellen, aber Sie wissen ja ...«

»Ich weiß, ich weiß.« Laura unterbrach sie. »Was hat er Ihnen denn erzählt? Sie hatten doch bestimmt einen konkreten Anlass, uns von diesem Patienten zu berichten.«

Susanne Niemeyer rollte mit den Augen. Laura konnte ihr ansehen, dass sie über Karsten Grabow sprechen wollte, es aber nicht durfte.

»Er hat von einer Jagd berichtet und Sie haben ihn auf der Liste mit den entzogenen Jagdscheinen entdeckt«, riet Laura. Sie beobachtete Niemeyers Reaktion. Das linke Auge zuckte kurz, doch die Psychologin schwieg.

»Er hat also illegal gejagt«, schlussfolgerte Laura. »Wissen Sie was, wir konnten eine Verbindung zwischen Karsten Grabow und allen vier Opfern herstellen.«

Susanne Niemeyer riss erstaunt die Augen auf. »Tatsächlich?«

»Ja. Er beliefert die Diskotheken, aus denen die Frauen entführt wurden, mit Getränken. Er kennt sich in den Räumlichkeiten demzufolge bestens aus. Er weiß, wo sich die Neben- oder Lieferanteneingänge befinden. Wenn er keine Freundin hat, passt er nach Ihrer eigenen Aussage zu hundert Prozent ins Täterprofil. Nichts spricht dagegen, dass er der Mann auf dem Überwachungsvideo aus dem Darko ist, der mit Melinda Bachmann hinausgeht. Körpergröße und Statur passen. Es war ein guter Hinweis von Ihnen, denn wir haben zwar bisher sämtliche Mitarbeiter der Diskotheken befragt, aber nicht die Lieferanten.«

Niemeyers Miene verschloss sich. Laura nahm an, dass sie sich immer noch wegen ihrer Schweigepflicht sorgte.

»Was ist eigentlich mit diesem Woikow?«, fragte Susanne Niemeyer plötzlich. »Ist er nicht Ihr Hauptverdächtiger?«

»Bisher war er es schon«, gab Laura zu. »Dennoch ermitteln wir in alle Richtungen.«

An der Tür klingelte es. Das musste die Spurensicherung sein. Laura sprang auf und ließ die Kollegen eintreten. Der mit herbeigeeilte Arzt untersuchte die Psychologin und bot ihr ein Beruhigungsmittel an, doch sie lehnte ab. Laura wartete, bis sämtliche Spuren im Haus aufgenommen waren. Zwischendurch erkundigte sie sich bei der Zentrale nach dem Stand der Fahndung nach Karsten Grabow. Eine Streife hatte seine Wohnung aufgesucht, ihn jedoch nicht angetroffen. Vermutlich war er untergetaucht. Laura hatte einen Streifenwagen direkt vor dem Haus postiert. Sollte er den Fehler machen und dorthin zurückkehren, hatten sie ihn. Sie forderte eine weitere Streife für den Schutz von Susanne Niemeyer an. Joachim Beckstein würde ihr dafür wahrscheinlich am nächsten Tag die Ohren lang ziehen, aber sie wollte die Psychologin nach dem Überfall nicht schutzlos zurücklassen. Erst kurz vor Mitternacht packten die Leute von der Spurensicherung ihre Sachen ein. Laura gähnte und betrachtete dabei Fotos von Susanne Niemeyer und ihrem Mann, die auf einer Kommode standen. Die beiden wirkten sehr glücklich miteinander. Laura musterte das Hochzeitsfoto, das nach ihrer Schätzung vor mindestens zwanzig Jahren aufgenommen worden war. Susanne Niemeyers Lächeln darauf hatte bis heute fast nichts an Ausstrahlung eingebüßt. Ob Laura es mit Taylor ebenso viele Jahre aushalten konnte? Ihr Blick schweifte weiter über das Foto eines Kindes daneben, vielleicht von einem Neffen oder Patenkind, und landete dann abermals auf dem Hochzeitsbild. Sie seufzte und drehte sich zu der Psychologin um.

»Kann ich Sie jetzt alleine lassen? Eine Streife hält Wache vor Ihrem Haus. Ich denke nicht, dass Karsten Grabow sich so schnell wieder hierherwagt.«

»Natürlich. Gehen Sie ruhig. Ich komme zurecht.« Susanne Niemeyer nickte erschöpft.

Sofort meldete sich ihr schlechtes Gewissen. Es wäre besser, die Psychologin bliebe heute Nacht nicht allein. Aber ihr war gerade eine Idee gekommen. Sie musste dringend eine Sache erledigen. Laura verabschiedete sich und begab sich hinaus in die Nacht, die trotz der vielen Lichter Berlins unheimlich schwarz wirkte.

31

Zwanzig Jahre zuvor

»Es ist durchaus denkbar, dass er sich die Schuld gibt, auch wenn er gar nicht geschossen hat«, erklärte Frau Niemeyer bestimmt. Ihre Blicke sprachen Bände. Sie konnte den Kriminalkommissar Dietmar Wesermann genauso wenig leiden wie er sie.

»Um es kurz zu machen, Frau Niemeyer, Sie kennen den Ablauf des Geschehens also immer noch nicht. Sie haben keine Ahnung, wie die kleine Emma erschossen wurde, und vor allem, von wem.« Der Kommissar tippte auf das Bild, das er gezeichnet hatte.

»Dabei ist es doch eindeutig. Wir haben hier einen Jungen, der mit seinem Gewehr, oder besser dem seines Vaters, auf Emma schießt. Er hält sich für schuldig, deshalb hat er noch dieses grimmige Wolfsmonster mit aufs Bild gemalt. Wäre einer der anderen Geburtstagsgäste mit im Wald gewesen, hätte der Junge wohl keinen Wolf, sondern einen Menschen hinzugefügt. Außerdem, wenn ich zur Abwechslung mal wieder auf die Fakten zurück-

kommen darf, gab es nur zwei verschiedene Fingerabdrücke auf der Waffe. Die von dem Jungen und von
seinem Vater.«

»Wenn der Täter Handschuhe anhatte, werden Sie
wohl keine weiteren Fingerabdrücke finden«, erwiderte
Frau Niemeyer unterkühlt.

Dietmar Wesermann reagierte nicht auf Frau
Niemeyers Einwurf. Stattdessen sah er eindringlich ihn an.

»Junge. Du bist es deiner Schwester schuldig, dich zu
erinnern. Sag uns bitte endlich, was passiert ist!«

»Ich weiß es wirklich nicht mehr. Aber wahrscheinlich
war ich es«, wimmerte er und konnte die Tränen nicht
länger zurückhalten. Sein Vater, der neben ihm saß, legte
ihm den Arm um die Schulter.

»Du brauchst nichts zu sagen. Alles gut, mein Kleiner.«

Frau Niemeyer herrschte den Kommissar wütend an:
»Sie haben nicht den leisesten Schimmer von Psychothe-
rapie. Wissen Sie, was das Wichtigste ist? Ein traumati-
siertes Kind darf nicht unter zusätzlichen Stress gesetzt
werden. Das blockiert die Erinnerungen erst recht. Das,
was Sie hier tun, ist also vollkommen kontraproduktiv. Der
Junge muss sich aktiv mit dem Erlebten auseinanderset-
zen. Er muss mit seinen Ängsten konfrontiert werden. Das
bedeutet, wir werden wieder in den Wald gehen, zurück
an die Stelle, wo sich alles ereignet hat. Und möglicherweise lösen wir die Blockade, vielleicht aber auch nicht.«

Dietmar Wesermann schüttelte den Kopf. »Ich habe
das Gefühl, Sie torpedieren seine Erinnerungen und damit
unsere Ermittlungen. Sie führen ihn jedes Mal dicht an
den Tathergang heran und im letzten Augenblick kommt
irgendetwas dazwischen. Sie wollen doch gar nicht, dass er
sich erinnert!«

Der Kommissar sah Frau Niemeyer wütend an.

Plötzlich hatte er das Gefühl, ihr zu Hilfe kommen zu müssen. Doch wie sollte er das machen? Frau Niemeyer hatte gesagt, dass er sich nicht zu erinnern brauchte. Doch das durfte niemand wissen. Er rutschte auf seinem Stuhl zurück, bis er die harte Lehne im Rücken spürte. Hals über Kopf fasste er einen Entschluss und sprang auf.

»Ich weiß wieder, was passiert ist. Bringen Sie mich noch einmal in den Wald, und ich zeige es Ihnen.«

32

»Gib mir bitte deine Kette«, befahl Elena von der anderen Seite der Bretterwand mit einer Bestimmtheit, die Fiona einen Schauer durch den zermarterten Körper jagte. Sie hatte den Tag damit zugebracht, jedes einzelne verfluchte Brett ihres Gefängnisses zu untersuchen. Es war doch nur Holz, kein Beton. Trotzdem fand sie keine Schwachstelle, nichts wackelte und kein einziges Brett war morsch.

»Vielleicht kommt er ja gar nicht«, nuschelte sie in dem Versuch, Elenas Vorschlag abzuwehren, aber sie wusste, dass ihr Entschluss feststand.

»Jetzt mach schon«, drängelte sie.

Fiona nahm ihre Kette ab. Ihre Finger zitterten. Die Kette hatte ihre Mutter ihr zum vierzehnten Geburtstag geschenkt. Es war ein altes Erbstück mit einem roten Rubin, nur das Plättchen am Verschluss mit ihrem eingravierten Namen war neu. Sie steckte ihn in den Spalt zwischen zwei Brettern. Zu ihrem Entsetzen blieb der Edelstein stecken. Sie presste ihren Daumen mit aller

Kraft dagegen, doch der Rubin bewegte sich keinen Millimeter.

»Mist. Wie hast du das mit Antonia gemacht? Der Spalt ist viel zu eng. Da passt nichts durch.«

»Wir waren einen Tag lang zusammen eingesperrt. Ich habe ihr meinen Ausweis gegeben, als wir wussten, dass er sie bald holen kommt. Jetzt beeil dich!«

Fiona donnerte mit der Faust auf den Rubin.

»Aua.« Sie zog die Hand sofort zurück. »Das hat wehgetan.«

»Was ist mit einem Schuh?«, fragte Elena und trat gegen die Wand.

»Hab keine mehr, und du?«

»Ich auch nicht. Meine High Heels stecken irgendwo im Waldboden. Ich habe sie abgestreift, als dieses Monster mich gejagt hat.«

»Hast du gar keine Angst?«, flüsterte Fiona. Sie bewunderte Elenas entschlossene Stimme. Sie klang so mutig.

»Ich sterbe vor Angst«, erwiderte Elena und trat abermals gegen die Wand. Endlich bewegte sich etwas. Fiona tat es Elena nach. Der Rubin rutschte durch den Spalt. Sie vermisste ihre Kette jetzt schon. Aber wenn die Polizei sie fand, dann bekamen sie vielleicht Hilfe. Hunde konnten Fährten kilometerweit verfolgen. Mit etwas Glück spürten sie ihr Versteck auf und dann wären sie in Sicherheit. Fiona schluchzte und korrigierte sich im Stillen. Nein. *Sie* wäre gerettet, nur sie. Denn sobald die Polizei ihre Kette fand, war Elena höchstwahrscheinlich tot. So war es auch mit Antonia gewesen. Sie hatte Elenas Ausweis mitgenommen und war nicht mehr zurückgekehrt.

»Dein Ausweis hat nicht viel gebracht«, krächzte sie fast nicht hörbar. Sie wusste, dass Elena um Antonia trauerte.

»Wir müssen jede Chance nutzen, oder willst du, dass dieser Mistkerl ewig weitermacht?«

»Natürlich nicht. Wir sollten weiter versuchen, auszubrechen, dann hätten wir eine echte Chance. Ich will nicht, dass er dich holt.«

Elena rammte zur Antwort die Wand. Fiona trat von ihrer Seite dagegen. Der Schuppen vibrierte. Immerhin etwas. Fiona nahm Anlauf und warf sich mit der Schulter gegen die Bretter. Es schmerzte, aber sie tat es noch einmal. Und noch einmal, immer weiter, bis sie fast keine Luft mehr bekam. Erst da merkte sie, dass Elena längst aufgehört hatte. Schnaufend lehnte sie sich an die Wand.

»Gleich machen wir weiter«, murmelte Fiona völlig entkräftet und dachte an ihre Mutter, die sich mit Sicherheit die allergrößten Sorgen machte. Ganz bestimmt hatte sie längst eine Vermisstenanzeige aufgegeben. Aber warum fand die Polizei sie dann nicht? Hatte denn niemand registriert, dass sie aus dem Darko verschwunden war? Jemand musste sie doch mit diesem Mann gesehen haben. Sie jedenfalls würde ihn jederzeit wiedererkennen. Attraktiv, groß, dunkelhaarig, zurückgekämmtes Haar.

»Weißt du eigentlich, wie der Kerl aussah?«

Fiona wartete eine Weile, als nicht gleich eine Antwort kam. Sie dachte, dass Elena zu erschöpft zum Sprechen war.

»Elena?«

Die Stille hinter der Wand fraß sie beinahe auf.

»E-l e-n a?«

Fiona schrie ihren Namen. Wieder und wieder, bis nur noch ein Krächzen aus ihrer Kehle kam. Sie kroch dicht an die Wand und linste durch die Bretterspalten. Draußen war es stockdunkel. Drinnen auch. Sie sah nichts. Das musste sie auch nicht, denn sie wusste, dass der Raum nebenan leer war.

Er hatte Elena geholt, und ihr war es noch nicht einmal aufgefallen. Tränen liefen ihr über die Wangen. Sie fühlte sich so allein wie noch nie in ihrem ganzen Leben.

Lauf, Elena, dachte sie, lauf!

33

»Ich hatte echt Sorge, du kommst nicht mehr.« Taylor grinste und hauchte ihr einen Kuss auf die Wange.

»Wir wussten beide, dass ich nicht ins Bett gehe, während du auf der Lauer liegst«, erwiderte Laura. »Aber dein Angebot war toll.«

»Wie sieht es aus? Hast du deinen Job für heute erledigt?« Taylors dunkle Augen musterten sie intensiv.

Laura zuckte mit den Achseln. »Wir haben eine neue vielversprechende Spur. Sind aber noch ganz am Anfang. Der Verdächtige ist leider flüchtig.« Sie prüfte kurz die Nachrichten auf ihrem Handy. »Er ist vorbestraft und kennt bestimmt den einen oder anderen Ex-Zellengenossen, bei dem er erst mal eine Weile untertauchen kann.«

»Das heißt also, Woikow ist raus?«

Laura schüttelte den Kopf. »Nein, absolut nicht. Wir brauchen nur etwas ...« Sie sprach nicht weiter, denn die Haustür schwang auf. Sofort rutschte sie tiefer in ihren Sitz.

»Da ist er«, flüsterte sie, ohne die Augen von dem

großen Mann abzuwenden, der über den Bürgersteig zu seinem Auto lief.

»Wo fährt der jetzt noch hin? Es ist fast ein Uhr nachts.« Taylor starrte durch die Windschutzscheibe.

Alexander Woikow stieg in seinen roten Sportwagen und fuhr los. Taylor folgte ihm mit gebührendem Abstand. Woikows Wohnung befand sich in der Nähe des Alexanderplatzes. Sie steuerten Richtung Süden. Laura hatte keine Idee, wo er hinwollte. Die Gegend wurde immer schmuddliger. Sie näherten sich einem Straßenstrich.

»Der hat doch genug Mädchen, die sich ihm ständig an den Hals hängen«, stieß Laura aus und musste dabei unwillkürlich an die beiden Blondinen denken, mit denen sie ihn im Darko auf einer Couch angetroffen hatte. Woikow sprach eine blonde, dürre und extrem junge Frau an. Sie steckte den Kopf durch das Beifahrerfenster zu ihm in den Wagen. Nach nicht mal einer Minute richtete sie sich auf und Woikow gab wieder Gas. Keine hundert Meter weiter nahm er mit der nächsten Prostituierten Kontakt auf. Der Vorgang wiederholte sich ein drittes Mal, nachdem er um eine Straßenecke gefahren war.

»Ich glaube es nicht«, sagte Taylor. »Der Typ ist ein Zuhälter. Der kassiert ab.«

»Echt?« Laura hatte keine Ahnung, wie genau das Gewerbe ablief.

»Die erste Schicht ist rum. Er lässt sich das Geld geben. Was sollte er sonst mit denen besprechen?«

Möglicherweise hatte Taylor recht. Woikow hielt schon wieder. Diesmal vor einem Wohnblock.

»Hier wohnt doch der Türsteher.« Kaum hatte Laura den Satz ausgesprochen, stieg Igor Koslow auch schon zu Woikow in den Wagen. »Was haben die denn vor?«

»Vielleicht fahren sie ins Darko oder in die andere Diskothek. Seit wann kennen die beiden sich eigentlich?«

»Igor ist erst seit einem halben Jahr in Deutschland, also noch nicht besonders lange. Er schweigt, weil er von Woikow abhängig ist. Genauso wie der Kellner Tom Eckert. Woikow hat ihm seinen Anwalt gestellt.«

Taylor folgte dem roten Sportwagen, der jetzt schneller fuhr, so unauffällig wie möglich. Die Straßen waren fast leer. Die Gebäude der Stadt flogen an ihnen vorbei. Sie bewegten sich jetzt nach Westen, Richtung Spandau. Laura biss sich nervös auf die Unterlippe. In ihren Fingerspitzen begann es zu kribbeln, je länger sie fuhren. Woikow näherte sich immer weiter dem Berliner Westen. Er durchquerte Spandau. Laura traute ihren Augen kaum.

»Die Kerle fahren doch tatsächlich in den Spandauer Forst. Soll ich lieber Verstärkung rufen?«, fragte Taylor, der seinen Abstand vorsichtshalber vergrößerte. Hier draußen gab es um diese Uhrzeit so gut wie keinen Verkehr.

»Besser nicht«, erwiderte Laura aufgeregt. »Ich will die beiden nicht aufschrecken. Stell dir mal vor, die bringen uns direkt zu dem Versteck von Elena Taubert. Das dürfen wir auf keinen Fall vermasseln.«

Taylor nickte und folgte dem roten Sportwagen, der seine Geschwindigkeit erheblich reduzierte, als sie den Waldrand erreichten. Nach ein paar Metern hielt Woikow an.

»Was suchen die denn da?« Laura kniff die Augen zusammen, doch es war zu dunkel und sie waren gute hundert Meter von Woikows Wagen entfernt. Taylor fuhr an den Straßenrand und holte ein Fernglas aus dem Handschuhfach.

»Du bist ja gut ausgestattet«, bemerkte Laura und linste hindurch. »Komisch. Die sitzen einfach im Wagen.«

Sie beobachtete das Auto, wurde aber aus Woikows Verhalten nicht schlau.

»Ich gehe hin«, beschloss Laura und öffnete die Beifahrertür, bevor Taylor protestieren konnte. »Ich muss wissen, was da los ist. Wenn Woikow weiterfährt, hol mich ab.« Sie drückte die Tür leise zu und rannte auf dem Grünstreifen an der Straße entlang. Dreißig Meter vor dem Ziel verlangsamte sie ihr Tempo. Sie schlich hinter den Bäumen weiter, die den Straßenrand säumten, damit Woikow sie nicht zufällig im Rückspiegel entdeckte. Sie trug zwar einen dunklen Mantel, wollte jedoch auf Nummer sicher gehen. Ihr blondes Haar könnte sie durchaus verraten. Als sie das Auto erreichte, hörte sie die beiden Männer reden. Auf Zehenspitzen pirschte sie sich bis auf einen halben Meter an die Beifahrertür heran. Glücklicherweise konnte sie sich hinter einem dicken Baumstamm verstecken. Angestrengt lauschte sie und versuchte die Worte zu erhaschen, die nur schwer verständlich durch die halb geöffnete Seitenscheibe aus dem Auto nach draußen drangen.

»Das war vielleicht eine schwachsinnige Idee von dir, Igor! Wie lange wollen wir jetzt hier stehen und Löcher in die Nacht starren? Die Kleine taucht hier nicht wieder auf«, schimpfte Alexander Woikow.

»Wie soll ich das Mädchen aufspüren, wenn nicht hier? Ich habe letzte Woche jede einzelne Nacht zwei Stunden lang an dieser Stelle gewartet. Woher soll ich denn wissen, wo sie sein könnte?«

»Das ist aber dein verfluchter Job. Die Kleine hat mich gesehen, als ich angehalten habe. Schaff mir dieses Miststück heran, bevor die Polizei auf sie kommt. Verdammt noch mal!«

Woikow gab wütend Gas. In Lauras Kopf kreiste das

eben Gehörte. Sie blickte dem roten Sportwagen hinterher, der mit überhöhter Geschwindigkeit davonbrauste. Woikow war hinter Lena her, der Enkelin des Kioskbesitzers, weil sie ihn in der Nacht, in der Melinda Bachmann starb, gesehen hatte. Sie mussten sich dringend um die Sicherheit des Mädchens kümmern. Sie sprang auf die Straße und winkte Taylor heran, als Woikows Wagen außer Sichtweite war.

»Los, fahr ihm nach«, bat sie und stieg ein.

Taylor beschleunigte den Wagen und raste über die Schönwalder Allee, so schnell es die schmale Straße erlaubte. Der Wald schluckte das Licht der Stadt. Laura sah die Sterne am Himmel und den Mond, der sich allmählich der Form eines Kreises annäherte. Doch von Woikows Wagen sah sie keine Spur mehr.

»Wir hätten ihn längst einholen müssen«, sagte sie nervös und schaute in den Rückspiegel.

Taylor fuhr noch ein wenig schneller. Aber der rote Sportwagen blieb verschwunden.

»Wir haben sie verloren.« Taylor stoppte und wendete. »Die müssen irgendwo abgebogen sein.«

Auf dem Rückweg gab Taylor weniger Gas. Die Straße lag wie ein schwarzes Band im Wald. Sie waren allein. Weder vor noch hinter sich sahen sie ein Fahrzeug.

»Und wenn er die Scheinwerfer ausgeschaltet hat?«, fragte Laura, die sich mit der Situation nicht abfinden wollte.

»Dann würde er gegen den nächsten Baum krachen. Ohne Scheinwerfer ist es ziemlich dunkel. Ich glaube nicht, dass er jetzt mehr als Schrittgeschwindigkeit fahren könnte.«

»Da vorne ist ein Waldweg zu einer ehemaligen Tankstelle. Die wurde zu einem Kiosk umgebaut«, erklärte Laura.

Taylor bog in den Weg und steuerte den Wagen über den löchrigen Untergrund. Laura bezweifelte, dass Woikow mit seinem teuren Sportwagen auf dieser Buckelpiste fahren würde. Aber wo war er nur hin?

»Mach bitte mal das Licht aus und halte kurz an«, bat sie Taylor und ließ die Seitenscheibe hinunter. Sofort wurde es so dunkel, dass man die Hand nicht mehr vor Augen sah. Die nächtliche Stille lag unheimlich über dem Wald, wie eine schwere Decke, die einem die Luft zum Atmen nahm. Laura spitzte die Ohren. Nichts. Weder ein Motorengeräusch noch der Lichtstrahl eines Autoscheinwerfers.

»Die können sich doch nicht in Luft aufgelöst haben«, fluchte sie leise. »Wir waren nicht mehr als zwei Minuten hinter ihnen.«

»Vielleicht haben sie uns bemerkt und am Straßenrand gewartet, bis wir an ihnen vorbeigefahren sind. Ich hatte die ganze Zeit Licht an.« Taylor klang mindestens ebenso frustriert, wie Laura sich fühlte. »Sorry, Laura. Normalerweise entwischt mir so schnell niemand, den ich beobachte.«

»Schon okay«, murmelte sie. »Kannst du noch ein Stückchen weiter bis zum Kiosk fahren? Ich will nachschauen, ob jemand da ist. Woikow ist hinter Lena Weidemann her. Die kann ihn identifizieren, weil sie ihn in der Nacht von Melinda Bachmanns Ermordung gesehen hat.«

Taylor schaltete die Scheinwerfer wieder ein und steuerte den Wagen bis unter das Dach der ehemaligen Tankstelle. Laura stieg aus. Im Inneren des Kiosks brannte kein Licht. Sie klopfte ein paarmal und lauschte. Dann drückte sie die Türklinke herunter. Es war abgeschlossen.

»Keiner da«, sagte sie nach einer Weile zu sich selbst und ging zum Auto. Sie öffnete die Beifahrertür und zuckte im gleichen Augenblick zusammen. Ein Schuss donnerte durch die Nacht. Laura wusste sofort, dass der Killer wieder zugeschlagen hatte.

34

Fiona hatte sich in die hinterste Ecke ihres Gefängnisses gekauert. Sie zitterte wie Espenlaub. Die dünne Wolldecke, die sie sich um die Schulter gelegt hatte, konnte sie nicht wärmen. Die Kälte kam direkt aus ihrem Herzen. Es war die Angst um Elena. Die Verzweiflung, die in jeder Sekunde, die sie in diesem schrecklichen Schuppen verbrachte, größer wurde. Die Leere, die sie auffraß. Der Tod, der unausweichlich schien. Eine Träne lief ihr über die Wange. Sie benetzte ihre Oberlippe und verströmte ihren salzigen Geschmack in ihrem Mund. Der winzige Tropfen Flüssigkeit weckte Fionas Entschlossenheit von Neuem. Obwohl sie vollkommen erschöpft, hungrig und müde war, quälte sie sich hoch und rammte mit ihrem gesamten Körpergewicht die Außenwand. Zwei Meter Anlauf und fünfzig Kilogramm Gewicht. Irgendwann musste dieses verfluchte Brett doch nachgeben. Den Schmerz in ihrer Schulter fühlte sie schon lange nicht mehr. Vielleicht lag das auch daran, dass sie nichts mehr zu verlieren hatte. Wenn sie aufgab, starb sie mit Sicherheit. Wenn sie weitermachte, hatte sie zumindest eine Chance. Das Monster würde sie frühestens in zwei Tagen holen, soweit sie Elenas Erzählungen Glauben schenkte. Wieder musste sie weinen, sobald sie nur an Elena dachte. *Ich komme hier raus!* Trotzig malträtierte sie das Brett ein weiteres Mal. Immerhin knarrte es inzwischen bei jedem Zusammenstoß. Sie musste nur lange genug durchhalten.

Fiona nahm erneut Anlauf. In der Ferne knallte etwas. Sie erstarrte. War das ein Schuss? Sie versuchte, sich an das Geräusch zu erinnern, das sie gehört hatte, als der Mann auf sie schoss. Es hatte ähnlich geklungen. Sie war sich jedoch nicht sicher. Mit spitzen Ohren lauschte sie in die Nacht hinein. Ein Vogel kreischte. Neben dem Schuppen raschelte etwas im Gras. Ihre Fingernägel kratzten über das Holz. Nichts erinnerte mehr an den Knall. Vor Fionas Augen flimmerte es. Das war die Erschöpfung. Vielleicht hatte sie sich alles nur eingebildet. Andererseits hatte sie womöglich gerade mit angehört, wie Elena erschossen worden war. Wieder kamen ihr die Tränen. Elena. Sie flüsterte ihren Namen, als wenn sie dadurch zurückkehren würde. Und ganz plötzlich streifte sie etwas. Möglicherweise war es nur der Nachtwind, der durch die Ritzen zog, jedenfalls raffte sich Fiona abermals auf.

»Lass mich hier raus«, brüllte sie und rammte ein weiteres Mal die Wand. Es krachte ohrenbetäubend. Sie spürte einen scharfen Schmerz in der Schulter. Er nahm ihr den Atem. Sie schnappte nach Luft und tastete den Arm ab. Ein riesiger Splitter ragte aus ihrem Fleisch. Ihr schwindelte, als sie das Blut roch, das aus der Wunde rann. Wie betäubt sank sie auf den Boden. Immer noch bekam sie kaum Luft. Sie zählte langsam bis zehn. Der Schwindel verflog ein wenig, obwohl der Schmerz unverändert in ihrem Körper wütete. Sie griff sich an die verletzte Schulter und zog an dem kantigen Holzsplitter. Er steckte so tief, dass er sich keinen Millimeter rührte. Sie versuchte es noch einmal. Ohne Erfolg. Der Schmerz sandte eine Armee aus glühend heißen Nadeln. Sie japste ein paarmal und nahm all ihre Kraft zusammen. Mit einem kräftigen Ruck riss sie den Splitter heraus. Sie legte die Reste ihrer Strumpfhose über die Wunde und schnürte anschließend ihren Gürtel darum. Sie war zu erschöpft, um weiter gegen die Wand zu treten. Sie lehnte den Kopf an das harte Holz und schlief auf der Stelle ein.

35

»**D**er Schuss fiel auf zwei Uhr. Steig ein!« Taylor wartete nicht einmal mehr, bis Laura die Tür zugezogen hatte. Er fuhr wie ein Verrückter zurück bis zur Schönwalder Allee. Der Wagen wankte in alle Richtungen. Laura brauchte drei Anläufe, bis sie es endlich schaffte, die Tür zuzuziehen.

»Diese Mistkerle«, zischte Taylor und gab Gas. Er schien über ein unsichtbares Navigationssystem zu verfügen und bog nach rechts in einen schmalen Waldweg ab, den Laura zuvor gar nicht bemerkt hatte. Wieder rumpelte das Auto über den unebenen Waldboden. Bloß gut, dass Taylor keinen tiefergelegten Sportwagen fuhr. Bei der Geschwindigkeit wären sie längst stecken geblieben.

»Pass auf!«, rief Laura und duckte sich blitzschnell, als ein Ast auf sie zuraste und gegen die Windschutzscheibe prallte. Taylor schien das nicht zu stören. Er fuhr weiter, als wäre nichts gewesen. Das Auto raste einen Hügel hinauf und hob ab. Sie flogen ein, zwei Meter durch die Luft und knallten mit voller Wucht auf den Boden. Das Fahrgestell ächzte. Die Räder drehten kurz durch. Weiter ging es mit rasender Geschwindigkeit hinein in den Wald. Laura verlor beinahe die Orientierung. Taylor offensichtlich nicht. Sie konnte sein Gesicht nicht sehen, aber sie spürte seine Entschlossenheit.

Endlich wurden sie langsamer. Laura atmete durch und versuchte, die Umgebung im Scheinwerferlicht zu erfassen. Baumstämme, Dickicht, Blätter. Alles rauschte an ihr vorbei. Ein Gemisch aus geisterhaften Schatten und Wald. Taylor bremste abrupt, und Laura wurde in ihrem Sitz nach vorn geschleudert. Der Sicherheitsgurt grub sich schmerzhaft in ihre Schulter. Taylor schaltete den Motor und das Licht ab und sprang aus dem Wagen. Er öffnete ihre Tür und zog sie mit sich.

»Da drüben muss es sein«, flüsterte er und blieb kurz stehen. Er hielt die Nase in den Wind wie ein Hund, der Witterung aufnahm. Er kam Laura plötzlich so fremd vor. Seine Hand schloss sich fest um ihre. Die Wärme beruhigte sie. Er machte ein paar Schritte geradeaus und steuerte dann unerwartet nach links. Noch während Laura sich fragte, was Taylor vorhatte, hörte sie, was er bereits die ganze Zeit wahrgenommen haben musste.

Ein Stöhnen.

Gar nicht mal so leise, wenn man das Rauschen des Windes in den Baumwipfeln ignorierte, und eindeutig menschlich. Taylor wurde schneller und Laura blieb dicht hinter ihm. Sie hetzten durch das Dickicht, als wäre der Teufel hinter ihnen her. Taylor ließ unvermittelt ihre Hand los und ging vor einer dunklen Erhebung auf die Knie. Er knipste seine Taschenlampe an. Zwischen Gräsern und Ästen lag eine Frau lang gestreckt auf dem Bauch, sie wimmerte und stöhnte, Blut sickerte auf dem Rücken durch ihr Kleid. Sie lebte! Laura hörte in Gedanken den Rechtsmediziner Dr. Herzberger von der Kugel sprechen, die durch die Lunge unmittelbar ins Herz eingedrungen war und es explosionsartig zerstört hatte. Ohne groß nachzudenken, presste sie die Hände auf die Wunde der Frau. Taylor riss sich das T-Shirt vom Leib, gemeinsam drückten sie es auf die Einschussstelle. Die Frau stöhnte auf.

»Elena, wir sind hier, um Ihnen zu helfen. Atmen Sie ganz langsam. Alles wird gut. Bleiben Sie bei uns.« Laura wiederholte immer wieder ihren Namen, während Taylor den Notarzt rief und Verstärkung anforderte. Laura befürchtete, Elena Taubert würde ihr direkt unter ihren Händen wegsterben. Sie spürte das warme Blut unaufhörlich aus der Schusswunde rinnen. Immerhin schlug Elenas Herz weiter. Ihr Puls raste beängstigend. Es dauerte eine schiere Ewigkeit, bis die Ärztin endlich eintraf. Laura sprang zur Seite und sah wie betäubt zu, als die inzwischen ohnmächtige Frau versorgt und auf eine Trage verfrachtet wurde.

»Wird sie es schaffen?«, fragte sie die Ärztin, die jedoch den Kopf schüttelte.

»Es sieht nicht gut aus. Sie muss notoperiert werden. Sie hat massive innere Blutungen.«

Laura wurde schwer ums Herz. Sie fühlte sich für Elena Taubert verantwortlich. Fast zehn Minuten lang hatte sie die Wunde zugepresst. Sie wünschte sich nichts mehr, als dass die junge Frau überlebte.

»Die Zufahrtsstraßen sind weitgehend abgeriegelt. Leider konnte ich auf die Schnelle nicht genug Leute zusammentreiben. Es ist mitten in der Nacht.« Taylor zuckte frustriert mit den Achseln. »Die Fahndung nach dem Sportwagen ist raus. Wir kriegen diese Mistkerle, so viel ist sicher.«

Laura nickte gedankenverloren. Sie starrte auf ihre blutverschmierten Hände. Inzwischen waren überall

Strahler aufgestellt, die die Nacht zum Tag machten. Taylor hielt ihr ein Tuch hin, damit sie sich ein bisschen sauber machen konnte.

»Sie lebt noch«, murmelte er. »Wir haben sie schnell gefunden und dieses Mal haben Woikow oder sein Türsteher nicht perfekt gearbeitet. Er hat ihr Herz verfehlt. Sie kann das überleben.«

Laura war nicht überzeugt. Sie hatte das Gesicht der Ärztin gesehen, den resignierenden Ausdruck in ihren Augen, weil sie ahnte, dass alle Mühe vergeblich war.

»Woher wusstest du eigentlich, wo wir sie finden?«, fragte Laura und hockte sich hin, um die Stelle zu begutachten, an der Elena Taubert auf der Erde gelegen hatte.

»Bisher haben die Killer immer dann zugeschlagen, wenn das Opfer kurz davor stand, eine Straße oder einen breiteren Weg zu überqueren. Da vorne ist der einzige Weg im näheren Umkreis, der von der Schönwalder Allee abgeht. Anhand der Lautstärke des Knalls habe ich geschätzt, dass der Schütze nicht viel weiter als einen halben Kilometer entfernt sein kann.«

Laura sah beeindruckt auf. Sie hatte sich die Karte vom Spandauer Forst eingeprägt, aber darauf wäre sie nicht gekommen. Jetzt, wo Taylor es sagte, schien es ihr glasklar.

»Falls Elena Taubert überlebt, hat sie es dir zu verdanken«, erwiderte sie und musterte erneut den Boden. Eine blaue Kornblume lag zerquetscht auf der Erde, daneben ein Foto des tanzenden Opfers im Abendkleid und noch etwas, das Laura nicht erwartet hatte. Eine Halskette mit einem Edelstein. Die zarte Kette war offenbar im Rahmen der Wiederbelebungsversuche gerissen. Sie streifte ein paar Gummihandschuhe über und hob das Schmuckstück hoch. Ein großer roter Rubin glitzerte im Licht der grellen Scheinwerfer.

»Fiona«, las Laura von einem silbernen Anhänger am Kettenverschluss vor. Wer war Fiona? Hatten sie etwa gar nicht Elena Taubert gefunden? Doch, hatten sie. Laura kannte das Gesicht der jungen Frau, deren Ausweis beim vierten Opfer gelegen hatte, in- und auswendig. Sie war sich ganz sicher. Diese Kette konnte nur eines bedeuten: Woikow und sein Handlanger hatten noch eine Frau in ihrer Gewalt. Hatten die Killer die persönlichen Gegenstände bewusst bei ihren Opfern platziert oder steckte womöglich eine Idee der Frauen selbst dahinter? Laura ließ die Kette vor ihrem Gesicht hin- und herpendeln.

Fiona, dachte sie, wer bist du?

Und plötzlich fiel ihr ein, woher sie diesen Namen kannte. Hastig wandte sie sich ab und rief in der Einsatzzentrale an. Laura bat die diensthabende Kollegin, einen Blick in die Vermisstendatei zu werfen. Die Frau hackte minutenlang auf ihrer Tastatur herum, wie sie durch die Leitung hörte. Ein Mitarbeiter der Spurensicherung sperrte unterdessen das gesamte Gelände im Wald weitläufig ab. Taylor machte Fotos. Laura trat ungeduldig von einem Bein aufs andere.

Endlich sagte die Polizistin etwas:

»Eine Fiona Kramer wurde vor drei Tagen von ihrer Mutter als vermisst gemeldet.«

»Danke«, erwiderte Laura und legte auf. Mit Schaudern dachte sie daran, dass noch weitere vier Frauen in der Vermisstendatei dem Opferprofil ihres Killers entsprachen. Sie wollte diesen Gedanken am liebsten nicht zu Ende spinnen.

»Hast du auf Fingernägel des Opfers geachtet?«, fragte sie Taylor, der sich in diesem Moment wieder zu ihr gesellt hatte und nachdenklich das Foto und die blaue Kornblume betrachtete.

»Nein. Es ging alles zu schnell.«

»Ich wüsste gern, ob wieder blaue Holzsplitter darunter stecken, es wäre ein Hinweis darauf, dass sie am selben Ort festgehalten wurde.«

»Und meinst du, die Blumen haben eine bestimmte Bedeutung?«, fragte Taylor und drehte die Kornblume zwischen den Fingerspitzen.

»Das haben wir uns schon tausendmal gefragt. Das letzte Mal war eine gelbe Nelke bei der Leiche. In der Blumensprache steht gelb für Missgunst. Ein Vergissmeinnicht haben wir bei der ersten Toten gefunden, bei der zweiten ein blaues Veilchen. Das Vergissmeinnicht steht für die wahre Liebe, das Veilchen für Geduld. Bei Kristin Jäschke fanden wir eine Margerite, in der Sprache der Blumen eine Art Orakel, das verrät, ob die eigene Liebe erwidert wird. Bis zur gelben Nelke hätte man denken können, der Täter drückt seine Liebe irgendwie aus.« Laura schüttelte heftig den Kopf. »Aber, nein, ehrlich gesagt haben wir keine Ahnung, warum Woikow diese Blumen ausgewählt hat. Die blaue Kornblume sagt mir überhaupt nichts.« Sie seufzte. »Vielleicht besorgt er sich das, was gerade im Angebot des nächstgelegenen Blumenladens ist. Verdammt.« Laura ließ die Schultern hängen. »Ich kann es kaum fassen, dass er nur wenige Minuten vor uns hier war und auch noch die Ruhe hatte, ihr einen Ring an den Finger zu stecken und das Foto und die Blume zu drapieren.«

»Woikow konnte doch nicht wissen, dass wir ihm auf der Spur sind«, wandte Taylor ein.

Laura kniff nachdenklich die Augen zusammen. »Wie groß ist eigentlich der Kofferraum von einem Sportwagen?«

Taylor sah sie irritiert an.

»Ich frage mich, ob sie die Frau im Auto hatten. Die Zeit war ja viel zu knapp, um sie aus einem Versteck zu holen.«

»Du meinst, Woikow und dieser Igor Koslow waren es vielleicht gar nicht? Es ist aber schon ein komischer Zufall. Wir verfolgen die beiden bis hierher, und kurz darauf hat die nächste Frau eine Kugel im Rücken.«

Laura konnte ihre Zweifel nicht wirklich begründen, erklärte aber: »Du hast Woikow die ganze Zeit observiert seit heute Nachmittag. Weder dir noch deinem Kollegen ist etwas aufgefallen. Das würde bedeuten, dass Elena Taubert mehr als einen halben Tag im Kofferraum seines Wagens gelegen hätte.«

Taylor rieb sich nachdenklich das Kinn. »Du hast recht. Das hätten wir bestimmt bemerkt. Aber dann muss es ein Versteck im Wald oder ganz in der Nähe geben. Wie sonst hätten sie die Frau so schnell hierher bekommen?«

Laura erinnerte sich an Woikows Gespräch mit Koslow, das sie vorher an der Straße mitbekommen hatte.

»Sie haben außerdem nach Lena Weidemann Ausschau gehalten. Die Enkelin des Kiosk-Besitzers könnte Alexander Woikow nämlich identifizieren.«

Taylor zuckte mit den Achseln. »Er wurde doch auch hier in der einen Tatnacht geblitzt. Das ist eigentlich Beweis genug. Wir wissen, dass er einen Jagdschein hat und sich öfter in diesem Wald aufhält.«

»Ich weiß«, seufzte Laura. Sie konnte sich ihre Zweifel selbst nicht erklären. Die ganze Zeit waren sie hinter Woikow her gewesen. Jetzt schien er noch verdächtiger als vorher, aber ihr Bauchgefühl sagte plötzlich etwas anderes. Sie blickte auf die Uhr. Es war bereits nach vier Uhr morgens. Vielleicht war sie auch einfach nur zu müde.

»Wir sollten morgen auf alle Fälle die Hundestaffel ...«

Laura sprach nicht weiter, weil ihr Handy klingelte. Sie ging sofort dran.

»Wir haben Igor Koslow vor seiner Wohnung in Gewahrsam genommen«, teilte ihr ein Streifenpolizist mit.

Laura ließ auf der Stelle alles stehen und liegen.

36

»K affee?«, fragte sie und schob Igor Koslow eine dampfende Tasse über den Tisch hin.

»Wir brauchen jetzt Ihre Aussage«, erklärte Max, der ganz zerknittert aussah, so als wäre er erst vor wenigen Minuten aufgewacht. Aufgrund der Vielzahl von Ereignissen hatte Laura ihn noch in der Nacht angerufen. Es gab ein neues Opfer. Dr. Susanne Niemeyer war von einem Tatverdächtigen angegriffen worden und nicht zuletzt bestand ein dringender Tatverdacht gegen Alexander Woikow. Vielleicht würde ihnen inzwischen ein Richter sogar einen Haftbefehl ausstellen.

»Ich habe nichts verbrochen«, beteuerte der Türsteher aus dem Darko bestimmt zum zehnten Mal. Laura schnaufte. Langsam verlor sie die Nerven.

»Wir haben Sie im Spandauer Forst beobachtet. Kurz darauf ist eine junge Frau angeschossen worden. Wir können hier bis zum Sonnenaufgang herumhocken und uns Ihre wenig glaubhaften Ausflüchte anhören, oder Sie kooperieren. Dann könnten Sie in spätestens zwei Stunden wieder zu Hause sein.« Laura knallte ihren

Kaffeebecher auf die Tischplatte. Ihr reichte es. Der Russe ging ihr mächtig auf die Nerven.

Igor Koslow schaute sie an, als könnte er kein Wässerchen trüben. Sein Dackelblick machte Laura allmählich aggressiv. Sie warf ihm einen scharfen Blick zu, woraufhin sich Koslows Miene versteinerte.

»Ich möchte einen Anwalt«, wiederholte er mit zitternder Stimme.

»Hören Sie.« Max übernahm das Gespräch wieder. »Ich verstehe das. Aber wenn Sie sich nichts zuschulden haben kommen lassen, brauchen Sie auch keinen Anwalt. In jedem Falle wird es sich positiv für Sie auswirken, wenn Sie uns unterstützen. Da draußen ist vermutlich noch ein weiteres Mädchen in Gefahr. Wollen Sie verantwortlich sein für ihren Tod?«

»Ich habe nichts getan«, jammerte der riesige Mann erneut. Auf seiner Stirn bildeten sich Schweißperlen. Er knetete nervös die Hände. »Sie kennen Alexander Woikow nicht. Er schickt mich zurück nach Russland, wenn ich mit Ihnen spreche.«

Max' Stimme wurde noch eine Spur sanfter. »Wir kennen Woikow, und wir werden alles tun, um Sie zu schützen. Aber ohne Ihre Mithilfe geht das nicht. Bitte sagen Sie uns, was Sie heute Nacht im Spandauer Forst zu suchen hatten.«

Koslow stöhnte lang gezogen und pulte etwas Schwarzes unter einem Fingernagel hervor. Laura fragte sich augenblicklich, ob es sich dabei um Erde aus dem Wald handelte.

»Sie lassen mich gehen, wenn ich es erzähle, und Alexander erfährt nicht von diesem Gespräch?«

»Wenn Sie sich nichts zuschulden haben kommen lassen, verspreche ich es.« Max setzte das freundlichste

Lächeln auf, das ihm wahrscheinlich zu dieser Uhrzeit möglich war.

»Mein Boss war verrückt nach Melinda, regelrecht besessen von ihr. Er hat nach ihr gesucht. Er hat diese Tracking-App, mit der er jederzeit ihren Standort anhand ihres Handys verfolgen kann. Nach ihrem Streit im Darko ist er ihr gefolgt. Allerdings hat er ihre Spur verloren. Das Handy war plötzlich aus. Er ist weitergefahren und hat einfach die Richtung beibehalten, bis in den Wald. Als er eine Frau die Straße entlanglaufen sah, dachte er zunächst, er hätte sie gefunden. Aber als er anhielt und die Seitenscheibe runterließ, wurde ihm klar, dass es nicht Melinda ist. Also hat er Gas gegeben und weitergesucht. Als feststand, dass Melinda tot ist, hat er mich gebeten, diese Frau zu finden. Er wollte nicht, dass sie gegen ihn aussagt und ihm womöglich der Mord an Melinda angehängt wird. Er steht komplett unter Druck. Er hat Angst, sein Geschäft zu verlieren.« Der massige Mann schlug sich mit der Faust gegen das Herz. »Alexander hat Melinda geliebt. Liebe. Verstehen Sie? Ich kann mir nicht vorstellen, dass er etwas mit ihrem Tod zu tun haben soll.« Igor Koslow erhob sich und wandte sich zur Tür.

Laura hielt ihn unverzüglich zurück.

»Nicht so schnell bitte. Was haben Sie heute Nacht mit Alexander Woikow im Spandauer Forst gesucht?«

Koslow setzte sich murrend wieder auf seinen Stuhl. »Diese Frau, die allein auf der Straße unterwegs war. Er ist stinksauer auf mich, weil ich sie immer noch nicht aufspüren konnte. Jede Nacht, seit Melinda tot ist, habe ich wegen ihr auf der Lauer gelegen. Aber sie ist nicht mehr aufgetaucht. War wohl ein Zufall, dass sie in jener Nacht dort war. Ich habe zuerst gedacht, dass sie vielleicht eine Nutte ist. Deshalb dachte ich auch, ich könnte sie an dieser

Stelle wieder treffen. Alexander hat die Geduld verloren, und da habe ich ihn gebeten, mich zu begleiten. Sie war nicht da, wie jeden Tag. Also sind wir zurück gefahren. Er hat mich am Darko rausgeschmissen, weil er noch etwas erledigen wollte.«

Laura musterte den Russen und fragte sich, ob seine Erklärung auch nur im Geringsten glaubhaft war.

»Und was hatten Sie mit der Frau vor?«

Koslow hob die Schultern. »Weiß nicht. Alexander wollte mit ihr reden. Ihr vielleicht was zustecken.«

»Bevor Sie zu ihm ins Auto gestiegen sind, hat er mit mehreren Prostituierten gesprochen. Können Sie das erklären?«

Koslow zuckte mit den Achseln. »Na ja, wie gesagt, wir dachten, wir suchen nach einer Nutte. Also wird er vermutlich nach ihr gefragt haben. Die Mädels kennen sich doch oft untereinander. Kann ich jetzt gehen?«

Laura nickte, hielt Koslow dann jedoch noch einmal zurück. »Wissen Sie, was für eine Waffe Ihr Chef besitzt?«

Die Augen des Russen weiteten sich. »Nein«, knurrte er. »Ich wusste nicht mal, dass er überhaupt eine hat.«

Laura ließ den Mann schließlich gehen. Mit skeptischem Blick sah sie ihm hinterher und schüttelte den Kopf.

»Ich weiß nicht. Was er sagt, klingt irgendwie plausibel. Trotzdem traue ich dem Kerl nicht über den Weg.«

»Ich auch nicht«, erwiderte Max. »Was ist denn eigentlich mit Woikow? Warum sitzt er noch nicht hinter Gittern?«

»Zu wenig Personal. Die Streife hat im Darko nachgeschaut, da war er nicht. Bei ihm zu Hause war bisher niemand, weil eine Prügelei dazwischenkam.«

»Ich fahre«, bot Max an, und sie stürmten los.

Noch waren die Straßen in Berlin frei. In ungefähr einer Stunde würde der Berufsverkehr losbrechen. Laura hatte vier Tassen Kaffee getrunken. Dennoch fielen ihr fast die Augen zu. Für einen Moment beneidete sie Taylor, der nach ihrem Ausflug in den Wald ins Bett gegangen war. Sie lehnte den Kopf gegen die Kopfstütze und schloss die Augen. Sie sah die Szene vor sich, als sie Woikow und Koslow belauscht hatte. Von diesem Augenblick bis zum tödlichen Schuss waren knapp fünfundvierzig Minuten vergangen. In dieser Zeitspanne hätte der Täter sein Opfer aus dem Versteck holen und freilassen müssen. Die ersten vier Opfer waren viele hundert Meter weit durch den Wald gelaufen. Sie konnte es drehen und wenden, wie sie wollte. Irgendetwas passte nicht. Hoffentlich überlebte Elena Taubert, dann könnte sie aussagen und vielleicht Licht ins Dunkel bringen.

Max parkte den Wagen direkt vor Alexander Woikows Haustür. Dem Diskothekenbesitzer gehörte das Penthouse im achten Stock. Laura drückte den Klingelknopf durch. Der Ding-Dong-Ton läutete ohne Unterbrechung. Niemand reagierte.

»Verdammt. Der Kerl scheint auch nicht zu Hause zu sein«, fluchte sie und ließ den Knopf los. »Wir müssen in seine Wohnung. Möglicherweise finden wir die Tatwaffe.«

Max warf ihr einen vielsagenden Blick zu. »Ich höre jemanden schreien. Gefahr in Verzug.« Er öffnete die Haustür, indem er seine Kreditkarte in den schmalen Spalt des Türrahmens steckte.

Sie schlichen die Treppen hinauf. Das Flurlicht sprang automatisch an. An Woikows Wohnungstür klingelten sie erneut. Wieder nichts.

»Willst du da wirklich rein?«, fragte Max zögernd.

Doch in dem Moment erschien Alexander Woikows verschlafenes Gesicht im Türrahmen.

»Was ist denn los?« Als er Laura und Max erkannte, weiteten sich seine Augen. »Verdammt! Haben Sie eine Ahnung, wie viel Uhr es ist? Es ist früh am Morgen.« Er baute sich wütend im Türrahmen auf. »Ohne meinen Anwalt sage ich gar nichts.«

Jetzt reichte es Laura. »Sie werden uns sofort sagen, wo Fiona ist, oder ich nehme sie auf der Stelle fest. Verstanden?«

Woikow zuckte erschrocken zusammen. »Lady. Ganz ruhig. Was ist denn nun schon wieder passiert?«

Laura antwortete nicht direkt, sondern drängte sich an ihm vorbei in die Wohnung.

»Ich denke, das sollten wir nicht im Treppenhaus besprechen.« Sie wartete, bis Woikow hinter Max die Tür geschlossen hatte. Am liebsten hätte sie ihn auf der Stelle festgenommen, aber ihnen fehlte der Haftbefehl.

»Hören Sie, um Himmels willen. Ich kenne keine Fiona, und ich kenne auch alle anderen Mädchen nicht, deren Tod Sie mir anhängen wollen. Bitte, gehen Sie, und kommen Sie wieder, wenn mein Anwalt dabei ist.«

Laura hörte gar nicht richtig zu. Ihr Blick klebte an dem Waffenschrank mitten im Flur. Max hatte ihn ebenfalls bemerkt.

»Könnten Sie den für uns öffnen?«, bat er und pochte gegen das Metall.

»Was?« Alexander Woikow schüttelte den Kopf und wählte eine Nummer auf seinem Handy. Vermutlich versuchte er, seinen Anwalt zu erreichen. Nach einer Weile warf er das Telefon fluchend in die Ecke.

»Also gut. Ich werde Sie ja offensichtlich nicht eher los. Hier, sehen Sie sich alles genau an.« Er zerrte einen

Schlüssel aus der obersten Schublade einer Flurkommode und drückte ihn Max in die Hand. »Bitte, für den Waffenschrank.«

Max schloss auf. Mehrere Jagdgewehre und eine Pistole kamen zum Vorschein. Ein Kaliber passte zur Tatwaffe. Kein Wunder, denn es war ein Standardmaß.

»Wann haben Sie dieses Gewehr zuletzt benutzt?«, fragte Max, ohne es anzurühren.

»Weiß nicht. Ist lange her. Das habe ich auch schon in der letzten Vernehmung gesagt. Ich führe zwei Diskotheken und habe kaum Zeit zum Jagen.« Woikow drängte Max beiseite und schloss den Schrank wieder. »War das alles? Mein Anwalt wird sich bestimmt darüber aufregen, dass Sie hier mitten in der Nacht ohne einen Durchsuchungsbeschluss eindringen.«

»Wo haben Sie Fiona versteckt?«, wiederholte Laura ihre Eingangsfrage.

»Du liebe Güte, nun fangen Sie schon wieder an. Schauen Sie sich doch um. Hier ist sie nicht!«

»Was hatten Sie heute Nacht im Spandauer Forst zu suchen?« Laura ließ Woikow keine Sekunde aus den Augen. Auf seiner Stirn hatten sich inzwischen etliche Schweißperlen gebildet. Er blickte nervös zwischen ihr und Max hin und her.

»Wie meinen Sie das?«, fragte er vorsichtig und wischte sich mit dem Ärmel seines Schlafanzuges über die Stirn.

»Verdammt, jetzt machen Sie endlich den Mund auf, oder wir nehmen Sie mit. Mich würde interessieren, ob Sie Schmauchspuren an den Händen haben.«

Woikows Handy klingelte. Der Diskothekenbesitzer hechtete in die Ecke des Flurs und hob es auf. »Die Polizei ist hier, um mich zu verhaften«, keuchte er in das Telefon.

Laura verdrehte die Augen. Das war garantiert

Woikows Anwalt. Sie hatten nicht genug gegen den Mann in der Hand, das würden sie gleich zu hören bekommen. Woikow reichte ihr sein Telefon weiter.

»Ich werde Beschwerde über Ihre Vorgehensweise einreichen, Frau Kern. Sie behelligen meinen Mandanten, ohne mich einzubinden, obwohl Sie ganz genau wissen, dass ich sein Anwalt bin. Das geht eindeutig zu weit. Wir leben immer noch in einem Rechtsstaat. Ich bitte Sie, auf der Stelle mit Ihren Rambo-Aktivitäten aufzuhören und die Wohnung meines Mandanten zu verlassen. Wir finden uns gerne in ein paar Stunden bei Ihnen ein, um Fragen zu beantworten.«

»Dann treffen wir uns um zehn«, erwiderte Laura kalt und legte auf.

Woikows Miene verzog sich zu einem dämlichen Grinsen. Laura umklammerte immer noch sein Telefon. Am liebsten hätte sie es zerquetscht. Aber da waren die Zweifel an Woikows Schuld, die sie dazu brachten, sich zu beherrschen. Zerknirscht gab sie ihm das Handy zurück.

»Wir sehen uns gleich«, sagte sie und verließ mit Max Woikows Wohnung.

37

»Was machst du denn schon hier?«, fragte Max ungläubig.

»Ich konnte einfach kein Auge zumachen.« Laura ließ sich auf ihren Bürostuhl plumpsen und schaltete den Computer ein. Sie hatte zwei Stunden lang im Bett gelegen und vergeblich versucht, einzuschlafen. Die Uhr tickte. Sie wusste, dass ihnen nicht mehr viel Zeit blieb, wenn sie Fiona Kramer lebend finden wollten.

»Du hast nicht viel verpasst. Elena Taubert ist nach wie vor nicht ansprechbar. Sie hat die Notoperation zwar überstanden, doch die Ärzte wollen sich nicht auf eine Prognose festlegen. Sobald sie zu Bewusstsein kommen sollte, geben sie uns Bescheid. Lena Weidemann, die Enkelin des Kioskbesitzers, hat Alexander Woikow identifiziert. Aber das hatten wir uns ja schon selbst zusammengereimt. Ansonsten hat sein Anwalt eine schriftliche Erklärung abgegeben. Woikow sei unschuldig und er bestreitet jegliche Beteiligung an den Mordfällen. Wenn wir nicht die Tatwaffe mit seinen Fingerabdrücken sicherstellen, werden wir ihn wohl niemals festnageln können. Immerhin hat Beckstein jetzt einen Durchsuchungsbeschluss für Woikows Wohnung und sein Auto beantragt.«

»Was ist mit Karsten Grabow? Ist der zwischenzeitlich wieder aufgetaucht?«

Max schüttelte den Kopf. »Eine Streife hat heute Morgen die Wohnung und seinen derzeitigen Arbeitgeber, Getränkehandel Pieck, aufgesucht. Er war nirgendwo anzutreffen. Sein Chef hat jedenfalls bestätigt, dass er Stammlieferant für sämtliche Diskotheken ist, aus denen unsere Opfer entführt wurden. Grabow hat zum Darko beispielsweise eine eigene Zutrittskarte. Er hätte dort jederzeit hineinspazieren können.«

»Und wieder hinaus«, murmelte Laura nachdenklich. »Ob er Susanne Niemeyer gestalkt hat? Ich habe einfach keine Erklärung für seinen Überfall auf sie. Vielleicht hat er uns in ihrer Praxis gesehen und uns belauscht.«

Max schob die Unterlippe vor. »Kann sein. Dann hätte er auch gehört, dass wir seine Akte einsehen wollen. Vermutlich ist er ins Haus eingebrochen, um sie zu stehlen.«

»Da könntest du recht haben«, stimmte ihm Laura zu, während sie noch einmal die Liste der Waffenbesitzer überflog, die sie aus Susanne Niemeyers Praxis mitgenommen hatte. Sie stoppte an Karsten Grabows neongelb markiertem Namen und dann noch an einem kleinen gelben Punkt ein wenig höher.

»Was ist mit dem Durchsuchungsbeschluss? Können wir uns in seiner Wohnung umsehen?«

Max grinste. »Schon erledigt, die Spurensicherung ist bereits vor Ort. Ich wollte jetzt los zur Mutter der vermissten Fiona Kramer. Sie hat eine Haarbürste und gebrauchte Sachen von ihrer Tochter für uns besorgt. Die

Hundestaffel wird in einer Stunde im Spandauer Forst eintreffen.«

Laura ließ die Liste auf den Schreibtisch fallen und sprang auf. »Mensch, Max. Das ist eine geniale Idee. Vielleicht können wir Fiona so viel schneller aufspüren.« Euphorisch schnappte sie ihre Tasche und fuhr mit Max in die Tiefgarage. Erst als sie sich der Adresse von Fiona Kramers Mutter näherten, verschwand ihr Enthusiasmus. Das Gespräch mit Angehörigen von Opfern lernte man auf keiner Polizeischule, jedenfalls nicht die Emotionen, die dabei tatsächlich auf einen einströmten. Das war eine der dunklen Seiten ihres Jobs. Sie war die Überbringerin der schlechtesten aller Nachrichten. Fiona lebte zwar möglicherweise noch, doch sie hatten keine Ahnung, wo sie war. Bestimmt erwartete ihre Mutter ein Ergebnis von ihnen. Diese Hoffnung würden sie zunichtemachen, sobald sie an ihrer Tür klingelten.

Gabriele Kramer wohnte in Frohnau, einem Berliner Randbezirk im Norden der Stadt. Fiona, ihr einziges Kind, studierte im dritten Semester Germanistik an der Uni und hatte ein kleines Zimmer in der Nähe des Campus angemietet. Über den Vater war ihnen noch nichts bekannt. Simon Fischer hatte keinerlei Hinweise auf ihn gefunden. Fest stand nur, dass Gabriele Kramer nie verheiratet war.

Sie durchquerten den grünen und von alten Villen geprägten Stadtteil und kämpften sich durch den Verkehr, bis sie in ein ruhiges Wohngebiet einbogen. Max steuerte auf ein fünfstöckiges Wohnhaus zu und parkte am Straßenrand.

»Soll ich das übernehmen?«, fragte er und sah sie besorgt an. »Ehrlich gesagt siehst du nach der durchgemachten Nacht ziemlich mitgenommen aus.«

Laura zog eine Grimasse. Sie wusste, dass sie dicke

dunkle Ringe unter den Augen hatte und ihre Gesichtsfarbe mit der eines Vampirs mithalten konnte. Trotzdem hätte sie gut auf Max' Kommentar verzichten können. Sie fragte sich, warum es ihr nicht egal war, was er von ihr dachte, und zuckte mit den Schultern.

»Okay, ich bin ganz schön am Ende und du kannst sowieso besser mit Frauen umgehen.« Sie stieg aus und folgte Max langsam. Sie fühlte sich sogar erleichtert, dass er das Gespräch mit Fionas Mutter übernahm.

Kaum dass sie geklingelt hatten, summte der Türöffner.

»Dritte Etage bitte«, sagte eine zittrige Frauenstimme.

Sie gingen hinauf. Gabriele Kramer erwartete sie bereits im Türrahmen.

»Kommen Sie rein!« Sie wedelte aufgeregt mit den Händen und lotste sie in das kleine Wohnzimmer. Noch bevor sie saßen, faltete sie die Hände vor der Brust und blickte sie aus großen, ängstlichen Augen an.

»Haben Sie etwas Neues?«

Laura schluckte und bemerkte gleichzeitig, wie Max sich versteifte.

»Bisher leider nicht. Aber wir setzen gleich eine Hundestaffel ein. Wir glauben, dass wir Ihre Tochter finden können.«

»Wirklich?«, fragte die Frau mit erstickter Stimme und wischte sich eine Träne aus dem Augenwinkel. »Wir haben eine sehr enge Beziehung, wissen Sie? Normalerweise telefonieren wir jeden Morgen. Und ich meine tatsächlich *jeden Morgen*. Ich wusste schon am ersten Tag, an dem sie sich nicht wie immer gemeldet hat, dass etwas Schlimmes passiert ist. Mein armes Kind.« Sie schlug die Hände vors Gesicht.

Max saß da wie ein begossener Pudel. Laura kratzte sich bedrückt am Hals.

»Hören Sie, wir haben eine mögliche Spur. Sie dürfen die Hoffnung nicht verlieren. Wir tun alles, um Ihre Tochter zu finden.« Max' Stimme klang rau. Er räusperte sich. »Könnten Sie uns bitte die Sachen von Ihrer Tochter geben, damit die Hunde ihre Spur aufnehmen können?«

»Natürlich«, schluchzte Gabriele Kramer und verschwand aus dem Wohnzimmer. Kurz darauf kehrte sie mit einem T-Shirt, einer Hose und einer Haarbürste zurück. »Die habe ich heute Morgen aus ihrem Studentenzimmer geholt. Dort sieht es aus, als würde sie jeden Moment zurückkommen.« Wieder brach sie in Tränen aus.

»Könnten Sie uns noch einmal sagen, wann und wo Ihre Tochter verschwunden ist?« Max nahm ihr die Sachen ab.

Fionas Mutter schniefte und Max hielt ihr fürsorglich ein Taschentuch hin. »Sie wollte an dem Abend zuvor in eine Disco, Dark, Darko oder so. Sie und ein paar Freundinnen verabreden sich ab und zu zum Tanzen. Einen Freund hat Fiona nicht. Sie will unabhängig sein und ihr Leben genießen. Ich habe das alles bereits zu Protokoll gegeben.«

»Das wissen wir«, bestätigte Max. »Aber es könnte ja sein, dass Ihnen im Nachhinein noch etwas eingefallen ist.«

»Nein. Leider gar nichts. Meine Fiona ist eigentlich ein sehr vorsichtiges Mädchen. Ich verstehe überhaupt nicht, wie das passieren konnte. Sie geht nicht einfach mit Fremden mit.«

Sofort erwachten in Laura die Erinnerungen an ihr eigenes Monster. Eltern glaubten immer, ihre Kinder wären irgendwann vernünftig genug, um sich nicht auf fremde Personen einzulassen. Trotzdem passierte es nur allzu häufig.

»Wenn Ihnen noch etwas einfallen sollte, rufen Sie mich an«, bat Max und drückte Gabriele Kramer seine Visitenkarte in die Hand.

Zurück im Dienstwagen stöhnte er auf. »Hoffentlich finden wir das Mädchen. Ich möchte dieser Frau nicht noch schlimmere Nachrichten überbringen.« Er nahm einen kräftigen Schluck aus einer Wasserflasche und gab anschließend Gas. Sie erreichten zehn Minuten später den Spandauer Forst gleichzeitig mit den Einsatzwagen der Hundestaffel. Andreas Hartmann, der Leiter der Einheit, stieg aus einem Wagen und rieb sich seinen Bierbauch, bevor er die Hunde herausließ.

»Wenn wir heute nichts finden, schmeiße ich meinen Job hin«, brummte er missmutig, als Laura und Max sich näherten.

»Wir haben Ihnen ein paar Duftproben mitgebracht. Sie stammen allerdings nicht von der verletzten Elena Taubert, sondern von einer Frau, die vermutlich noch vom Täter festgehalten wird. Die Kette in der Tüte haben wir bei der Verletzten entdeckt. Die Kleidungsstücke sind getragen und kommen aus ihrer Wohnung.« Max drückte Hartmann die Tüte in die Hand.

»Dann wollen wir mal loslegen. Wonach suchen wir? Nach einem Unterschlupf?«

»Ja«, erwiderte Laura und studierte die Karte des Waldgebietes zum hundertsten Mal und verglich sie mit den Satellitenaufnahmen, die Simon Fischer ihnen mitgegeben hatte. »Es könnte sein, dass der Täter die Frauen hier im Wald in einer Laube oder irgendeinem anderen Holzunterschlupf festhält. Bei der letzten Leiche fanden sich blau lackierte Holzreste unter den Fingernägeln. Das bedeutet natürlich nicht, dass die Hütte unbedingt von außen blau sein muss. Danach haben wir das Gelände bereits durchsucht. Aber wir könnten an diesen drei Punkten nach der Vermissten suchen. Sie heißt Fiona Kramer.« Laura deutete auf die Stellen, die Gebäude im Wald markierten. Simon Fischer hatte sie aufgrund ihrer Schilderungen eingegrenzt. Falls Woikow der Täter war, hatte er nicht mehr als fünfundvierzig Minuten Zeit gehabt, sein Opfer aus dem Unterschlupf zu holen.

Andreas Hartmann prägte sich die Karte ein und ließ anschließend die drei Hunde an den Sachen von Fiona Kramer schnüffeln. Die Hunde wirkten energiegeladen, sie tänzelten nervös umher und konnten es anscheinend kaum erwarten, von der Leine gelassen zu werden. Als der Hundeführer das Signal gab, stürmten sie wie von Sinnen los. Ein Pfiff genügte, und die Tiere wurden auf der Stelle langsamer. Sie schnupperten hier und da und folgten der Route zur ersten Hütte, die Simon Fischer angegeben hatte. Doch als sie am Ziel ankamen, stellte Laura enttäuscht fest, dass es sich nur um einen Unterstand für Wanderer handelte. Diesen Ort würde sicherlich niemand als Versteck nutzen, denn solche Unterstände waren gerade im Sommer gut besucht. Wie erwartet schlug keiner der Spürhunde an.

Sie marschierten weiter auf einem schmalen Wanderweg zur nächsten fraglichen Stelle. Sie überqueren einen künstlich angelegten Wassergraben und erreichten die Laubenkolonie Erlengrund, die sich im früheren Todesstreifen im Grenzgebiet der ehemaligen DDR befand. Die Hunde drehten auf. Hier gab es viel zu schnüffeln. Die Laubenkolonie war groß, mehrere dutzend Kleingärten säumten das Ufer der Havel. Es würde Stunden dauern, bis sie die Gegend durchkämmt hätten.

Laura blickte sich um und suchte nach blau angestrichenem Holz. Allerdings waren die meisten Lauben naturbelassen, in hellen oder dunklen Holztönen. Sie ging an den Gärten vorbei, die sehr gepflegt wirkten. Es war schwer vorstellbar, dass der Killer an diesem Ort seine Opfer versteckte. Ungeduldig wartete sie fast drei Stunden ab, bis die Hunde auch den letzten Winkel beschnüffelt hatten.

Andreas Hartmann schüttelte missmutig den Kopf.

»Hier ist nichts. Die Hunde haben nicht ein Mal angeschlagen. Keine Spur von Fiona Kramer oder einer der anderen Frauen. Wir haben sämtliche Duftspuren abgearbeitet.«

Ihnen blieb nichts weiter übrig, als sich nach Süden zur letzten Markierung auf der Karte vorzuarbeiten. Lauras Herz pochte kräftig. Sie war unzufrieden mit dem bisherigen Ergebnis. So viele Hoffnungen hatte sie in die Hunde gesetzt, doch sie schienen sich nicht zu erfüllen. Sie fragte sich, ob sie selbst die Opfer in dem Wald festhalten würde, in dem sie gejagt werden sollten. Der Täter ging offenbar planvoll vor. Er hatte alles gut durchdacht, hinterließ keine Spuren. Würde er sich dem Risiko aussetzen und die Opfer in greifbarer Nähe verstecken? Vermutlich nicht. Dann aber käme Alexander Woikow als Täter nicht mehr in Betracht. Sie übersahen irgendetwas. Eine Kleinigkeit, die sie davon abhielt, endlich zum Ziel zu gelangen. Doch Laura wusste nicht, was. Wie sie die Sache auch hin- und herdrehte, der Killer schien ihnen stets mehrere Schritte voraus zu sein. Ihr Handy klingelte und sie fuhr zusammen. Als sie die Nummer des Krankenhauses erkannte, hob sie rasch ab.

»Elena Taubert ist bei Bewusstsein. Wir können allerdings leider nicht sagen, wie lange.«

38

Laura konnte den Krankenhausgeruch nicht ausstehen. Im Gang vor Elena Tauberts Zimmer roch es besonders schlimm nach Desinfektionsmittel. Kein Wunder, sie befand sich auf der Intensivstation. Die Etage war erfüllt vom Summen und Surren der vielen Gerätschaften, die alle darauf ausgelegt waren, menschliches Leben zu erhalten. Aus dem Zimmer am Ende des Ganges schrillte plötzlich ein Alarmsignal. Sofort eilte eine Mannschaft aus Ärzten und Schwestern dorthin. Vermutlich kollabierte gerade ein Patient. Laura atmete langsam aus, weil ihr von der Vorstellung ganz übel wurde. Am liebsten hätte sie sich auch noch die Ohren zugehalten, denn es drangen hektische Anweisungen und unrhythmisches Piepen aus dem Krankenzimmer. Für einen Augenblick wünschte sie sich zurück in den Wald und zur Hundestaffel. Doch sie hatten beschlossen, dass es besser wäre, eine Frau würde mit Elena Taubert sprechen. Also war Max dortgeblieben und sie ins Krankenhaus gefahren.

»Wie kann ich Ihnen helfen?«, fragte eine Schwester

und lächelte sie trotz des geschäftigen Treibens freundlich an.

Laura wies sich aus und wurde ein paar Türen weiter geführt.

»Warten Sie hier bitte. Ich informiere Doktor Neumann, das ist der behandelnde Arzt.« Die Schwester trippelte mit schnellen Schritten den grauen Flur der Intensivstation hinunter und verschwand hinter einer Tür.

Laura lehnte sich gegen die kahle Wand und versuchte, nicht weiter auf die Bemühungen der Ärzte am anderen Ende der Intensivstation zu hören. Es dauerte nicht lange, und ein grau melierter Mann in weißem Kittel erschien und steuerte direkt auf sie zu.

»Guten Tag, Frau Kern. Ich bin Doktor Neumann und habe die Patientin operiert. Sie hatte großes Glück, die Kugel ging nur knapp am Herzen vorbei. Das hat sie höchstwahrscheinlich einem Bänderriss am Sprunggelenk zu verdanken. Wir vermuten, dass sie genau in dem Augenblick umgeknickt ist, als der Schuss fiel. Ziemlich sicher wäre sie ansonsten tot. Ich habe mich zwischenzeitlich auch mit Doktor Herzberger aus der Rechtsmedizin ausgetauscht.«

»Wird sie es denn schaffen?«, fragte Laura und suchte die Antwort in der Miene des Arztes schon, bevor er sprach.

»Es ist zu früh, das zu sagen. Sie ist stabil und bei Bewusstsein, so viel zu den positiven Nachrichten. Allerdings ist sie sehr schwach. Wenn Sie gleich mit ihr sprechen, dürfen Sie sie auf keinen Fall aufregen. Ihr Leben hängt davon ab.« Dr. Neumann sah Laura eindringlich an. »Ich würde Sie eigentlich nicht hineinlassen, aber ich weiß, dass eine weitere Frau in Gefahr ist.« Er drehte sich um und öffnete die Tür zum Krankenzimmer.

Laura schlüpfte hinein und versuchte zu ignorieren, wie ihr eigenes Herz beim Anblick von Elena Taubert zu rasen begann. Die junge Frau lag schmal und kreidebleich im Bett. Überall waren Drähte und Schläuche. Neben ihr piepste ein Überwachungsmonitor. Die Augen hielt sie geschlossen. Sie wirkte mehr tot als lebendig.

Laura machte vorsichtig ein paar Schritte auf das Bett zu.

Elenas Lider zuckten und öffneten sich wie in Zeitlupe.

»Hallo, ich bin Laura Kern, Ermittlerin vom Landeskriminalamt Berlin. Wir haben Sie heute Nacht gefunden und ins Krankenhaus gebracht.« Sie machte eine kleine Pause, um der Patientin Zeit zu geben. »Ich will nicht lange stören, aber ich muss dringend wissen, ob Sie den Täter gesehen haben und beschreiben können, wo Sie festgehalten wurden. Wir vermuten, dass eine gewisse Fiona Kramer noch in seiner Gewalt ist. Bitte helfen Sie uns, sie zu finden.«

Der Puls von Elena Taubert schoss in die Höhe. Laura sah es nicht nur in ihren Augen, sondern auch am Gerät, das den Puls anzeigte und dabei piepste.

»Sie hat mir ihre Kette gegeben«, flüsterte Elena kaum hörbar. »Sie ist von ihrer Mutter. Haben Sie die Kette entdeckt?«

Laura nickte und hielt ihr das Wasserglas, das auf dem Tisch neben dem Bett stand, an die Lippen. Elena trank einen winzigen Schluck und schloss erschöpft die Augen.

»Ich weiß nicht, wo er sie gefangen hält«, erklärte sie nach einer ganzen Weile. »In irgendeinem Schuppen am Waldrand.«

»Was haben Sie gesehen?«, fragte Laura und machte sich Notizen.

»Einen Garten mit verwildertem Rasen. Draußen

liegen Gartengeräte. Dahinter beginnt der Wald. Einmal hat er mich freigelassen, fing mich aber wieder ein. Gestern musste ich erst in sein Auto steigen und anschließend laufen.« Elena sprach mit geschlossenen Lidern.

»Was für ein Auto?«

»Weiß nicht. Dunkel, fast schwarz. Ein Kombi.«

»Wie lange ist der Wagen gefahren?«, wollte Laura wissen, doch das blasse Mädchen schüttelte kaum merklich den Kopf.

»Er hat mich betäubt. Ich bin mitten im Wald aufgewacht und dann gerannt und gerannt. Er hat mich verfolgt und irgendwann hat er geschossen.« Sie öffnete die Augen einen Spalt.

»Können Sie ungefähr einschätzen, wie lange Sie gelaufen sind? Ein paar Minuten oder eher eine Stunde?«

»Lange. So lange, dass ich schon dachte, ich hätte es geschafft.« Elena schluchzte und fing heftig an zu husten. Sie bäumte sich auf. Sofort kam Dr. Neumann, der vor der offenen Tür gewartet hatte, hereingestürmt. Er gab ein Medikament in den Tropf an ihrem Bett und sie schlief auf der Stelle ein.

»Tut mir leid. Sie braucht nun wieder Ruhe«, sagte Dr. Neumann und tastete die Patientin vorsichtig ab. »Ich hoffe, Sie konnten Ihre Fragen loswerden.«

»Nicht alle, aber ich weiß jetzt zumindest, was für einen Wagen der Täter fährt und dass er vermutlich alleine agiert.« Laura klappte ihr Notizbuch zu und steckte es zurück in die Tasche. Ihr Blick fiel auf Elenas Hände.

»Haben Sie eigentlich Holzsplitter unter ihren Fingernägeln gefunden?«, fragte sie und betrachtete die abgebrochenen Nägel, auf denen sich noch ein paar Reste von rosafarbenem Nagellack befanden.

Dr. Neumann tippte sich an die Stirn. »Gut, dass Sie

mich daran erinnern. Sie hatte Holzpartikel unter sieben Fingernägeln. Die Splitter befinden sich schon in Ihrem Labor, aber dem ersten Anschein nach handelt es sich um dasselbe Holz wie unter den Fingernägeln eines anderen Opfers. Zudem weist die Patientin am Oberschenkel eine zweite Schussverletzung auf, offenbar von einem Betäubungsschuss. Der Bericht geht Ihnen alsbald zu.«

»Ich danke Ihnen«, sagte Laura. Sie sah sich ein letztes Mal nach Elena Taubert um und verließ das Krankenhaus. Noch auf der Fahrt zurück ins Büro meldete sie sich bei Simon Fischer und bat ihn, nach einer Laube oder einer Holzhütte am Waldrand zu suchen, deren Umgebung der Beschreibung von Elena Taubert entsprach. Es war eine Suche nach der Nadel im Heuhaufen. Trotzdem durften sie nichts unversucht lassen. Sie hatten jetzt die Gewissheit, dass sich Fiona Kramer in den Händen eines Serienkillers befand. Laura würde es sich nie verzeihen, wenn das Mädchen starb. Sie war irgendwo da draußen und sie würde sie finden. Sie trat aufs Gas und raste durch die Stadt zum LKA. In ihrem Büro erwartete sie bereits die Psychologin Dr. Niemeyer. Laura bemerkte sofort die Akte in ihren Händen.

»Nun sagen Sie bloß, der richterliche Beschluss ist schon da«, staunte Laura und ließ sich auf den Stuhl gegenüber der Psychologin fallen.

»Ihr Team arbeitet fix. Martina Flemming hat mir den Beschluss vor zwei Stunden gefaxt, und ich dachte mir, Sie wollen die Akte so schnell wie möglich einsehen. Ich habe natürlich ein hohes persönliches Interesse daran, dass der Mann in Gewahrsam genommen wird.« Ihr linkes Augenlid zuckte unkontrolliert, vermutlich erinnerte sie sich gerade an den Überfall. Kein Wunder, dass sie Karsten Grabow im Gefängnis sehen wollte.

»Wie geht es Ihnen?«, erkundigte sich Laura mitleidig. Sie konnte sich ziemlich gut vorstellen, wie die restliche Nacht für die Psychologin verlaufen war. Sie hatte sicherlich kaum ein Auge zugetan.

Niemeyer seufzte und Laura konnte darin ihren ganzen Schmerz und die Verunsicherung hören. Unwillkürlich fuhr sie unter dem Schlüsselbein über die Narbenlandschaft ihrer Haut.

»Ich sehe den Überfall immer wieder vor mir und denke darüber nach, wie ich das alles hätte verhindern können. Ich komme mir vor wie meine eigene Patientin. Ich habe so oft mit Traumapatienten zu tun gehabt, dass ich eigentlich wissen sollte, wie sich solch eine Verletzung anfühlt. Aber sie am eigenen Leib zu erfahren, ist halt doch etwas anderes.« Sie hob die Hände und brachte ein Lächeln zustande. »Keine Angst. Ich werde es überleben. Reden wir lieber über Karsten Grabow.« Sie gab Laura die Akte. »Ich habe ein paar Stellen gekennzeichnet, die interessant für Sie sein dürften.«

Laura schlug den Ordner auf. Ein neongelb markierter Satz auf der dritten Seite fiel ihr ins Auge.

»Er besucht jedes Wochenende seine Großmutter?« Sie blickte auf, weil sie mit dieser Information zunächst nichts anfangen konnte.

»Vielleicht ist er bei ihr untergetaucht. Ich habe keine Ahnung, wie sie heißt oder wo sie wohnt, aber es kann ja nicht so weit weg sein, wenn Grabow jedes Wochenende zu ihr fährt.«

Laura nickte beeindruckt. Susanne Niemeyer verfügte über einen glasklaren Verstand. Sie blätterte weiter zur nächsten Markierung.

»Sie hatten ja bereits vermutet, dass Karsten Grabow trotz der entzogenen Berechtigung jagen war«, erläuterte

Niemeyer. »Mir hat er berichtet, dass er ein Karnickel für ein romantisches Essen mit seiner angeblichen Freundin erlegt hat. Nach der Therapiesitzung bin ich Ihre Liste durchgegangen und habe seinen Namen entdeckt.«

»Und er hat sogar erwähnt, dass er im Spandauer Forst unterwegs war«, stellte Laura fest, als sie den Text überflog.

»Er spricht ständig von Frauen und davon, was er alles für sie tut und wie sie ihn immer wieder enttäuschen. Darauf reagiert er mit Aggressionen, ohne jedoch dabei sexuell aktiv zu werden.« Niemeyer wartete, bis Laura sich zu der entsprechenden Stelle vorgearbeitet hatte. »In diesem Zusammenhang dachte ich sofort an das Täterprofil, das ich für Ihren Fall erstellt habe.«

»Verstehe«, murmelte Laura. »Zudem ist er vorbestraft und er hat offenbar keine Freundin. Können Sie sich erklären, warum er er Sie in dieser Hinsicht angelogen hat?«

Susanne Niemeyer schüttelte den Kopf. »Leider nein. Ich hatte nur in allen Therapiesitzungen den Eindruck, dass er nicht ehrlich ist. Aber was er mit dieser erfundenen Freundin bezwecken wollte, ist mir ein völliges Rätsel. Vielleicht ist es so eine Art Hilfeschrei oder er wollte von seinen eigentlichen Problemen ablenken.«

»Okay. Ich werde gleich mal mein Team bitten, nach dieser Großmutter zu fahnden. Sie haben uns jedenfalls sehr weitergeholfen.«

Susanne Niemeyer lächelte. »Gerne geschehen.« Sie erhob sich und wandte sich zum Gehen. An der Tür drehte sie sich noch einmal um. »Könnte ich meine Liste wiederhaben?«

»Welche Liste?«, fragte Laura, doch im selben Moment fiel ihr ein, was die Psychologin meinte. Sie wühlte in den Papierstapeln auf ihrem Schreibtisch, konnte die Liste jedoch nicht entdecken.

»Ich bitte die Kollegen, Ihnen eine neue auszudrucken«, sagte sie. Die Psychologin stand noch einen Augenblick unschlüssig auf der Schwelle und verabschiedete sich dann.

Laura grübelte eine Weile an ihrem Schreibtisch und ging anschließend hinüber in das Nachbarbüro, wo Martina Flemming saß.

»Haben Sie schon etwas von der Spurensicherung in Karsten Grabows Wohnung gehört?«

»Ja, sie packen gerade zusammen. Sie haben massenhaft Munition vom gesuchten Kaliber gefunden, aber leider keine Waffe. Vermutlich hat er sie bei sich.«

»Verdammt. Und die Fahndung hat wahrscheinlich bisher auch nichts ergeben?«

Martina Flemming schüttelte den Kopf. »Der Mann ist wie vom Erdboden verschluckt.«

»Ich möchte, dass Sie herausfinden, wer die Großmutter von Karsten Grabow ist und wo sie wohnt. Vielleicht ist er bei ihr untergeschlüpft. Und prüfen Sie auch gleich noch alle anderen Familienangehörigen und jeden Zellengenossen, mit dem er während seiner Haft zusammen untergebracht war.«

Laura ging eilig wieder in ihr Büro und prallte in der Tür fast mit Max zusammen.

Sein Blick sprach Bände.

»Bitte nicht. Keine weiteren schlechten Nachrichten«, brummte sie frustriert und setzte sich an ihren Schreibtisch.

Max ließ sein Handy auf den Tisch fallen.

»Nichts. Keine Spur. Die Hunde haben bis zur Erschöpfung gesucht. Wir müssen morgen weitermachen.« Er klang zermürbt.

»Wir finden ihn«, sagte Laura ohne wirkliche Überzeugung. Mit einem Schwung schob sie Karsten Grabows Akte über den Tisch.

»Die Psychologin war hier. Sie hat uns ihre Aufzeichnungen über die Therapiesitzungen hiergelassen.« Laura stieß sich vom Boden ab und drehte sich auf ihrem Stuhl einmal um die eigene Achse. Als sie wieder an ihrem Schreibtisch ankam, wollte sie sich an der Platte festhalten und fegte dabei ein paar Blätter zur Seite. Die Liste, die sie aus Dr. Niemeyers Praxis mitgenommen hatte, kam zum Vorschein. Nachdenklich starrte sie Karsten Grabows neongelb markierten Namen an.

»Haben wir eigentlich alle Personen auf der Liste überprüft, denen der Waffenschein oder die Waffenbesitzkarte entzogen wurde?« Sie blätterte weiter bis zu den Anlagen, die das Team von Martina Flemming beigefügt hatte. Zu jedem Namen waren ein Foto und einige Hintergrundinformationen aufgeführt. Laura schlug noch einmal vorn die Namensliste auf. Erneut fiel ihr die neongelbe Markierung ins Auge. Susanne Niemeyer arbeitete offenkundig bevorzugt mit dieser Farbe.

»Es ist spät. Ich muss leider nach Hause. Hannah und die Kinder warten«, verkündete Max. »Ich nehme ein paar Akten mit und gehe die heute Abend durch. Vielleicht haben wir etwas übersehen.«

»Bis morgen«, murmelte Laura, ohne von der Liste aufzusehen. Sie bemerkte nicht einmal, wie Max das Büro verließ. Ein kleiner gelber Punkt, der ihr zuvor schon einmal aufgefallen war, stach ihr erneut ins Auge. Sie blätterte weiter und inspizierte die Seiten. Kein weiterer Name war markiert. Abermals betrachtete sie den Punkt, der so wirkte, als hätte Susanne Niemeyer den Namen daneben ebenfalls kennzeichnen wollen, es sich jedoch wieder anders überlegt.

»Julian Brenner«, flüsterte sie und überflog die Angaben zu seiner Person. Achtundzwanzig Jahre alt, eins neunzig groß, Geschäftsführer einer Firma für Gebäudereinigung und Hausmeisterservice. Er fuhr einen schwarzen Passat Kombi. Die Waffenbesitzkarte wurde ihm aufgrund eines Betrugsfalls entzogen. Er wurde wegen Veruntreuung von Geldern im fünfstelligen Bereich zu einer Bewährungsstrafe verurteilt. Laura betrachtete das Ausweisfoto des dunkelhaarigen Mannes, der zweifelsohne attraktiv war. Sein Lebenslauf gehörte zwar nicht zu den geradlinigsten, aber Betrug und das Management einer Firma passten nicht richtig ins Profil. Sie suchte nach jemandem, der gewalttätig wurde. Ihr Team hatte diese Angaben genauso bewertet. Martina Flemming hatte handschriftlich etwas an den Rand gekritzelt: *Weitere Akte wegen Einstellung des Ermittlungsverfahrens gelöscht.* Laura hielt sich nicht länger damit auf und prüfte die restlichen Personen, deren Waffenscheine oder Waffenbesitzkarten in den letzten Jahren eingezogen worden waren.

Ein Mann namens Axel Hamfeld erregte ihre Aufmerksamkeit. Er hatte wie Karsten Grabow wegen Körperverletzung im Gefängnis gesessen. Sein Entlassungsdatum lag erst acht Wochen zurück.

»Ich dachte mir, dass Sie noch über den Akten brüten«, sagte plötzlich jemand, und Laura fuhr hoch. Simon Fischer stand grinsend in der Bürotür. »Aber ich wusste gar nicht, dass eine knallharte Ermittlerin auch schreckhaft sein kann. Tut mir leid.« Er faltete entschuldigend die Hände vor der Brust. »Ich habe anhand von aktuellen Satellitenbildern den gesamten Spandauer Forst und die ländliche Umgebung auf den Kopf gestellt. Die Angaben der Zeugin sind leider nicht sonderlich präzise.«

»Ich weiß«, gab Laura zu. »Mehr haben wir leider nicht.«

Der schmächtige Computerexperte schob seine Brille den schmalen Nasenrücken hinauf. »Wie auch immer, neun Grundstücke habe ich selektiert, wo etwas im Garten liegt. Die Aufnahmen sind unglücklicherweise häufig nicht scharf genug. Ich konnte nicht erkennen, ob es sich um Gartengeräte oder etwas anderes handelt. Soll ich für morgen Mannschaften zusammenstellen, die die Gärten durchsuchen?«

»Ja, bitte«, erwiderte Laura und lächelte. »Danke für Ihren Einsatz. Es ist schon spät.«

Simon Fischer hob die Schultern. »Kein Problem. Ob ich nun hier oder zu Hause bin, ich hänge eh die meiste Zeit vor einem Bildschirm herum.«

Er drehte sich um und schlurfte hinüber in sein Büro. Laura nahm sich die Satellitenaufnahmen vor. Viel erkennen konnte sie in der Tat nicht. Sie rief sich Elena Tauberts Aussage ins Gedächtnis und versuchte, durch ihre Augen zu sehen. Doch es war zwecklos. Die pixeligen Aufnahmen verrieten lediglich die Größe der Gartenlaube und Anzahl der Bäume auf dem Grundstück. Der Rasen oder die Wiese stellte sich als grüne Fläche dar. Die dunklen Flecken darauf ebenfalls. Es konnte sich dabei um Werkzeuge, vielleicht auch um eine Schubkarre oder einfach nur um eine Abdeckplane handeln. Es ließ sich nichts Genaues sagen.

Laura widmete sich wieder der Liste und ging jeden einzelnen Namen abermals durch. Das Team von Martina Flemming hatte tadellose Arbeit geleistet. Laura legte das Dokument beiseite und gab den Namen der Reinigungsfirma von Julian Brenner in den Internetbrowser ein. Sie überflog die Homepage, betrachtete ein weiteres Foto von

Julian Brenner und klickte anschließend auf *Referenzen*. Sofort erschienen die Logos von Firmen und Gebäuden, für die das Unternehmen tätig war. Beim Namen einer Firma läuteten in Laura die Alarmglocken, denn den Inhaber kannte sie: Alexander Woikow.

39

Fiona erwachte zitternd in der Dunkelheit. Zum ersten Mal seit Tagen war ihr warm. Sie kuschelte sich mit einem zufriedenen Seufzer in die flauschige Decke, die frisch gewaschen und ein wenig nach Vanille roch. Sie drehte sich auf die andere Seite und stellte fest, dass sie nicht mehr auf dem kalten Betonboden des Schuppens lag, sondern auf einer weichen Matratze. Sofort riss sie die Augen auf. Schwaches Licht drang durch die Ritzen in der Wand herein. Plötzlich wusste sie, wo sie war. Sie lag in dem Raum, in dem Elena vorher festgehalten worden war. Etwas anderes hatte sich auch noch verändert. Fiona brauchte eine Weile, bis es ihr auffiel. Sie betastete ihre Schulter, die Stelle, wo der Splitter tief in ihre Haut eingedrungen war. Ihre Fingerspitzen stießen auf einen sauberen Verband. Es schmerzte überhaupt nicht mehr. Entsetzt fuhr sie hoch und sah sich um. In der Dunkelheit erkannte sie die Umgebung nur schemenhaft.

»Hallo?«, flüsterte sie ängstlich. »Sind Sie hier?«

Sie lauschte und erhob sich dann vorsichtig. Nach und

nach erkundete sie den Raum. Sie fand ein Stück Brot und eine Flasche Wasser. Erst jetzt merkte sie, wie ausgetrocknet sie war. Sie stürzte die Flüssigkeit hinunter und aß etwas Brot. Anschließend untersuchte sie die Hütte weiter, doch sie fand nichts, außer Dreck auf dem Boden und ein paar vertrocknete Blätter. Fiona spähte durch die Ritzen in ihren alten Raum hinüber. Aber es war stockdunkel. Die Geräte, die draußen irgendwo lagen, konnte sie nur erahnen. Am Himmel funkelten ein paar Sterne und der Mond. Sie fragte sich, warum ihr Entführer sie schon wieder gerettet hatte. Was hatte er mit ihr vor? Weshalb zog er sie zuerst aus dem Wasser und versorgte nun auch noch ihre Wunde? Wieso befand sie sich auf der anderen Seite des Schuppens? Hatte sie etwa ein Loch in die Holzwand gerissen und war deshalb hierher verlegt worden? Die Fragen kreisten so heftig in ihrem Kopf, dass ihr ganz schwindlig wurde. Sie setzte sich wieder auf die Matratze und verzehrte gierig den Rest des trockenen Brotes. Das Wasser trank sie bis auf den letzten Tropfen aus. Ihr war klar, dass sie es besser hätte für später einteilen sollen, doch sie brauchte jetzt all ihre Kräfte. Sie würde nicht aufgeben, das hatte sie sich geschworen. Fiona tastete abermals nach dem Verband und lächelte grimmig. Wenn dieser Mistkerl dachte, sie würde brav auf ihr Ende warten, hatte er sich geirrt. Sie hatte nichts zu verlieren, denn sie wusste, was mit den anderen Mädchen passiert war.

Sie sprang auf und schlang die Decke um die Schultern. Dann nahm sie Anlauf und warf sich mit der gesunden Schulter gegen die Wand. Der Schuppen ächzte. Gut so. Sie probierte es noch einmal und noch einmal. Und selbst als ihre verletzte Schulter durch die Erschütterungen wieder heftig pochte und der Schmerz erneut aufflammte, hörte sie nicht auf.

Sie stoppte erst, als die Tür ihres Gefängnisses wie von Geisterhand aufsprang.

40

Laura hatte eine Weile gebraucht, um herauszufinden, dass die Reinigungsfirma von Julian Brenner für sämtliche Diskotheken zuständig war, aus denen die Frauen entführt worden waren. Der Gedanke an Fiona Kramer hatte sie angetrieben, immer weiter zu recherchieren. Sie durchforstete Julian Brenners Leben, bis sie wieder auf den Vermerk von Martina Flemming stieß. Fieberhaft durchsuchte sie die Datenbanken des LKA nach seinem Namen, konnte jedoch nicht herausfinden, was da genau gelöscht worden war. Sie suchte im Internet und entdeckte den Namen Julian Brenner in einer alten Pressemitteilung, in der es um den Tod eines sechsjährigen Mädchens ging. Leider bestand die Mitteilung lediglich aus einem Zweizeiler, sodass Laura immer noch nicht viel mehr wusste. Der damalige Ermittler Dietmar Wesermann war bereits seit fünf Jahren in Pension, wie sie herausfand. Sie fluchte und starrte auf den Vermerk. Sie tippte den Namen des Ermittlers in eine Suchmaschine. Tatsächlich fand sie einen Telefonbucheintrag. Laura zögerte kurz, doch dann entschied sie, dass es nichts schaden konnte, der Sache auf den Grund zu gehen. Sie wählte die Nummer und wartete. Es hob niemand ab. Sie seufzte und wollte gerade auflegen, als jemand »Hallo« durch das Telefon brummte.

»Spreche ich mit Dietmar Wesermann?«, fragte sie.

»Der bin ich, und wer sind Sie, wenn ich fragen darf?«

»Mein Name ist Laura Kern vom LKA Berlin. Wir ermitteln in einer Serie von Mordfällen und in diesem Zusammenhang bin ich auf einen Namen gestoßen. Ich habe jedoch keinen Zugriff auf die Akte, weil sie gelöscht wurde, vermutlich wegen der Beteiligung von Minderjährigen. Sie waren damals der leitende Ermittler, und ich dachte, Sie könnten mir vielleicht weiterhelfen.«

»Um wen geht es denn?«

»Die Person heißt Julian Brenner.«

Am anderen Ende der Leitung trat Schweigen ein. Laura hörte Wesermann tief atmen.

»Hallo? Sind Sie noch dran?«, fragte sie verwundert über seine Reaktion.

»Ja. Ja, warten Sie.«

Er schnaubte so laut in ein Taschentuch, dass Laura den Hörer weghielt.

»Wissen Sie, das ist ein sehr alter Fall. Eine schreckliche Geschichte. Ich hab eigentlich längst damit abgeschlossen.«

»Herr Wesermann, ich würde nicht anrufen, wenn es nicht dringend wäre. Da draußen läuft ein Serientäter herum, der Frauen im Wald aussetzt und erschießt. Ich muss diesen Kerl unbedingt fassen.«

Wieder herrschte Schweigen am anderen Ende der Leitung. Irgendwann seufzte der ehemalige Kriminalkommissar.

»Also gut. Ich gebe Ihnen meine Adresse. Kommen Sie vorbei.«

Laura notierte Straße und Hausnummer, bedankte sich und packte die wichtigsten Unterlagen zusammen. Dann fuhr sie los, mechanisch steuerte sie ihren Wagen. Dietmar Wesermann lebte keine zehn Minuten entfernt in einem kleinen Wohnblock am Ende einer Sackgasse. Das gelbliche Licht der Straßenlaternen wies Laura den Weg. Noch bevor sie an der Haustür klingeln konnte, summte der Türöffner.

»Kommen Sie in die zweite Etage«, knatterte Wesermanns Stimme aus dem Lautsprecher.

Laura stieß die Tür auf und stieg zügig die Treppen hinauf. Dietmar Wesermann erwartete sie. Für einen Rentner wirkte er erstaunlich fit. Laura konnte die Muskeln unter seinem Hemd erahnen. Er hatte nicht den geringsten Bauchansatz. Nur der graue Vollbart und die Glatze verrieten sein wahres Alter. Wesermann lächelte und gab ihr die Hand. Er führte sie in sein Wohnzimmer, das eigentlich wie ein Arbeitszimmer aussah. Sämtliche Wände, bis auf die Fensterseite, verschwanden hinter Bücherregalen, die vom Boden bis knapp unter die Decke reichten. Einen Fernseher konnte Laura nicht entdecken, dafür einen Schreibtisch, auf dem sich die Unterlagen stapelten, als wäre Wesermann nie in Pension gegangen. Auf dem kleinen Tisch vor einem zweiteiligen Sofa stand ein Glas Wein, daneben lag ein Notizbuch. Ein paar Blätter und Fotografien verteilten sich über den Tisch. Aus dem Aschenbecher stank es streng nach Tabak. Wesermann rauchte Zigarren.

»Ich habe meine alten Notizen rausgesucht«, verkündete er und deutete auf den Ohrensessel neben dem Sofa.

Laura setzte sich.

»Es war eine schlimme Geschichte damals. Die kleine Emma Brenner wurde von ihrem Bruder erschossen. Der Junge war erst acht. Ist aber irgendwie an das Jagdgewehr seines Vaters gekommen. Seine Familie hat es als Unfall hingestellt. Ich habe das nie geglaubt.« Wesermann rieb sich über die Glatze und sah Laura eindringlich an.

»Dieser Junge war für mich das personifizierte Böse.« Er schüttelte den Kopf und verzog das Gesicht. »Ich weiß, wie sich das anhört, aber er hatte diesen Blick. Verstehen Sie? Da war diese Dunkelheit in diesem Kind.« Er legte Laura ein Foto des Jungen vor die Nase.

»Julian Brenner«, murmelte sie, als sie ihn in dem Kindergesicht erkannte. Er hatte sich kaum verändert. Etwas Böses sah sie in seinen Augen allerdings nicht. Eher etwas Zerbrechliches.

»Wenn es nach mir gegangen wäre, hätte ich ihn aus der Familie geholt. Es war klar, dass es kein gutes Ende nehmen würde.« Er seufzte tief und blätterte in der Akte. »Die Mutter hat sich ein Jahr nach Emmas Tod das Leben genommen mit einer Überdosis Schlaftabletten. Der Vater wurde zum Alkoholiker. Ich weiß gar nicht, was aus ihm geworden ist und ob er überhaupt noch lebt.« Er schüttelte abermals traurig den Kopf. »Die Sache war eindeutig, aber wir konnten die Geschehnisse nicht abschließend aufklären. Julians Fingerabdrücke wurden auf der Waffe sichergestellt. Er war der Letzte, der seine Schwester lebend gesehen hat. Man fand ihn neben ihrer Leiche, das Gewehr in den Händen. Der Vater hatte ihm das Schießen beigebracht. Er hat Emma von hinten erschossen, die Kugel ging durch die Lunge ins Herz.« Dietmar Wesermann schluckte und nahm einen Schluck aus seinem Weinglas.

»Möchten Sie auch?«, fragte er und stellte sein Glas wieder ab.

»Nein, danke.« Laura starrte auf das Foto von Julian Brenner, während die Worte von Wesermann in einer Endlosschleife durch ihren Kopf kreisten. *Von hinten durch die Lunge ins Herz.*

»Die Eltern hatten eine Psychologin engagiert. Sie war spezialisiert auf traumatisierte Kinder. Sie hat dem Jugendamt weisgemacht, dass mit dem Jungen alles in Ordnung wäre. Glauben Sie mir, in einer Jugendeinrichtung wäre er besser aufgehoben gewesen. Er hätte eine dauerhafte Betreuung und Therapie gebraucht. Die Eltern waren mit der Situation komplett überfordert. Ein Achtjähriger, der seine Schwester kaltblütig von hinten erschießt.« Wesermann schüttelte schon wieder den Kopf. »Mich wundert es jedenfalls nicht, dass Sie heute hier bei mir aufgetaucht sind. Damit hatte ich fast gerechnet. Wenn solche Menschen erst einmal Blut geleckt haben, können sie nicht mehr aufhören. Diese Psychologin sollte eigentlich die Erinnerungen des Jungen an den Tathergang zurückholen. Stattdessen hat sie ihn wie eine Glucke beschützt. Ihm jede seiner Lügen abgekauft und verhindert, dass die Wahrheit ans Licht kommt. Wir können bis heute nicht klären, wie er in der Tatnacht an die Waffe gelangt ist. Es passierte an Emmas sechstem Geburtstag. Der Schrank war verschlossen, aber das Gewehr fehlte. Angeblich hatte er keinen Zugang zum Schlüssel.«

»Gibt es ein Gutachten aus der Ballistik?«, fragte Laura.

»Ja, warten Sie.« Wesermann nahm sein Notizbuch und zog einen Zettel heraus. »Es war ein Standardkaliber .308 Winchester.«

»Darf ich das mitnehmen?«

»Natürlich. Sehen Sie sich die ganzen Notizen an, nehmen Sie sie meinetwegen auch mit, wenn es hilft.«

Laura sah sich das Foto von Emma Brenner an. Das hübsche Mädchen trug ein süßes Kleid und einen Blumenkranz im Haar. Gelbe und blaue Blüten leuchteten um die Wette, Nelken, Kornblumen, Margeriten, Vergissmeinnicht.

»Das war Emma, ein paar Stunden bevor sie starb«, erklärte Wesermann.

Laura blätterte weiter und stutzte. »Die Psychologin von damals hieß Susanne Niemeyer?«

Dietmar Wesermann verzog abfällig das Gesicht und nickte. Es war offenkundig, dass er diese Person nicht mochte. Laura hatte jetzt zumindest eine Erklärung für den gelben Punkt an Julian Brenners Namen. Niemeyer kannte diesen Mann oder vielmehr den Jungen, weil sie ihn vor zwanzig Jahren betreut hatte. Sie wollte den Namen zuerst markieren und hat es sich dann jedoch anders überlegt. Warum? Weil der Junge minderjährig war? Weil sie ihn damals schon nicht für den Täter hielt und ihm nicht erneut die Polizei auf den Hals hetzen wollte? Beschützte sie ihn immer noch? Oder hielt sie Julian Brenner für unverdächtig, weil er nicht ins Täterprofil passte?

Andererseits, je mehr Laura darüber nachdachte, desto mehr Parallelen fielen ihr zwischen den damaligen Umständen und den heutigen Mordfällen auf.

»Gab es noch weitere Verdächtige? Was ist mit dem Vater? Ihm gehörte der Waffenschrank«, fragte sie den pensionierten Kommissar, während sie sich immer weiter in die Unterlagen vertiefte.

»Ja, wir hatten zeitweise den Vater unter Verdacht. Doch auf dem Kindergeburtstag gab es genug Zeugen, die ihn zum Tatzeitpunkt im Wohnzimmer der Familie gesehen hatten. Der Mann trug seine Tochter auf Händen. Er war am Boden zerstört. Wissen Sie, ich merke es schnell, ob mir jemand etwas vorspielt oder nicht. Ich habe ihm geglaubt, ganz im Gegensatz zu seinem Sohn, bei dem ich mir heute noch sicher bin, dass er gelogen hat.« Er zuckte mit den Achseln. »Weitere Verdächtige gab es nicht.«

Laura fielen ein paar alte Familienfotos der Brenners in die Hände. Sie wirkten wie eine kleine glückliche Familie. Emma und Julian strahlten in die Kamera, die Eltern standen stolz hinter ihnen. Alles schien in perfekter Ordnung zu sein. Jedenfalls an der Oberfläche. Sie musterte ein weiteres Familienfoto.

»Wie viele Kinder hatten die Brenners?«, fragte Laura und zeigte Dietmar Wesermann das Foto, das sie ganz unten im Stapel gefunden hatte.

»Zwei, warum?« Wesermann stutzte kurz. »Ach so, sie meinen diesen Jungen dort? Die Brenners haben ab und an Pflegekinder beherbergt. Das muss eines von ihnen sein.«

Laura betrachtete den Jungen, der wesentlich älter war, vielleicht zwölf oder dreizehn. Eine Erinnerung stieg in ihr hoch.

»Ich danke Ihnen«, sagte sie und sprang auf. »Sie haben mir sehr weitergeholfen. Ich muss dringend los.«

41

Dieses Mal zögerte Laura trotz der späten Stunde nicht zu klingeln. Im Obergeschoss brannte Licht. Unten war alles dunkel, ganz wie sie es erwartet hatte.

»Ja. Wer ist da bitte?«, dröhnte die Stimme aus dem Lautsprecher über der Klingel.

»Laura Kern, LKA. Ich hätte da noch ein paar Fragen an Sie.«

Der Türsummer ertönte, und Laura trat ein. Sie nahm die Treppe ins Obergeschoss und reichte Dr. Susanne Niemeyer auf dem Treppenabsatz die Hand.

»Tut mir leid, dass ich Sie zu dieser Zeit noch störe«, entschuldigte sie sich.

»Das macht doch nichts. Haben Sie Karsten Grabow gefasst?« Susanne Niemeyer schloss die Wohnungstür hinter ihnen und geleitete Laura ins Wohnzimmer.

Sie schüttelte den Kopf. »Er ist wie vom Erdboden verschluckt. Wir gehen derzeit Ihrem Hinweis nach, dass er sich bei seiner Großmutter aufhalten könnte«, erwiderte sie ausweichend und schlenderte unauffällig an den Fotos auf der Kommode vorbei, bevor sie sich setzte.

»Ich habe mir ebenfalls noch weitere Gedanken zu Grabow gemacht«, hob Susanne Niemeyer an und schenkte gleichzeitig Wasser in zwei Gläser ein. »Ihre Kollegin, die so nett war und mir die Liste mit den Waffenbesitzern noch einmal ausgedruckt hat, gab mir auch den Polizeibericht zu der Körperverletzung mit, die Grabow damals zwei Jahre ins Gefängnis gebracht hat. Wissen Sie, dass die Frau, die er krankenhausreif geschlagen hat, mehr als zehn Jahre älter war als er selbst? Ich bin auch wesentlich älter.«

Laura hörte gar nicht richtig zu. Sie starrte auf das Bild des Jungen, das ihr schon in der Nacht des Überfalls auf Niemeyer ins Auge gefallen war. Sie hatte angenommen, es handelte sich um einen Neffen oder ein Patenkind der Niemeyers. Der Junge war vielleicht zwei oder drei Jahre jünger als auf dem Foto, das sie bei Dietmar Wesermann gesehen hatte. Aber es war derselbe. Definitiv. Wesermann hatte von einem Pflegekind der Brenners gesprochen. Doch was hatte das Foto dieses Pflegekindes neben den Hochzeitsfotos von Familie Niemeyer zu suchen?

»Ich frage mich, ob er wusste, dass ich die Polizei in den Mordfällen berate. Ich denke, er wollte mir Angst einjagen und ...«

Laura sprang auf. »Entschuldigen Sie bitte, ich muss dringend telefonieren.« Sie eilte hinaus ins Treppenhaus.

Als Simon Fischer sofort ans Telefon ging, atmete sie erleichtert auf und sprach leise ins Telefon:

»Tut mir leid wegen der Uhrzeit, aber können Sie bitte einen Namen für mich überprüfen? Sie müssen herausfinden, ob ein gewisser Julian Brenner eines der Grundstücke im Spandauer Forst besitzt. Und schauen Sie bitte gleich noch nach einem Mann mit dem Nachnamen Niemeyer. Dieser müsste drei oder vier Jahre älter sein als Brenner.«

»Niemeyer?«, stieß Simon Fischer ungläubig aus.

»Ja, bitte. Ich kenne den Vornamen nicht, aber ich habe da so eine Vermutung. Der Junge lebte vor zwanzig Jahren als Pflegekind in der Familie Brenner. Hier stimmt etwas ganz und gar nicht. Suchen Sie diesen Mann und prüfen Sie auch, ob auf den Namen Niemeyer vielleicht mehrere Grundstücke zugelassen sind.« Laura blickte sich um. Die Wohnungstür stand einen winzigen Spalt offen.

»Wird erledigt«, versprach Simon Fischer und legte auf.

Laura ging zurück in die Wohnung. In ihrem Kopf herrschte Chaos. Susanne Niemeyer saß auf dem Sofa und trank aus ihrem Wasserglas. Als Laura hineinging, fuhr sie fort, über Karsten Grabow zu sprechen. Doch nach drei Sätzen brach sie ab und musterte sie durchdringend.

»Sie sind überhaupt nicht wegen Karsten Grabow hier. Kann das sein?«, fragte sie schneidend. Sie durchbohrte Laura mit den Augen, als könne sie ihre Gedanken lesen, und sah zu dem Bild des Jungen auf der Kommode.

»L auf!«, raunte der große Mann, der wie ein schwarzer Dämon neben dem Schuppen aufragte. Fiona starrte ihn an.

Er baute sich vor ihr auf, wurde immer bedrohlicher. Ruckartig hob er die Hand und sie zuckte augenblicklich zusammen.

»Was wollen Sie von mir?«, kreischte sie, rührte sich jedoch nicht von der Stelle. »Lassen Sie mich gehen, bitte.« Sie faltete die Hände vor der Brust wie zum Gebet und blickte in sein Gesicht, das sie in der Dunkelheit kaum erkennen konnte.

»Lauf!«, wiederholte er monoton und machte den Weg frei.

Fiona stürmte los. Sie rannte über die holprige Wiese, vorbei an den Gartengeräten bis zum ersten Baum, der den Anfang des Waldes bildete. Verstört blieb sie stehen und schaute sich um. Der Mann war verschwunden. Wo war er so schnell hin? Sie war höchstens zwanzig oder dreißig Meter gelaufen. Ob das ein Zeichen war, dass er sie gehen ließ? Ihr Herz donnerte gegen die Rippen. Sie wandte sich zum Wald, aber der war so dunkel, dass sie glaubte, dort von der Finsternis verschluckt zu werden. Fiona suchte den Horizont nach den Lichtern der Stadt ab. In welche Richtung sollte sie bloß laufen? Über ihr leuchtete der Nordstern, doch sie hatte keinen blassen Schimmer, wie sie sich an ihm orientieren sollte. Seefahrer konnten früher mit Hilfe dieses Sterns nach Hause navigieren. Sie versuchte sich zu erinnern, wohin sie das letzte Mal gerannt war, als der Mann sie anschließend aus dem Wasser herausgefischt hatte. Vielleicht sollte sie dieselbe Strecke nehmen. Ertrinken lassen wollte er sie ja offensichtlich nicht. Also wandte sie sich nach links. Sie rannte nicht. Sie marschierte ganz langsam in den Wald. Warum sollte sie jetzt schon laufen? Er verfolgte sie anscheinend nicht, da schonte sie lieber ihre Kräfte.

»Ich frage mich, wer dieser Junge dort auf dem Bild ist«, sagte Laura und bemerkte, wie das Gesicht der Psychologin sich regelrecht versteinerte.

»Das ist privat«, erklärte Susanne Niemeyer ausweichend und drehte das Wasserglas auf der Tischplatte. »Und es hat mit Ihrem Fall nicht das Geringste zu tun.«

»Ich komme gerade von Dietmar Wesermann«, sagte Laura leise, wobei sie Susanne Niemeyer nicht aus den Augen ließ.

»Von wem?«

Am Zucken ihres linken Augenlides registrierte Laura, dass die Psychologin sehr wohl wusste, wen sie meinte.

»Das war der leitende Ermittler in einem Mordfall, der nunmehr zwanzig Jahre zurückliegt. Sie erinnern sich vielleicht?«

Susanne Niemeyer rutschte nervös auf dem Sofa hin und her.

»Ich verstehe nicht, was das mit unserem aktuellen Fall zu tun haben soll.« Sie nippte kurz an ihrem Glas und stellte es zurück auf den Tisch.

»Warum haben Sie mir den Namen Julian Brenner nicht gegeben?«, fragte Laura geradeheraus.

Susanne Niemeyer starrte sie hasserfüllt an. Laura erkannte die Psychologin kaum wieder.

»Ich sagte gerade, das ist privat. Ich möchte, dass Sie jetzt gehen«, zischte Niemeyer kalt.

»Wer ist dieser Junge?«, wiederholte Laura ruhig.

»Gehen Sie!« Niemeyer erhob sich demonstrativ. »Nun machen Sie schon. Raus hier. Ich wünsche Ihnen eine gute Nacht.«

»Hören Sie, das bringt doch nichts. Früher oder später kommt die Wahrheit sowieso ans Licht.«

Susanne Niemeyer blickte sie eiskalt an. Sie ging an Laura vorbei zur Wohnungstür und öffnete sie.

»Wenn ich also bitten darf?« Sie deutete nach draußen.

Laura erwiderte nichts und blieb im Türrahmen des Wohnzimmers stehen. Niemeyer würde ihr den Namen dieses Jungen nicht verraten, genauso wenig wie sie selbst irgendjemandem die Herkunft ihrer Narben auf die Nase binden würde. Sie sah die Entschlossenheit in Niemeyers Augen. Sie drehte sich kurzerhand um und hastete zu dem Foto von dem Jungen.

»Verdammt«, fluchte sie, denn auf der Rückseite standen weder Name noch Datum.

»Was fällt Ihnen ein?«, kreischte Susanne Niemeyer und stürzte auf sie zu. Laura machte im letzten Augenblick ein Foto von dem Jungen. Niemeyer riss ihr das Bild aus der Hand und taumelte ein paar Schritte rückwärts. Laura ergriff die Gelegenheit und schickte die Aufnahme blitzschnell an Simon Fischer.

»Wie können Sie es wagen, in meinen Privatsachen herumzuschnüffeln?« Susanne Niemeyer war mit einem Satz bei ihr und griff nach ihrem Handy. Doch Laura wehrte die Psychologin mit der freien Hand ab und steckte das Telefon in die Hosentasche.

»Löschen Sie dieses Foto auf der Stelle!«, forderte Niemeyer außer sich vor Wut und streckte die Hände nach Lauras Tasche aus.

»Jetzt seien Sie vernünftig«, sagte Laura und hielt Niemeyer mit gestreckten Armen auf Abstand.

»Geben Sie mir Ihr Handy«, keuchte Niemeyer und versuchte sich unter Lauras Armen hindurchzuwinden. Erst als das Telefon klingelte, hörte sie abrupt auf und ließ von Laura ab.

Laura musterte die Psychologin scharf. Sie schien plötzlich alle Energie verloren zu haben. Völlig außer Atem und mit hängenden Schultern verharrte sie vor Laura und starrte einen imaginären Punkt auf dem Fußboden an. Laura schaute auf ihr Handy. Es war Simon Fischer.

»Ich muss jetzt los«, sagte sie und lief an Susanne Niemeyer vorbei hinaus aus der Wohnung. Als sie vor der Haustür stand, rief sie den Computerspezialisten zurück.

»Einen Jungen mit dem Nachnamen Niemeyer gibt es nicht«, brummte Simon Fischer ins Telefon. »Und auch kein Grundstück, das jemandem mit diesem Namen gehört. Jedenfalls nicht in Berlin oder im Umkreis.«

»Verdammt«, fluchte Laura.

»Ich habe aber herausgefunden, dass es einen Marvin Franz gibt.«

»Was?« Laura verstand kein Wort.

»Franz ist der Mädchenname von Susanne Niemeyer. Marvin Franz ist ihr Sohn. Sie hat ihn mit siebzehn bekommen und konnte ihn nicht behalten. Er lebte bis kurz vor dem Tod von Emma Brenner in der Familie, dann wurde er in eine neue Pflegefamilie gesteckt. Ich konnte allerdings auf die Schnelle nicht herausfinden, warum.«

»Es ist ihr Sohn«, stieß Laura überrascht aus.

»Es gibt ein Grundstück am Waldrand, das auf Julian Brenner zugelassen ist«, fuhr Simon Fischer unbeirrt fort. »Ich habe Ihnen die Daten auf das Handy geschickt. Soll ich ein Einsatzteam dorthin schicken?«

»Ja, tun Sie das.« Laura legte auf und stürmte zum Wagen.

44

Zwanzig Jahre zuvor

Julian rannte in den Wald hinein. Das Herz donnerte fast bis zum Zerbersten in seiner Brust, denn zwischen den Bäumen sah er die gelben Augen des Monsters. Den Wolf, den er auf unzähligen Bildern für Frau Niemeyer gemalt hatte. Der Wolf war ihr Geheimnis. Nur sie beide kannten ihn wirklich. Das kam häufig vor, meinte Frau Niemeyer, dass Kinder Tiere oder Spielzeuge malten, die eigentlich etwas ganz anderes bedeuteten. Es war normal, das zu tun, wenn man traumatisiert war. Und das war er seit Emmas Tod. So oft hatte er sich früher gewünscht, sie wäre nicht mehr da. Mit ihr war er für seine Eltern nur Luft, doch nun, da sie fort war, fühlte es sich noch schlimmer an. Damit hatte er nicht gerechnet. Er wollte Frau Niemeyer helfen, auch wenn sie ihm gesagt hatte, dass er sich nicht erinnern musste. Ihretwegen war er zurück in diesen Wald gegangen. Aber jetzt, wo er hier war, fürchtete er sich erbärmlich. Seine Knie schlotterten, wenn er nur an den Wolf dachte. Nein. Er wollte wieder raus hier. Er wollte Emma nicht ein weiteres Mal sterben sehen. Er durchlitt Nacht für Nacht denselben Albtraum. Emma starb darin immer und immer wieder. Er musste dieses Trauma verarbeiten und begreifen, dass sie endgültig fort war. Dass sie nicht wiederkommen würde. Egal, ob er sich nun erinnerte oder nicht. Er musste seinen Ängsten gegenübertreten, um sie zu überwinden. Frau Niemeyer hatte ihm die Theorie erklärt. So richtig einleuchtend fand er sie aber nicht. Seine Angst war viel zu groß. Dennoch fügte er sich. Er tat es ihr zuliebe.

Julian blickte zurück und bemerkte verwundert, dass er plötzlich allein war. Dietmar Wesermann, sein Vater und auch Frau Niemeyer waren fort. Stattdessen hörte er Emma jauchzen. Emma. Er wandte sich zu ihr um, und sein Herz machte einen Satz.

»Emma. Lauf doch nicht weg. Wir müssen wieder nach Hause«, brüllte er und jagte ihr hinterher. Tiefer hinein in den Wald, bis er irgendwann irritiert stehen blieb, weil er Emma nicht mehr sah. Er suchte sie, drehte sich um die eigene Achse und stellte entsetzt fest, dass er keine Ahnung hatte, wo er sich befand.

»Emma«, schrie er verzweifelt und lief weiter, bis er einen Blick spürte. Etwas starrte ihn an. Das Monster mit den gelben Augen. Der Wolf.

»Wo ist Emma?«, stotterte er und fing an zu weinen. »Wir müssen nach Hause. Vater schlägt mich grün und blau, wenn er merkt, dass wir im Wald waren.«

»Hier bin ich.« Emma kicherte irgendwo ganz in der Nähe.

»Jetzt lauf schon, Julian. Du willst doch die kleine Emma nicht alleine lassen. Hast du Angst?« Der Wolf sprach mit ihm. Er glotzte ihn ungläubig an. Die gelben

Augen blitzten bedrohlich. Julian antwortete nicht und rannte weiter.

»Emma?« Er erblickte sie. Lächelnd saß sie auf einem Baumstumpf. Ihre erhitzten Wangen leuchteten rot.

»Ich will nur mit ihr reden«, erklärte der Wolf und kauerte sich neben sie auf die Erde. »Deshalb ist sie hergekommen.« Er wandte sich daraufhin Emma zu und fragte: »Warum hast du geschwindelt?«

»Ich?« Ihre Augen weiteten sich, und ganz plötzlich streckte sie die Zunge heraus. Sie sprang auf und rief:

»Fangt mich doch!«

»Emma, bitte, lauf nicht weg!« Der Wolf winselte. Er folgte ihr. Etwas steckte in seiner Schnauze.

Julian konnte nicht sehen, was es war. Die Nacht senkte sich immer tiefer herab und mit ihr die Kälte. Er fröstelte.

»Wartet auf mich«, rief er und rannte den beiden hinterher.

»Warum hast du gelogen? Warum?« Der Wolf klang heiser.

»Fangt mich doch!«

»Emma?«, rief Julian, denn er hatte sie schon wieder verloren. »Bleib stehen!« Er blickte sich um und sah den Wolf.

»Emma! Lauf!«

45

Laura fuhr nicht exakt zu der Adresse, die Simon Fischer ihr durchgegeben hatte. Sie steuerte ihren Wagen auf einer schmalen Straße quer durch den Wald. Sie fuhr auf die Stelle zu, an der Fiona nach ihren Berechnungen auftauchen musste, falls der Killer sie heute Nacht jagen würde. Sie hatte diese Taktik mit Taylor besprochen. Jedes Opfer war vor dem Überqueren einer Straße erschossen worden, vermutlich damit es keine Hilfe holen konnte oder gesehen wurde. Sie gingen davon aus, dass der Killer diese Verhaltensweise auch bei Fiona nicht über Bord werfen würde. Taylor sollte an einer anderen Stelle, ungefähr hundert Meter weiter, warten. Max hingegen fuhr in diesem Moment zu dem Grundstück, das Julian Brenner gehörte. Die Verstärkung war ebenfalls unterwegs, bald würden sämtliche Zuwegungen zum Spandauer Forst abgeriegelt sein.

Laura hielt den Wagen an und stieg aus. Über ihrem Kopf rauschten die Blätter, der Nachtwind fegte die Wärme des Tages weg. Die Bäume wirkten gespenstisch, ihre Äste ächzten ab und zu unter der Blätterlast. Fast kam es Laura so vor, als wären sie lebendige Wesen. Sie knöpfte ihren Mantel zu und tastete nach der Waffe. Die Pistole steckte an ihrem Platz. Für einen unangenehmen Moment fühlte sie sich an die Dunkelheit des Pumpwerkes erinnert. Doch dann sah sie nach oben, hinauf in den Himmel, an dem die Sterne strahlten, und ihre schreckliche Erinnerung verschwand. Sie schritt die Straße entlang. Fünfzig Meter in Richtung Norden und anschließend wieder zurück. Dabei starrte sie in das Dickicht rechts und links, lauerte auf Bewegungen oder ein verdächtiges Geräusch. Jedes Rascheln erhöhte ihren Puls. Sie sah dunkle Schatten, die sich wie Monster durch den Wald bewegten, aber nur eine Ausgeburt ihrer Fantasie waren. Kurz bevor Laura ihren Wagen wieder erreichte, rutschte sie die Böschung hinunter. Trockene Zweige knackten unter ihren Schuhen. Sie schlüpfte so leise es ging zwischen zwei Bäumen hindurch. Ein paar spitze Dornen krallten sich am Stoff ihres Mantels fest und hinderten sie am Weiterkommen. Laura schüttelte den dornigen Zweig ab und schlich weiter. Sie marschierte beinahe zehn Minuten, ohne dass irgendetwas geschah. Dann knatterte ihr Funkgerät.

»Der Schuppen ist leer«, dröhnte Max' Stimme aus dem Lautsprecher. Sofort drehte Laura die Lautstärke herunter. »Ich habe eine Matratze und Essensreste gefunden. Fiona Kramer muss hier gewesen sein. Ich leite umgehend die Fahndung nach Julian Brenner ein.«

»Okay«, erwiderte Laura. »Versuche herauszufinden, in welche Richtung sie laufen könnte.« Ein Zweig schlug ihr ins Gesicht, und sie biss sich auf die Unterlippe, bis der Schmerz nachließ. Sie schärfte all ihre Sinne, wollte das Mädchen erspüren ... oder den Jäger. Ganz langsam kämpfte sie sich voran. Jedoch wurden ihre Zweifel mit jedem Schritt größer. Der Spandauer Forst war ein riesiges

Waldgebiet. Der Mistkerl konnte überall sein Unwesen treiben. Wie sollten sie das Mädchen nur rechtzeitig finden? Im Grunde hatten sie überhaupt keine Chance, und selbst wenn sie sämtliche Wege absperrten, war das keine Garantie.

Komm schon, mach weiter, spornte sie sich still an. Sie arbeitete sich weiter durchs Dickicht, und plötzlich knackte ein Ast nur wenige Meter entfernt. Sie duckte sich hinter einen Stamm und hielt vor Schreck den Atem an. Etwas raschelte. Laura linste hinter dem Baum hervor. Sie versuchte, die Dunkelheit zu durchdringen. Ein schwarzer Schatten verharrte zwischen zwei Bäumen. Dieses Mal war es keine Einbildung. Sie beugte sich ein winziges Stückchen vor, um etwas erkennen zu können. In derselben Sekunde sprang der Schatten wie vom Teufel gejagt davon. Laura atmete aus. Das war nur ein Reh gewesen oder vielleicht auch ein Hirsch. Vorsichtig bewegte sie sich weiter und gelangte auf eine Lichtung. Rechts bemerkte sie Wasser. Es handelte sich um einen der künstlichen Gräben, die vor Jahren angelegt worden waren, um das Moor zu entwässern. Der Mond erhellte ein Stück der Wiese. Laura wollte gerade umdrehen, als sie eine Gestalt am anderen Ende der Lichtung wahrnahm. Sie blinzelte ein paarmal, weil sie ihren Augen nicht traute.

»Ich sehe jemanden auf einer größeren Lichtung ungefähr fünfhundert Meter von meinem Ausgangspunkt entfernt in nördlicher Richtung«, flüsterte sie in ihr Funkgerät und drehte den Ton aus. Sie duckte sich hinter den Büschen am Rand der Lichtung und versuchte, sich etwas näher heranzupirschen. Wer auch immer dort drüben stand, spazierte in aller Seelenruhe mitten in der Nacht durch den Wald und verschwand langsam zwischen den Bäumen.

Laura hetzte am Rand der Lichtung im Schutz der Bäume hinterher. Sie war dem Täter ganz dicht auf der Spur.

»Lauf!«, rief jemand. Ein Mann.

Laura zog ihre Pistole. Die Bäume ließen kaum Licht durch. Sie konnte die Richtung nur erahnen.

»Nein«, erwiderte eine Frauenstimme trotzig.

Laura konnte sie nicht sehen, doch sie bewegte sich scheinbar auf sie zu.

»Lauf, du verdammtes Miststück!«, brüllte der Mann, und Laura zielte in seine Richtung. Etwas reflektierte für einen Moment im schwachen Mondlicht.

Eine Linse. Er hatte ein Nachtsichtgerät!

Am Rand der Lichtung erschien erneut eine Gestalt, kleiner diesmal.

»Waffe runter«, brüllte Laura und stellte sich schützend vor die Frau. Im selben Augenblick erschütterte ein ohrenbetäubender Knall die Nacht. Für den Bruchteil einer Sekunde hörte Laura das Projektil, das sich sein Ziel suchte. Aber es passierte nichts. Sie drehte sich zu der Frau um in der Erwartung, dass sie getroffen am Boden lag. Zwischen den Bäumen blitzten Lichter auf. Auf einmal ging alles durcheinander. Die Frau wurde zu Boden gerissen. Sie schrie.

Also lebte sie.

»Nicht bewegen«, donnerte die Stimme von Max durch die Luft.

»Gesichert«, erwiderte Taylor ein Stückchen weiter rechts und hielt den Strahl seiner Taschenlampe auf einen Mann unter sich gerichtet. Er saß rittlings auf dem Rücken

des Mannes und legte ihm mit einer Hand die Handschellen an. Der Mann stöhnte.

»Wir brauchen einen Krankenwagen. Ich habe ihm ins
Bein geschossen.«

Max forderte Hilfe an, während Laura sich um die Frau
kümmerte, die mit weit aufgerissenen Augen regungslos
am Boden lag.

»Fiona Kramer?« Laura forschte in dem schmalen
Gesicht. Die Frau nickte kaum merklich. »Sie sind in
Sicherheit. Wir sind von der Polizei.«

46

Zwanzig Jahre zuvor

Emma lief davon. Julian folgte ihr und dem Wolf.

»Warum hast du gelogen? Jetzt lauf doch nicht weg.« Der Wolf mit den gelben Augen weinte und blieb stehen.

Julian stoppte ebenfalls und legte tröstend die Arme um ihn. Denn er war ja gar kein Wolf. Es war Marvin, der Junge, der bei ihnen gelebt hatte. Er sollte zu ihrer Familie gehören, ihr Bruder sein. Aber dann, nach fast einem Jahr, hatten ihre Eltern Marvin wieder fortgeschickt. Das war zwei Wochen vor Emmas Geburtstag und sie war daran schuld.

»Mach dir nichts draus, Marvin. Du kennst ja Emma. Sie ist eine blöde Kuh.«

»Blöde Kuh?«, fragte Marvin außer sich. »Ich dachte, sie wäre meine Schwester. Warum hat sie das getan? Ich habe doch gar nichts gemacht!«

»Das weiß ich. Ich weiß, dass du sie nicht in den Pool

geschubst hast. Sie lügt ständig. Erinnerst du dich an meinen letzten Geburtstag? Ich durfte niemanden einladen, weil ich wegen Emma Stubenarrest hatte. Sie hat behauptet, ich hätte die Bonbons aus dem Supermarkt gestohlen, dabei war sie es.«

»Ja, stimmt«, schniefte Marvin. »Aber ich darf jetzt nicht mehr bei euch wohnen. Deine Eltern haben mich weggeschickt. Ich bin jetzt im Kinderheim. Niemand will mich mehr haben. Ich bin ja schon zwölf.« Er sprang auf und lief verzweifelt hinter der kichernden Emma her. »Lauf nicht weg, Emma!«

Aber Emma hörte nicht. Sie drehte sich um und streckte ihm die Zunge heraus.

»Na, na, na, na-na«, sang sie und hüpfte auf einen Baumstumpf.

»Du musst mit deinen Eltern sprechen. Du musst ihnen sagen, dass ich nichts getan habe.«

Erst jetzt fiel Julian das Jagdgewehr auf, das Marvin sich umgeschnallt hatte, und die Handschuhe, die er trug. Er lief neben ihm her und hoffte, dass Marvin Emma zum Umkehren bewegen konnte. Es war schon spät.

»Als wir telefoniert haben, wolltest du dich mit mir im Wald treffen. Warum, wenn du doch nicht mit mir reden willst?«, schrie Marvin verzweifelt.

»Ich habe Geburtstag. Hast du denn kein Geschenk für mich?«

Julian sah, wie Marvin die Zornesröte ins Gesicht schoss. Kein Wunder. Emma benahm sich egoistisch wie immer. Sie dachte nur an sich. Es hatte im Prinzip gar nichts mit Marvin persönlich zu tun. Sie behandelte alle Menschen um sich herum wie ihren Hofstaat. Sie war ja Mamas und Papas Prinzessin. Sie lief weg, und er würde die Schuld dafür bekommen. Sie verabredete sich mit Marvin, und auch das würde an ihm hängenbleiben.

»Lauf doch weg«, brüllte Marvin außer sich. »Lauf!« Er zerrte das Gewehr vom Rücken und zielte.

»Lauf!«, brüllte er abermals.

Die Kälte kam so plötzlich, dass Julian es zunächst gar nicht registrierte. Stille breitete sich jäh aus, legte sich wie ein tödlicher Mantel über sie. Julian sah Emma. Ihre aufgerissenen Augen, als sie begriff, dass es ernst wurde. Er zitterte. Sie drehte sich um und rannte weg. Weiter in den Wald hinein. Marvin raste wie wild geworden hinter ihr her. Julian folgte ihnen völlig außer Atem. Er hatte Angst. Doch auf einmal verspürte er auch so etwas wie Freiheit. Wenn Marvin seine Schwester erschoss, dann könnte sie ihn auch nicht mehr ärgern. Sie würde endlich nicht länger im Mittelpunkt stehen und er würde wieder wahrgenommen werden. Er könnte seinen Eltern die Wahrheit über sie erzählen und auch dafür sorgen, dass Marvin wieder zu ihnen durfte. Sie wären für immer Brüder. Sie würden sich niemals streiten und den anderen schon gar nicht verraten.

Marvin hielt abrupt inne und nahm das Gewehr herunter. Tränen liefen ihm über das Gesicht und zerstörten die Freiheit, die Julian gerade noch empfunden hatte.

»Was tust du denn?«, schimpfte Julian. »Sie ist schuld daran, dass du nicht bei uns bleiben darfst. Willst du ihr das durchgehen lassen?«

Ein Funke glomm in Marvins Augen auf. Er nickte und rannte wieder los. Im Lauf hielt er das Gewehr hoch. Er stoppte. Er zielte. Es krachte.

Das Letzte, was Julian von seiner Schwester hörte, war der fürchterliche Schrei. Er riss Marvin das Gewehr aus der Hand, stieß ihn beiseite und stürzte zu Emma. Als er sie tot daliegen sah, ausgestreckt auf dem Waldboden, das Gesicht verborgen unter den Haaren, und mit dem Blumenkranz, der ihr vom Kopf gerutscht war, sah er schwarz. Er kippte einfach um.

47

»Ich möchte mit meinem Sohn sprechen.« Susanne Niemeyer saß kreidebleich im Verhörraum und hatte die Beine übereinandergeschlagen.

Laura hatte kaum geschlafen, die Psychologin offenbar ebenfalls nicht. Dunkle Schatten lagen unter ihren kalt blickenden Augen. Die Frau, die bis dato die Ermittlungen begleitet hatte, war nicht wiederzuerkennen.

»Er befindet sich noch im Krankenhaus. Sobald er entlassen wird, frage ich ihn. Versprochen.«

Etwas in Niemeyers Gesicht hellte sich auf. Laura knüpfte sofort daran an.

»Warum haben Sie uns nichts von Ihrem Sohn erzählt?«

»Was hätte ich Ihrer Meinung nach sagen sollen? Er ist mein Kind. Ich würde ihn niemals verraten.« Dr. Niemeyer beugte sich zu Laura vor. »Sie kennen doch die Gesetze. Es ist nicht strafbar, einen Familienangehörigen zu schützen.«

Laura seufzte. Niemeyer hatte recht. Niemand musste gegen ein Familienmitglied aussagen. Selbst eine Strafvereitlung, wie Niemeyer sie begangen hatte, konnte nach deutschem Recht nicht bestraft werden. Warum nur hatte die Psychologin sie absichtlich auf eine falsche Fährte gelockt? Laura konnte ihr Verhalten nicht nachvollziehen. Marvin Franz war ein Mörder.

»Vier junge Frauen sind tot«, sagte sie, erntete jedoch keine sichtbare Reaktion von Susanne Niemeyer.

»Wir hätten sie vielleicht retten können, wenn Sie uns nicht auf die Spur von Karsten Grabow gelockt hätten. Wir haben dadurch viel Zeit verloren.« Laura blickte die Psychologin an. Versuchte irgendeine Gefühlsregung zu erkennen, aber Niemeyers Gesicht wirkte wie eine starre Maske. Laura sagte nichts mehr und schaute hilflos zur Spiegelwand, hinter der Max sie beobachtete.

»Seit wann wussten Sie, dass Ihr Sohn in die Sache verwickelt ist?«, fragte sie und erwartete wieder keine Antwort. Doch zu ihrer großen Überraschung öffnete Niemeyer den Mund.

»Sie haben keine Kinder. Sie wissen nicht, wie das ist. Man will sie schützen, um jeden Preis. Selbst dann noch, wenn sie einen mit Füßen treten.« Sie schüttelte den Kopf. »Wissen Sie, wie viele Jahre ich verzweifelt versucht habe, Kontakt zu meinem Sohn aufzubauen? Ich war siebzehn, als ich ihn bekam. Es war für mich unmöglich, ihn zu behalten. Meine Familie hat mich dazu gezwungen, ihn wegzugeben. Was hätte ich denn tun sollen? Ich war völlig mittellos. Viel zu jung, unerfahren und ohne seinen Vater. Aber ich habe ihn trotzdem immer geliebt. Marvin hat es nur nie verstanden. Er hasst mich dafür, dass ich ihn weggegeben habe. Ich trage die Schuld an dem, was aus ihm geworden ist.« Sie richtete sich gerade auf. »Ich wollte Julian Brenners Erinnerungen gar nicht zurückholen, als er damals bei mir in Behandlung war.«

Laura schlug ihre Notizen auf. »So etwas Ähnliches hat

auch Herr Wesermann ausgesagt. Er ging fälschlicher-
weise davon aus, dass Julian Brenner seine Schwester
erschossen hat. Der Mann kann sich übrigens bis heute
nicht richtig an das Ereignis erinnern.«

»Hören Sie. Ich wollte, dass Marvin einen guten Start
ins Leben bekommt. Wäre er damals mit dem Mord in
Verbindung gebracht worden, hätten sie ihn im Heim
gelassen. Das wollte ich nicht. Das Mädchen war tot.
Niemand konnte sie wieder lebendig machen. Warum also
hätte ich Marvin Steine in den Weg legen sollen? Er wäre
als Minderjähriger sowieso nicht im Gefängnis gelandet.«

»Sie hätten den Jungen doch einfach wieder zu sich
nehmen können?«

Niemeyer schüttelte den Kopf. »Das ging zu diesem
Zeitpunkt nicht. Ich hatte gerade meinen Mann kennenge-
lernt, der sich eigene Kinder wünschte. Und später, als ich
Marvin zurückholen wollte, hat er jeglichen Kontakt mit
mir abgelehnt. Da war er fünfzehn. Das Jugendamt hatte
ihn in einer neuen Pflegefamilie untergebracht und es lief
wirklich gut. Ich habe dann entschieden, ihn nicht weiter
zu drängen.«

»Und woher wussten Sie, dass Ihr Sohn in die aktuellen Mordfälle verwickelt ist?«

Susanne Niemeyer seufzte. »Als ich Julian Brenners
Namen auf der Liste sah, da wurden mir die Parallelen
klar. Die kleine Emma in ihrem Geburtstagskleid. Die
Frauen in Abendkleidern. Die Blumen. Der Schuss in den
Rücken. Mir war klar, dass Julian Brenner nicht der Täter
sein konnte. Er könnte keiner Fliege etwas zuleide tun.
Dafür fehlt ihm die Wut.«

»Die Wut, die Ihr Sohn schon von klein auf mit sich
trug, weil seine Mutter ihn nicht behalten hatte?«

Niemeyer nickte stumm. Laura empfand Mitleid mit ihr. Alles, was ihr von ihrem Sohn blieb, war das Foto in ihrem Wohnzimmer und die Hoffnung, dass er irgendwann wieder mit ihr reden würde.

Sie schüttelte den Kopf. So viel Leid, das sich über die Jahre vergrößert und in einer Katastrophe geendet hatte.

»Ich habe erst einmal keine weiteren Fragen an Sie.« Laura erhob sich und machte ein paar Schritte Richtung Tür. Sie drehte sich zu Niemeyer um. »Wir haben Karsten Grabow übrigens geschnappt. Er hat Sie tatsächlich gestalkt. Diese Freundin hat er nur erfunden, damit Sie ihn behandeln und er in Ihrer Nähe sein kann. Er wollte Ihr Notizbuch aus der Praxis stehlen, um herauszufinden, was Sie über ihn dachten. Aber bevor es dazu kam, hatten Sie ihn bereits erwischt. Der Rest war eine Kurzschlussreaktion.« Laura wartete einen Augenblick, doch als Susanne Niemeyer nichts erwiderte, verließ sie den Verhörraum.

Das Team hatte seit den frühen Morgenstunden ganze Arbeit geleistet. Inzwischen wussten sie, dass Julian Brenner und Marvin Franz über all die Jahre in losem Kontakt miteinander gestanden hatten. Julian gab Marvin später einen Job als Hausmeister in seiner Firma. Er war für sämtliche Diskotheken zuständig, aus denen er am Abend Frauen entführte. Marvin durfte in den letzten Wochen in der Gartenlaube von Julian wohnen, weil seine Freundin ihn vor die Tür gesetzt hatte. Julian nutzte den Garten nicht. Er konnte die Nähe des Waldes nicht ertragen. Er hatte das Grundstück geerbt, nachdem sein Vater fünf Jahre zuvor einem Herzinfarkt erlegen war.

Laura strich sich müde über die Augen und öffnete die Tür zum Nachbarraum. Max blinzelte sie an.

»Wollen wir los?«, fragte er und sprang auf.

»Ist Marvin Franz denn schon hier?«, fragte Laura überrascht. Nach ihrer Information hätte Franz noch immer im Krankenhaus sein müssen und wäre erst in ein paar Stunden entlassen worden. Immerhin hatten die Ärzte ihnen im Vorfeld gestattet, Franz zu befragen. Erstaunlicherweise hatte er alle Morde widerstandslos zugegeben.

»Ja. Es war nur ein Streifschuss ins Bein. Franz sitzt im Rollstuhl und wartet im Einsatzwagen. Er hat mir noch mal seine volle Kooperation zugesichert.«

»Na dann. Nichts wie hin«, erwiderte Laura und lief voraus zum Fahrstuhl. Sie wollten mit Marvin Franz zu dem Grundstück fahren, auf dem er die Frauen festgehalten hatte. Der Einsatzwagen stand in der Tiefgarage. Marvin Franz saß in Handschellen und Fußketten zwischen zwei Beamten auf der Rücksitzbank. Laura grüßte ihn flüchtig. Das Gespräch mit Susanne Niemeyer ging ihr an die Nieren. Die Psychologin war eine Mutter, die in Marvin Franz vor allem ihren verlorenen Sohn sah. Laura konnte in diesem Mann jedoch nichts anderes als einen kaltblütigen Mörder erkennen. Seine verkorkste Kindheit war keine Entschuldigung für seine Taten.

Kurze Zeit später standen Laura und Max vor dem breiten Schuppen, der in drei ungefähr gleich große Räume aufgeteilt war. Der Anblick jagte ihr einen Schauer über den Rücken. Hinter ihr auf der Wiese befanden sich die Gartengeräte, die Elena Taubert beschrieben hatte. Sie betrat den Schuppen und bemerkte sofort die blaue Lackierung einiger Bretter an der Wand. Es handelte sich allerdings um ein Sammelsurium, denn jedes Brett wies eine andere Farbe auf. Die Hütte war offenkundig aus irgendwelchen Überresten zusammengeschustert worden. Trotzdem war sie solide gebaut und die Wände mit etlichen Querverstrebungen versehen, die Stabilität verliehen. Auf dem nackten Boden lagen Essensreste, eine Flasche und eine schäbige Matratze.

»Hier haben Sie die Frauen festgehalten? Hatten Sie keine Angst, dass sie sich befreien könnten?«

Marvin Franz zuckte mit den Achseln. »Sie haben es versucht, aber keine hat es geschafft. Der Schuppen ist ziemlich stabil. Ich habe da keine Sorgen gehabt.«

Laura sah sich den Nachbarraum an und bemerkte eine volle Wasserflasche und frisches Brot. Die Decke in der Ecke war ordentlich zusammengefaltet.

»Wollten Sie noch weitere Frauen hier einsperren und anschließend erschießen?«

Marvin Franz schaute sie aus leeren Augen an. »Sieben«, erwiderte er, als würden sie über Baumaterial oder etwas anderes sprechen, jedenfalls nicht über lebende Menschen. Er deutete auf die Laube neben dem Schuppen und führte sie nach nebenan. Die Spurensicherung hatte bereits mit der Arbeit begonnen. Ein paar Kollegen machten Fotos und tüteten Beweise ein. Sie durften trotzdem eintreten und ließen sich von Marvin Franz in das winzige Schlafzimmer führen. Laura blickte sich um und holte Luft. Das Zimmer glich einem Schrein. An einer Wand hingen sieben Fotografien von Frauen. Juliane Klopfer, neben ihrem Foto klebte ein Vergissmeinnicht. Melinda Bachmann mit einem blauen Veilchen. Kristin Jäschke und daneben eine Margerite. Antonia Uhlmann und eine gelbe Nelke, Elena Taubert mit einer blauen Kornblume, Fiona Kramer mit einem Gänseblümchen. Und dann erblickte Laura eine unbekannte Frau mit einer roten Rose.

»Wer ist das?«, fragte Max, der den Rollstuhl von Marvin Franz schob.

»Meine Ex«, krächzte er. »Eine miese Schlampe. Hat mich einfach rausgeworfen, obwohl ich ihr überhaupt nichts getan hatte. Sie war genauso mies wie die kleine Emma damals. Dieses Biest hat mir mein Leben ruiniert. Das Beste hebt man sich immer zum Schluss auf, nicht wahr?« Er griff nach einem vertrockneten Blumenkranz und schleuderte ihn wütend auf den Boden.

»Ist das Emmas?«, fragte Laura, denn so einen hatte sie auf einem Foto in Emmas Haaren gesehen.

»Nicht genau der, aber ich habe jedes Jahr einen neuen geflochten. Wissen Sie, ich hatte bei den Brenners ein neues Zuhause gefunden. Ich war elf, als sie mich aufnahmen, und zwölf, als sie mich rauswarfen. Können Sie sich vorstellen, was das mit einem Menschen macht? Ich habe all die Jahre wegen Emma keine richtige Schuld fühlen können. Sie hatte es irgendwie verdient. Trotzdem habe ich jedes Jahr so einen Kranz geflochten und auf ihr Grab gelegt.« Er sah Laura mit ausdrucksloser Miene an.

Sie konnte spüren, dass dieser Mann völlig kaputt war. Seine Seele war damals erfroren und mit ihr alle normalen menschlichen Gefühle.

Laura wandte sich erneut den Fotos an der Wand zu. Auf einem Regal darunter hatte Marvin Franz die Handtaschen und auch einige Schuhe der Frauen aufbewahrt. Er hatte sie wie Opfergaben auf einem Altar positioniert.

»Wie heißt Ihre Ex-Freundin?«, fragte sie und öffnete gleichzeitig ein kleines Schmuckkästchen, in dem sie solch einen Ring entdeckte, den er jedem seiner Opfer auf den Finger gesteckt hatte.

»Carolin Stieger. Ich habe ihr einen Antrag gemacht, und noch am gleichen Abend hat sie mich einfach vor die

Tür gesetzt. Ich fühlte mich schrecklich. Es war wie mit Emma. Plötzlich waren all diese Bilder wieder da. Ich bin zu Julian und der hat mich beruhigt und mir seinen Garten zur Verfügung gestellt. Ich habe mindestens eine Woche wie betäubt dagesessen, und dann wusste ich, was zu tun ist. Ich habe mir von einem Kumpel dieses Betäubungsmittel besorgt und bin in die nächste Disco. Da habe ich mir eine dieser miesen Schlampen geschnappt. Eine, die genauso aussah wie meine Ex. Die genauso aufreizend getanzt hat.« Er deutete auf das Regal, und Laura nahm ein paar Fotos von Juliane Klopfer von dem Brett, die sie alle tanzend im Moonlight zeigten.

»Sehen Sie? Erst machen sie einen an mit ihren falschen Versprechen und anschließend lassen sie einen fallen wie eine heiße Kartoffel. Das wollte ich nicht mehr hinnehmen. Ich wollte in diesem Spiel nicht länger das Schaf sein. Ich bin der Wolf. Als ich die Schlampe in den Schuppen gesperrt hatte, fiel mir der Blumenkranz für Emmas Grab in die Hände. Ich zupfte eine Blüte heraus und machte die Tür vom Schuppen auf. Ich wollte zuerst mit ihr reden. Warum sie so mit Männern umgeht. Ob sie keine Ehre hat. Aber das Flittchen ist sofort in den Wald gelaufen wie eine Verrückte. Ich dachte mir, sie will es nicht anders. Ich nahm das Gewehr und hab sie verfolgt. Eigentlich wollte ich sie nur wieder einfangen, doch dann hat mich das Jagdfieber gepackt. Ich scheuchte sie kreuz und quer durch den Wald. Es war herrlich. Ich konnte ihre Angst regelrecht riechen. Sie hetzte wie ein panisches Reh durchs Dickicht. Es war unbeschreiblich. Wissen Sie, wie es sich anfühlt, Herr über Leben und Tod zu sein?« Er sog tief Luft ein und stieß sie anschließend ruckartig wieder aus. Er grinste.

»Sie hat es doch tatsächlich fast auf die Straße

geschafft. Ich hab sie kurz vorher abgeknallt. Das Miststück war mir tot lieber als lebendig. Ich habe eines der Fotos neben sie gelegt, damit jeder sehen konnte, warum sie sterben musste. Sie hat getanzt wie eine erbärmliche Nutte. Den Ring bekam sie, weil ich sie erlegt habe. Sie gehört mir, verstehen Sie?« Seine Mundwinkel verzogen sich zu einem widerlichen Grinsen.

Laura nickte und versuchte, dabei keine Miene zu verziehen. Der Kerl war komplett durchgeknallt.

»Und aus welchem Grund haben Sie dann noch weitere Frauen erschossen? War eine Tote nicht mehr als genug?«, fragte Max.

Marvin Franz grinste. »Es hat sich einfach toll angefühlt. Nachts im Wald. Du spürst die Stille und dein Opfer. Endlich bist du derjenige, der die Kontrolle hat. Sie können nicht mehr mit dir spielen oder dir wehtun. Jetzt hältst du den Finger am Abzug und gibst ihnen, was sie verdient haben.« Er zuckte mit den Schultern. »Ich hatte ja noch Emmas Kranz. Mir war sofort klar, dass meine Ex Carolin die rote Rose bekommen würde. Wie gesagt, sie sollte der krönende Abschluss werden. Ich dachte mir, ich mache keine halben Sachen. Sieben Blüten waren in Emmas verdammtem Blumenkranz. Also habe ich nach sieben Frauen Ausschau gehalten. Sonst macht die Jagd ja auch gar keinen Spaß und ist viel zu schnell zu Ende.«

»Hatten Sie denn überhaupt kein Mitleid?«, fragte Laura erschüttert.

»Mitleid?« Er schüttelte den Kopf. »Hatten die Schlampen mit mir ja auch nicht.«

Laura schluckte. »Fiona Kramer hat mir berichtet, dass Sie sie vor dem Ertrinken gerettet hätten, und außerdem haben Sie eine Wunde an ihrer Schulter versorgt. Warum?«

Marvin Franz sah sie an. In seinen Augen funkelte es düster. Für den Bruchteil einer Sekunde glaubte Laura, dort etwas Menschliches zu sehen. Doch der Ausdruck verschwand, als wenn sich ein schwarzer Vorhang vor seine Iris schieben würde.

»Ich wollte nicht, dass sie mir die Jagd versaut«, erwiderte er patzig und deutete auf das Bett. »Da drunter lagere ich die Waffe und Munition, falls die noch nicht gefunden worden sind.«

Laura blickte sich zu einer Mitarbeiterin der Spurensicherung um.

»Haben wir schon eingesammelt und in die Ballistik geschickt«, antwortete die Frau in dem weißen Overall.

»Na, dann sind wir ja hier fertig, oder?« Marvin Franz gähnte. »Schieben Sie mich raus hier. Ich fand schon immer, dass es hier unerträglich muffelt.«

»Warte«, sagte Laura und hob die Hand, damit Max den Rollstuhl anhielt. »Warum zeigen Sie uns das alles?«

»Wie bitte?« Marvin Franz beäugte sie misstrauisch.

»Ja. Ich verstehe nicht, warum Sie uns bei den Ermittlungen helfen. Wäre es nicht leichter für Sie, sich mit ihrem Anwalt zu beraten und gegebenenfalls zu schweigen?«

Und endlich erblickte Laura den Menschen, der Marvin Franz einmal gewesen war und der er vielleicht hätte werden können. Sein Blick verlor für den Bruchteil einer Sekunde die Härte.

»Ich will meinen Bruder Julian nicht schon wieder reinreißen. Ich habe seinen Garten benutzt und will nicht, dass Sie denken, er hätte mir geholfen. Lassen sie ihn in Ruhe. Er hat meinetwegen genug durchgemacht«, sagte er und blickte zur Seite.

»Ihre Mutter möchte mit Ihnen sprechen«, fügte Laura

hinzu und trat überrascht einen Schritt zurück. Der Anflug von Menschlichkeit war verschwunden. In seinen Augen loderte der Hass.

»Ich will sie nie wiedersehen«, stieß er hervor und griff dann trotz der Handschellen in die Räder des Rollstuhls. Stumm ruckelte er am rechten Rad, bis Max eingriff und ihn langsam aus dem Raum schob.

EPILOG

Ein paar Tage später

»Sie wird durchkommen.« Fiona Kramer saß neben dem Bett von Elena Taubert und sprang auf, als Laura und Max das Krankenzimmer betraten. Sie strahlte über das ganze Gesicht. Noch immer hing die schwer verletzte Elena Taubert an allen möglichen Krankenhausapparaturen, die piepsten und blinkten. Sie lag blass auf dem weißen Laken, aber sie war bei Bewusstsein und lächelte sogar ein wenig.

»Ich habe Ihre Kette mitgebracht. Es war gar nicht so leicht, sie aus der Asservatenkammer zu bekommen. Sie wissen ja, wie das bei Behörden manchmal so läuft«, sagte Laura und hielt Fionas Kette hoch.

»Meine Glückskette. Ich wusste, dass sie mir hilft.« Fiona nahm Laura die Kette ab und legte sie in Elenas Hand. »Ich will, dass du sie behältst. Du hast mir das Leben gerettet.«

»Quatsch«, krächzte Elena. »Das war die Polizei.« Sie blickte Laura und Max dankbar an.

311

»Ihre Hinweise zum Gartengrundstück waren sehr hilfreich. Ohne Ihre Angaben wären wir vielleicht zu spät gekommen.« Laura lächelte.

»Wir sind aber eigentlich hier, um zu schauen, wie es Ihnen geht. Der Fall ist so gut wie abgeschlossen und der Täter wird mit hoher Wahrscheinlichkeit den Rest seines Lebens im Gefängnis verbringen. Sie haben von ihm nichts mehr zu befürchten«, fügte Max hinzu.

Laura genoss für den Moment das Glück und den Frieden, die das Krankenzimmer auf einmal in einem ganz anderen Licht erscheinen ließen. Doch dann piepste eines der Geräte und holte die Krankenhausatmosphäre zurück. Laura seufzte und verabschiedete sich von den beiden jungen Frauen, die nur um ein Haar dem Tod entkommen waren.

Auf sie wartete noch ein Gespräch, das sie für den endgültigen Abschluss des Falls führen mussten. Julian Brenner empfing sie gut dreißig Minuten später in seinem Büro. Er wirkte gefasst und ruhig, nur an seinen rot geweinten Augen erkannte Laura, dass die Ereignisse nicht spurlos an ihm vorbeigegangen waren.

»Wenn ich gewusst hätte, was Marvin vorhat, wäre ich sofort zur Polizei gegangen. Ich hätte ihn niemals im Garten wohnen lassen.« Er raufte sich die Haare. »Erst wollte ich ihm ein Zimmer in meiner Wohnung anbieten, aber ich dachte, es kommt in der Firma vielleicht nicht so gut an. Marvin war nie ein guter Teamplayer, und wenn er dann auch noch beim Geschäftsführer wohnt, würde die Belegschaft ihn womöglich schneiden. Das wollte ich nicht. Er ist sehr sensibel. Wissen Sie, er hat sich schon als Kind nirgendwo dazugehörig gefühlt. Kein Wunder, niemand wollte ihn haben. Selbst unsere Familie nicht. Wobei das gar nicht an Emma lag, sondern an seinem auffälligen Verhalten. Er war schon immer schwierig und nicht sonderlich zuverlässig.«

»Sie brauchen sich nicht zu rechtfertigen«, sagte Laura, »Sie konnten doch nichts dafür.«

»Er ist das letzte Stückchen Familie, das mir geblieben ist«, flüsterte Julian Brenner und nahm ein Foto in die Hand, das auf seinem Schreibtisch gestanden hatte. Als er es umdrehte, erkannte Laura seine kleine Schwester Emma darauf.

»So unschuldig bin ich nicht«, sprach er weiter. »Ich habe mir als Junge oft gewünscht, dass sie nicht mehr da wäre. Können Sie sich das vorstellen?« Er schüttelte den Kopf. »Im tiefsten Herzen wusste ich, dass Marvin Emma erschossen hat. Ich wollte es nie wahrhaben, und deshalb habe ich ein Monster erfunden. So eine Art Wolf, der es getan hat. Ich kann mich selbst jetzt, wo ich weiß, wie es passiert ist, nicht richtig erinnern.«

»Sie trifft keine Schuld. Ich weiß, dass Sie Ihre Schwester geliebt haben.« Laura reichte ihm eine Kinderzeichnung, die sie in der Akte von Dietmar Wesermann gefunden hatte. »Sie haben nicht nur Monster gemalt, sehen Sie. Dass Geschwister streiten und auch einmal eifersüchtig aufeinander sind, ist völlig normal.«

»Wo haben Sie das her?«, fragte Julian schluchzend und strich mit dem Finger über das kleine Mädchen, das lachend neben seinem großen Bruder stand. Über ihnen schwebte eine Wolke in Form eines Herzens. »Ich kann mich überhaupt nicht entsinnen, dass ich dieses Bild gezeichnet habe.«

Laura lächelte. »Ich weiß. Das müssen Sie auch gar nicht. Ihre Zeichnung ist doch Beweis genug.«

»Danke«, murmelte Julian Brenner und wischte sich eine Träne aus dem Gesicht.

* * *

»Du bist spät«, sagte Taylor und sprang auf, um ihr den Stuhl zurechtzurücken. Laura stellte verwirrt fest, dass ein Hauch von Vorwurf in seiner Stimme lag.

»Tut mir leid. Wir waren noch bei Julian Brenner. Er hat die Spurensicherung freiwillig in seine Wohnung gelassen und uns mit allen möglichen Hintergrundinformationen zu Marvin Franz versorgt. Der Ärmste ist ziemlich fertig. Es hat einfach gedauert.«

»Verstehe«, murmelte Taylor und ergriff Lauras Hand. Seine Augen wanderten unruhig durch das italienische Restaurant, in das er sie eingeladen hatte. Laura spürte einen Stich im Herzen und fragte sich unwillkürlich, was er vorhatte.

»Ich wollte mit dir reden«, fuhr Taylor fort und ließ ihre Hand los. Er rutschte ganz nach hinten auf seinem Stuhl und vergrößerte den Abstand zu ihr. Ein Kellner trat an ihren Tisch.

»Darf ich Ihre Bestellung entgegennehmen?«

Taylor blickte Laura unruhig an. »Dann essen wir erst. Ich nehme ...«

»Nein«, fuhr Laura dazwischen und wandte sich an den Kellner: »Wir brauchen noch ein paar Minuten.«

Der sah sie überrascht an und entfernte sich diskret.

»Was willst du mir sagen?« Sie funkelte ihn an. Sie spürte plötzlich eine unglaubliche Distanz zwischen ihnen. Sie schien für einen Augenblick beinahe unüberwindbar.

Taylor räusperte sich und lehnte sich wieder vor.

»Ich weiß, dass ich dich enttäuscht habe, als ich mich in der einen Woche nicht bei dir gemeldet habe. Ich habe gesehen, dass du in meinem Kalender nachgeschaut hast.«

Sofort spürte Laura, wie ihr die Röte ins Gesicht schoss. Dieser Abend würde sich zu einem Albtraum entwickeln!

»Ich möchte, dass du weißt, dass ich dich liebe.« Er machte eine unerträglich lange Pause, in der sie auf sein *Aber* wartete.

»Du bist eine Frau, die ihre Unabhängigkeit liebt. Das schätze ich sehr. Ich will dich nicht einschränken und ich will dich nicht mit diesem ganzen Beziehungskram erdrücken. Aber ich möchte, dass du den hier nimmst.« Er schob einen kleinen Gegenstand über den Tisch.

Laura begriff überhaupt nichts mehr. Verwirrt sah sie von Taylor zu dem silbernen Ding vor ihr.

»Du kannst kommen und gehen, wie es dir beliebt«, flüsterte er und ergriff wieder ihre Hand.

Jetzt erkannte Laura, was er ihr gegeben hatte. Den Schlüssel zu seiner Wohnung. Überrascht blickte sie ihm in die Augen. Da war gar keine Distanz, sondern nur Unsicherheit. Eine unglaubliche Erleichterung durchströmte sie. Ihr Herz pochte wild gegen die Rippen. Sie sprang hoch und drückte ihm einen Kuss auf die Wange.

»Hast du keine Sorge, dass ich dich mitten in der Nacht überrasche?«, hauchte sie und steckte seinen Schlüssel ein.

Ende

NACHWORT DER AUTORIN

ich möchte mich bei Ihnen dafür bedanken, dass Sie meinen Roman gekauft und gelesen haben. Ich hoffe, Ihnen hat die Lektüre gefallen und Sie hatten ein spannendes Leseerlebnis.

Die Figuren im Buch sind übrigens frei erfunden. Ich möchte dennoch nicht ausschließen, dass der eine oder andere Charakter Ähnlichkeiten mit heute lebenden Personen aufweist. Dies ist jedoch keinesfalls beabsichtigt.

Wenn Sie an Neuigkeiten über anstehende Buchprojekte, Veranstaltungen und Gewinnspielen interessiert sind, dann tragen Sie sich in meinen klassischen E-Mail-Newsletter oder auf meiner WhatsApp-Liste ein:

- **Newsletter: www.catherine-shepherd.com**
- **WhatsApp: 0152 0580 0860** (bitte das Wort *Start* an diese Nummer senden)

Sie können mir auch gerne bei Facebook, Instagram und Twitter folgen:

- www.facebook.com/catherine.shepherd.zons
- www.twitter.com/shepherd_tweets
- Instagram: autorin_catherine_shepherd

Natürlich freue ich mich ebenso über Ihr Feedback zum Buch an meine E-Mail-Adresse:

kontakt@catherine-shepherd.com

Zum Abschluss habe ich noch eine persönliche Bitte. Wenn Ihnen dieses Buch gefallen hat, würde ich mich über eine kurze Rezension freuen. Keine Sorge, Sie brauchen keine ›Romane‹ zu schreiben. Einige wenige Sätze reichen völlig aus.

Sollten Sie bei *Leserkanone*, *LovelyBooks* oder *Goodreads* aktiv sein, ist natürlich auch dort ein kleines Feedback sehr willkommen. Ich bedanke mich recht herzlich und hoffe, dass Sie auch meine anderen Romane lesen werden.

Ihre Catherine Shepherd

WEITERE TITEL VON CATHERINE SHEPHERD

Zons-Thriller Band 1 bis 4

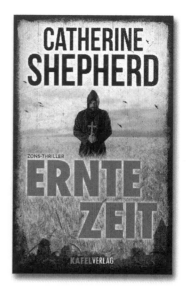

Zons-Thriller Band 5 bis 8

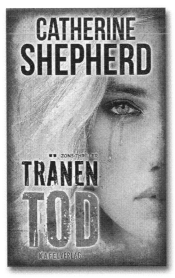

Zons-Thriller Band 9

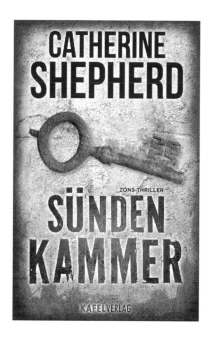

Laura Kern-Thriller

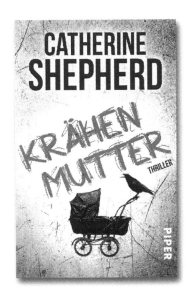

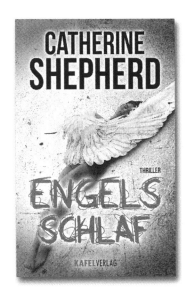

Julia Schwarz-Thriller

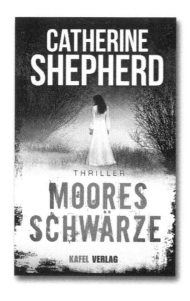

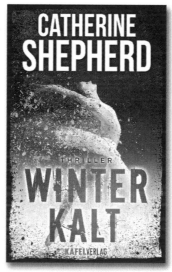

ÜBER DIE AUTORIN

Die Autorin Catherine Shepherd (Künstlername) lebt mit ihrer Familie in Zons und wurde 1972 geboren. Nach Abschluss des Abiturs begann sie ein wirtschaftswissen schaftliches Studium und im Anschluss hieran arbeitete sie jahrelang bei einer großen deutschen Bank. Bereits in der Grundschule fing sie an, eigene Texte zu verfassen, und hat sich nun wieder auf ihre Leidenschaft besonnen.

Ihren ersten Bestseller-Thriller veröffentlichte sie im April 2012. Als E-Book erreichte »Der Puzzlemörder von Zons« schon nach kurzer Zeit die Nr. 1 der deutschen Amazon-Bestsellerliste. Es folgten weitere Kriminalromane, die alle Top-Platzierungen erzielten. Ihr drittes Buch mit dem Titel »Kalter Zwilling« gewann sogar Platz Nr. 2 des Indie-Autoren-Preises 2014 auf der Leipziger Buchmesse. Seitdem hat Catherine Shepherd die Zons-Thriller-Reihe fortgesetzt und zudem zwei weitere Reihen veröffentlicht.

Im November 2015 begann sie mit dem Titel »Krähenmut-ter« eine neue Reihe um die Berliner Spezialermittlerin Laura Kern (mittlerweile Piper Verlag) und ein Jahr später veröffentlichte sie »Mooresschwärze«, der Auftakt zur dritten Thriller-Reihe mit der Rechtsmedizinerin Julia Schwarz.

Mehr Informationen über Catherine Shepherd und ihre Romane finden sich auf ihrer Website:

www.catherine-shepherd.com

Printed in Poland
by Amazon Fulfillment
Poland Sp. z o.o., Wrocław

53120600R00197